Le guide du vin

Design graphique: Josée Amyotte
Mise en page et infographie: Julien Rodrigue,
   Caroline Richard, Chantal Landry et Johanne Lemay
Traitements des images: Johanne Lemay
Soutien technique: Mario Paquin

Suivez-nous sur le Web
Consultez nos sites Internet et inscrivez-vous à
l'infolettre pour rester informé en tout temps de nos
publications et de nos concours en ligne. Et croisez
aussi vos auteurs préférés et notre équipe sur nos
blogues!

EDITIONS-HOMME.COM
EDITIONS-JOUR.COM
EDITIONS-PETITHOMME.COM
EDITIONS-LAGRIFFE.COM
RECTOVERSO-EDITEUR.COM
QUEBEC-LIVRES.COM
EDITIONS-LASEMAINE.COM

DISTRIBUTEUR EXCLUSIF:

· Pour le Canada
  et les États-Unis:
  MESSAGERIES ADP*
  2315, rue de la Province
  Longueuil, Québec J4G 1G4
  Téléphone : 450-640-1237
  Télécopieur: 450-674-6237
  Internet: www.messageries-adp.com
* filiale du Groupe Sogides inc.,
  filiale de Québecor Média inc.

Gouvernement du Québec – Programme de crédit
d'impôt pour l'édition de livres – Gestion SODEC –
www.sodec.gouv.qc.ca

L'Éditeur bénéficie du soutien de la Société de développement des entreprises culturelles du Québec pour
son programme d'édition.

Cet ouvrage a été achevé d'imprimer sur
les presses de Imprimerie Transcontinental,
Beauceville, Canada

 Conseil des Arts   Canada Council
du Canada   for the Arts

Nous remercions le Conseil des arts du Canada de l'aide
accordée à notre programme de publication.

Financé par le gouvernement du Canada
Funded by the Government of Canada   Canadä

Nous reconnaissons l'aide financière du gouvernement
du Canada par l'entremise du Fonds du livre du Canada
pour nos activités d'édition.

Imprimé au Canada

10-19

Dépôt légal: 2019
Bibliothèque et Archives nationales du Québec

ISBN 978-2-7619-5356-6

NADIA
FOURNIER

2020

PHANEUF

Le
guide
du vin

LES GRAPPES D'OR

39ᵉ édition

LES ÉDITIONS DE
L'HOMME

TOUT CHANGE

Si vous vous êtes déjà penché sur l'un des contes des frères Grimm, vous avez à coup sûr été happé par le monde de différences qui les sépare des versions de Disney. Dans Cendrillon, par exemple, les méchantes demi-sœurs vont jusqu'à se couper un orteil et à se scier (!) le talon dans l'espoir de chausser le fameux escarpin. Aller, maintenant, faites de beaux rêves...

Autant l'idée de raconter une histoire d'une telle violence à un enfant est aujourd'hui inconcevable, autant elle était toute naturelle dans l'Allemagne de 1818. Ces contes (de fées) témoignent des règles morales, autant que de la dureté de leur époque.

Toujours dans le registre des mœurs, j'ai souvenir d'une conversation avec ma grand-mère qui me disait bien aimer le nouveau curé du village, mais qu'elle ne supportait pas «sa manie de vouloir tutoyer Dieu», ajoutant du même souffle qu'elle n'emboîterait jamais le pas à cette supposée «modernité». Une petite dizaine d'années plus tard, on l'entendait réciter le *Notre Père* au «tu», comme si rien n'était.

Mais voilà, tout change. Même ma grand-mère. Une génération (souvent beaucoup moins) suffit pour que des choses autrefois impensables deviennent monnaie courante et que d'autres, par conséquent, deviennent désuètes. Et le vin, qui peut paraître immuable vu de l'extérieur, est lui aussi en constante mutation.

En visite dans le Rhône en avril 2019, je me suis encore une fois régalée à écouter Jean-Louis Chave parler du monde du vin, en général. Des modes, plus particulièrement. «Notre culture du vin a changé en très peu de temps. Avant, si on voulait me complimenter pour mon hermitage blanc, on me disait qu'il était gras et large. Aujourd'hui, on me dit plutôt qu'il est frais, tendu et aérien.»

Cette idée m'a animée pendant tout l'été, alors que j'enchaînais les dégustations pour *Le guide 2020*. Elle est venue se greffer à mon barème d'appréciation, me servant de garde-fou et de rempart contre les modes, faisant émerger au passage plein de questions:

Les vins de Meursault sont-ils de moins bonne qualité parce que les consommateurs d'aujourd'hui ont plus soif de ceux de Chablis?

Les cépages hybrides sont-ils à mettre de côté maintenant que les cépages vinifera connaissent du succès au Québec?

Les rieslings *haltrocken* (demi-secs) devraient-ils cesser d'exister parce que le sucre est l'ennemi de l'heure?

La force, la structure et le boisé d'un jeune gevrey-chambertin ou d'un rioja reserva doivent-ils être considérés comme des tares maintenant qu'on prend un plaisir décomplexé à boire du gamay et autres rouges de soif?

Et la chute libre des vins dessert? Et le dosage des champagnes? Et la phobie du soufre? Et les pet' nat'? Et le vin orange?

Enfin, cette ultime question: est-ce que ce sont les modes qui dictent les goûts ou plutôt l'inverse?

J'aimerais pouvoir vous éclairer sur cette dernière, mais je n'ai toujours pas fait pleine lumière sur le sujet. Ce qui ne fait aucun doute, c'est que plus rien n'est figé dans le temps. En simultané, les vignobles des pays de l'Est entrent dans le XXIᵉ siècle et l'industrie viticole chilienne entame son retour aux sources. Et même les plus traditionnels des vignerons s'aventurent dans les vinifications sans soufre, expérimentent avec les macérations pelliculaires et/ou les amphores, puis partagent le tout sur Instagram.

Depuis mes premières lignes dans ce guide, il y a 13 éditions, l'offre à la SAQ a explosé. Jamais je n'aurais cru voir un jour autant de vins bios, biodynamiques et nature, offerts au grand public. Les beaujolais nature jouent du coude et grugent des parts de marché à ceux des gros négociants. Les pet' nat' de la Loire côtoient les classiques de vouvray dont la présence sur le marché remonte au temps de la Commission de Liqueurs.

Ces nouveaux venus sont-ils meilleurs? Parfois, oui, mais pas toujours. En revanche, ils apportent un vent de fraîcheur dans le paysage du vin. On en prend, on en laisse. On explore et on y revient… ou pas. Ce qui compte, c'est que l'éventail complet de styles soit là. Accessible. Après, libre à vous de choisir si vous vous sentez l'esprit aventurier, classique ou vintage. Et pourquoi pas toutes ces réponses, en alternance, selon le contexte et selon votre humeur. Nul besoin de choisir un camp. Juste de se laisser porter par le plaisir de boire un vin qu'on aime. C'est tout ce que je vous souhaite pour l'année 2020. Santé!

NADIA FOURNIER

MARIE-MICHÈLE GRENIER

Marie-Michèle Grenier a fait ses premières armes en restauration pendant des études en criminologie. Après quelques expériences dans ce domaine, un constat s'impose: le vin et le contact avec la clientèle lui manquent. Le besoin d'un retour aux sources se fait donc sentir et la conduit à la conduit à l'école hôtelière de Sherbrooke, où elle étudiera la sommellerie et où son amour pour le vin continuera de grandir. Diplôme en poche, elle s'installe à Drummondville, persuadée qu'il y a, en région, un terrain de jeu tout aussi propice à la communication sur le vin.

Marie-Michèle signe aujourd'hui la carte du restaurant Capiche, au centre-ville de Drummondville. Dégustatrice hors pair, elle est aussi chroniqueuse-vin pour *La Voix de l'Est* et parcourt les régions du Québec pour l'animation d'événements, au sein de l'équipe de Vins au Féminin.

LES MOTS DU VIN

L'un des plus grands défis pour l'amateur de vin est souvent de verbaliser ses impressions et ses perceptions au moment de la dégustation. Commander une bouteille au restaurant ou poser une question à un conseiller en vin de la SAQ est pour vous une source d'angoisse? Voici un petit lexique des mots les plus fréquemment utilisés pour parler du vin. Vous verrez, ce n'est pas si compliqué.

PERCEPTIONS

Acidité : composante essentielle à la structure du vin. Elle lui confère son équilibre, sa fraîcheur et son potentiel de vieillissement. Plusieurs types d'acides jouent un rôle dans la qualité du vin. L'acide malique est vive et s'apparente à celle d'une pomme verte. L'acide lactique est plus tendre et ses parfums rappellent la crème et le beurre. Mais le plus important demeure l'acide tartrique, qui donne son caractère au vin. On dira d'un vin qui se tient bien en bouche et qui comporte une juste dose d'acidité qu'il est nerveux, vif, fringant ou tendu.

Alcooleux, capiteux : désigne un vin dont la teneur alcoolique, parfois parce qu'elle est trop élevée, n'est pas en harmonie avec ses autres composantes.

Amertume : élément essentiel à la longueur d'un vin. La sensation amère est souvent laissée en arrière-goût par des vins jeunes encore forts en tanins et même par certains vins blancs. Saveur négligée et méprisée des Nord-Américains, mais qui fait partie de l'univers culturel et gustatif des Italiens.

Âpre : vin qui râpe la langue et assèche les muqueuses. Défaut dû à des tanins de mauvaise qualité ou qui se fondent mal à l'ensemble.

Arôme : composé volatil perçu par l'odorat, soit au nez de manière directe, ou en bouche, par rétro-olfaction.

Astringence : sensation d'assèchement des muqueuses de la bouche, provoquée par une réaction des protéines salivaires à la présence de tanins, entraînant un resserrement des tissus et une diminution des sécrétions. Elle est caractéristique de certains vins comme ceux du Piémont (barolo, barbaresco et autres nebbiolo) et des vins rouges de Naoussa.

Attaque: première impression gustative en bouche. Viennent ensuite le milieu de bouche et la finale.

Austère: se dit quelquefois d'un vin rouge tannique encore trop jeune pour être apprécié à sa pleine valeur (parfums timides, structure un peu dure), mais dont on devine le potentiel.

Boisé: odeur de bois de chêne, perçue essentiellement dans les vins qui ont séjourné quelque temps en fûts. Les parfums caractéristiques varient selon la provenance du chêne et le type de chauffe, et peuvent tantôt rappeler la vanille, la noix de coco, le bourbon, les notes fumées ou grillées, le caramel, les épices (clou de girofle, cannelle), le café, le chocolat, etc.

Bouquet: ensemble des odeurs qui composent la palette aromatique plus ou moins complexe d'un vin acquise après son vieillissement en bouteille. La pureté et la richesse du bouquet en disent déjà long sur la qualité d'un vin.

Buvabilité: employé dans le même ordre d'idée que les qualificatifs digeste et gouleyant, ce néologisme de plus en plus populaire dans le jargon des dégustateurs qualifie un vin qui se boit facilement, souvent en raison de son caractère désaltérant. Les vins rouges du Beaujolais, par exemple, font preuve d'une grande buvabilité.

Charpenté: vin particulièrement bien constitué et contenant beaucoup d'extraits tanniques.

Compact, serré: qualité d'un vin dont la matière est concentrée et la structure tannique dense. Un vin serré et compact n'est pas synonyme de vin robuste. Le grain tannique des meilleures syrahs du nord du Rhône, à Côte Rôtie par exemple, est souvent très serré, mais n'affiche aucune dureté.

Corsé: vin aux saveurs et à la texture affirmées.

Court: vin le plus souvent léger, sans persistance gustative. Les saveurs disparaissent aussitôt le vin avalé.

Déclarer: traduction littérale du verbe anglais *to declare*; employé par les exportateurs de Porto lorsqu'ils décident, dans un millésime particulier, de produire un porto de type vintage.

Dense, plein: vin agréablement corsé; on dit: il est charnu, il a de la mâche; comme si on pouvait le mâcher. Exprime la densité des éléments texturaux.

Digeste: par ce qualificatif qui peut faire sourciller, on ne sous-entend en rien que tel vin facilitera votre digestion. On l'utilise surtout pour signifier une opposition au caractère indigeste qu'ont certains vins modernes, hyper costauds, avec une forte teneur en alcool et parfois sucrés.

Doux: rarement applicable au rouge, il désigne les vins blancs arrondis par un reste considérable de sucre, comme les vendanges tardives, les demi-secs, etc. Selon le degré de concentration en sucre, on parlera de vin moelleux (entre 10 et 45 g/l) ou de liquoreux (plus de 45 g/l).

Dur: vin sans onctuosité ni moelleux et généralement acide. Fréquent chez les vins jeunes. Synonyme de vert, pointu, raide ou ferme.

Équilibré: il n'est pas question ici de zénitude ni de régime alimentaire. Juste d'un bon vin dont les éléments (alcool, acidité, le fruit et les tanins pour les rouges) se présentent dans des proportions harmonieuses.

Ferme: vin à la structure affirmée, qui a de l'autorité en bouche. Souvent, il s'agit d'un vin tannique qui doit vieillir pour se révéler pleinement.

Fruité: vin empreint des arômes et de saveurs de fruits. Contrairement à la pensée populaire, fruité ne signifie en aucun cas que le vin est sucré.

Gras, charnu: vin offrant beaucoup de rondeur, empreint d'onctuosité, mais sans être moelleux. Le contraire d'un vin maigre et osseux. Dans le cas des rouges, on parlera aussi de vin charnu.

Léger: vin peu alcoolisé et peu corsé, souvent peu coloré, mais très agréable malgré tout. Habituellement pas un vin de garde.

Longueur: c'est le propre d'un grand vin d'avoir une persistance gustative. On décrit ici la finale ou la «fin de bouche».

Lourd: vin corsé, voire puissant, mais dépourvu de finesse.

Minéralité, salinité: se dit d'un vin dont les composants font saliver, comme certaines solutions salines, ou dont les descripteurs organoleptiques s'apparentent aux minéraux. Ce concept un peu flou et difficilement quantifiable, ne fait pas l'unanimité au sein des professionnels.

Moderne: terme souvent utilisé pour définir les vins européens élaborés dans le même style que les vins du «Nouveau Monde». Les plupart des vins qualifiés de «modernes» mettent à contribution des procédés œnologiques qui visent à assouplir les tanins et à donner une sensation flatteuse au vin, afin de plaire à un vaste public. Ils sont un peu au vin ce que la musique pop est à la chanson.

Moelleux: désigne des vins blancs dont la teneur en sucre les place entre les vins secs et les vins liquoreux.

Mou, plat: absence de tenue ou de structure, le plus souvent à cause d'un manque de tanins ou d'acidité.

Musclé, puissant: vin corsé, concentré, souvent riche en tanins et en alcool.

Perlant: vin renfermant un léger reste de gaz carbonique, qui peut être laissé volontairement dans le vin pour accentuer la sensation de fraîcheur en bouche et rehausser les saveurs. C'est le cas de plusieurs vins blancs ou de vins rouges légers à tendance nature. Pour que ce gaz se dissipe, il suffit alors de laisser le vin au contact de l'air.

Racé: vin non seulement représentatif de son appellation, mais aussi doté de beaucoup de classe et de caractère.

Rond: vin dont les saveurs et les éléments sont bien liés ensemble. Qualifie aussi un vin souple, velouté, sans excès de tanins ou d'acidité.

Sec: se dit d'un vin qui contient moins de 4 g/l de sucre ou d'un vin donnant l'impression de ne pas contenir de sucre résiduel. La sensation sucrée est en relation étroite avec l'impression acide; un vin peu acide paraît moins sec qu'un vin plus acide.

Souple: un vin peu tannique. Synonyme de coulant, leste, gouleyant.

Soyeux: qualifie un vin élégant, dont le grain tannique est empreint de finesse.

Tanins (tannins): l'un des principaux composants du vin, ils proviennent des pépins et de la peau des raisins et donnent au vin sa texture, sa charpente. Ils peuvent être tendres, souples, soyeux, fondus, déliés ou tissés serrés. On dira d'un vin costaud et structuré qu'il est tannique.

Tendre: vin dont la structure est souple et les tanins sont ronds, enrobés, gommeux et soulignés d'une acidité agréable. Impression d'onctuosité.

Terroir: se rapproche de la notion de minéralité, en termes de polémique. Expression fourre-tout, supposée désigner des vins dont le profil gustatif est intimement lié à leur lieu d'origine, mais qui a été malmenée jusqu'à devenir aujourd'hui un principe de marketing pour des multinationales. Dans ces cas précis, le terme «terroir-caisse» paraît plus approprié.

Umami: Longtemps ignoré par la culture occidentale, le mot *umami* est plus populaire que jamais sur les tribunes gastronomiques. Terme japonais se traduisant à peu près par «savoureux», il désigne la cinquième saveur de base (les autres étant le sucré, l'acide, l'amer et le salé). En simplifiant, on pourrait décrire l'umami comme un exhausteur de goût: un élément qui rehausse les saveurs d'un plat, d'un vin. En cuisine, les exemples du genre les mieux connus sont le fromage parmesan et la sauce soja. Saurez-vous le déceler dans un vin?

Velouté: l'une des nombreuses analogies en lien avec le textile. Il qualifie un vin dont la texture s'apparente à celle du velours.

ÉLÉMENTS TECHNIQUES ET DÉFAUTS

Acétone : arôme chimique qui rappelle le parfum d'un dissolvant à vernis à ongles. Les composants responsables de cette odeur – qui peut disparaître à l'aération – sont produits par le métabolisme des levures ou des bactéries.

Acidité volatile : comme le sel dans la cuisine, cet acide agit comme une caisse de résonance en magnifiant les saveurs de certains grands vins, à condition de jouer en sourdine. Contenue en dose trop importante, l'acidité volatile peut aussi affecter négativement les arômes, en leur donnant des airs de vinaigre, et durcir la sensation en fin de bouche. Certains amateurs de vins sont «allergiques» à cette odeur, d'autres en raffolent. Tout dépend des goûts, on ne le répétera jamais assez.

Bouchonné : odeur désagréable (moisissure, liège pourri, cave humide, huîtres) communiquée le plus souvent par un bouchon défectueux. Même une bouteille de grand vin peut être bouchonnée. Le fait de sentir le bouchon ne permet pas toujours d'identifier le problème. Le défaut se dévoile au nez et se confirme souvent en bouche.

Brett : Les brettanomyces relèvent d'une contamination par des levures du même nom. En jeunesse, les effets «de la brett» se perçoivent surtout au nez (odeurs de basse-cour, d'écurie, d'excréments de souris, d'arachide rance), mais avec le temps, les levures s'attaquent à la structure même du vin, rendant les tanins osseux, décharnés.

Réduction : dans la plupart des cas, une simple aération en carafe permet de remédier à ce gentil défaut, qui est attribuable à un manque de contact avec l'oxygène. On la décèle au nez par son odeur désagréable qui s'apparente à celle du *popcorn* brûlé, du maïs en crème, d'un gaz nauséabond, des œufs pourris, etc.

Soufre : lors du processus de vinification et surtout au moment de la mise en bouteille, le soufre est utilisé comme antiseptique et comme antioxydant. Un usage inconsidéré affecte les qualités olfactives du vin, masque l'expression du fruit et laisse parfois une odeur agressante d'allumettes. Certains vins jeunes perdent cette odeur après quelque temps au contact de l'air. Les vins natures sont vinifiés sans ajouts de soufre.

Transformation malolactique : aussi appelée, à tort, fermentation malolactique ; elle se déclenche sous l'action de bactéries qui transforment l'acide malique (dur) en acide lactique (plus tendre). On lui doit notamment les parfums lactiques (beurre, crème fraîche, yogourt) dans les vins de chardonnay. J'utilise parfois l'expression «malo» dans le *Guide*.

AGRICULTURE, ENVIRONNEMENT ET PHILOSOPHIE

Biodynamie: philosophie et système de production agricole qui se distingue essentiellement de l'agriculture biologique par la prise en considération des rythmes lunaires. Il consiste, en gros, à enrichir la vie microbienne des sols au moyen de préparations de silice, afin de renforcer les mécanismes de défense naturels de la plante. Les doses de soufre et de cuivre admises par les certifications biodynamiques sont inférieures à celles du bio.

Biologique: mode d'agriculture qui interdit l'usage d'herbicides et de pesticides de synthèse. Le soufre et le cuivre sont les principaux ingrédients utilisés pour lutter contre les maladies. Contrairement à l'idée de plus en plus véhiculée, les vins issus de l'agriculture biologique peuvent contenir des sulfites ajoutés lors de la vinification.

Haute Valeur Environnementale (HVE): créée en 2012, elle certifie l'exploitation agricole dans son ensemble, plutôt que les produits qui en sont issus. Une exploitation à HVE préserve les zones naturelles en périphérie des vignes (boisés, haies, bandes enherbées) et s'assure que les éléments de biodiversité (fleurs, insectes, etc.) y sont très largement présents et que l'impact des pratiques agricoles sur l'environnement (air, eau, sols, paysages) est réduit au minimum. En d'autres mots, la certification HVE porte une attention particulière à la biodiversité des lieux et sous-entend qu'un travail est mené sur les vignes, mais aussi sur la vie autour des vignes. La certification HVE n'interdit cependant pas l'emploi de produits de synthèse, mais elle encourage à les limiter au minimum.

Vin naturel ou vin nature: désigne des vins issus, pour la plupart, de l'agriculture biologique, et dont aucun intrant (incluant les sulfites) n'a été utilisé au cours du processus de vinification. Les vins sont par conséquent un peu plus fragiles (sensibles) aux conditions d'entreposage que les vins issus d'un processus de vinification industriel. Contrairement aux vins biologiques et biodynamiques, les vins dits naturels ne sont soumis à aucune règle ni cahier des charges officiels. Il s'agit d'une catégorie encore très hétérogène où on trouve certes, quelques vins défectueux, parfois abominables, mais aussi des vins d'une grande pureté, absolument délicieux.

COMMENT UTILISER CE GUIDE

LA GRAPPE D'OR

Qu'ils soient chers ou bon marché, grands ou modestes, qu'il s'agisse de classiques ou de créations récentes, certains vins ont le don de vous accrocher un sourire. Une Grappe d'or est accordée à ces vins particulièrement remarquables, dans leur catégorie. Ce sont mes «bonheurs» de l'année qui, je l'espère, feront le vôtre. Pour éviter des frustrations aux lecteurs, seuls les vins présents en quantités suffisantes en septembre 2019 ont été retenus.

Pour la quatrième année, les vins sont regroupés par sous-régions ou par cépages, au sein d'une même entité géographique. Vous trouverez donc tous les vins de Morgon – dont quelques Grappes d'or – à la suite de l'autre dans la section Bourgogne-Beaujolais. Il en va de même pour les rouges du Chianti ou de Montalcino en Toscane, les vins blancs d'Autriche ou les zinfandels de la Californie.

Vous remarquerez aussi que les listes de fin de chapitre, où étaient énumérés les vins de qualité moyenne et passable ont été abolies, pour laisser davantage d'espace aux vins qui se distinguent par leur qualité et par leur singularité.

La liste complète des Grappes d'or 2020 se trouve à la page 19.

LES CODES-BARRES

3 760018 783124

Pour faciliter le repérage des produits dans vos succursales, la plupart des vins présentés sont accompagnés d'un code-barres. Téléchargez gratuitement l'application SAQ pour les téléphones intelligents (Android ou iPhone). Vous pourrez l'utiliser pour «lire» les code-barres et vous aurez ainsi accès aux inventaires de la succursale la plus près de vous.

LES NOMS DES VINS

Les vins sont répertoriés par ordre alphabétique des marques ou des noms des producteurs. Les noms de château ou de domaine sont considérés comme des marques. Ainsi, le Poderi Colla, Barolo 2013, Bussia Dardi Le Rose apparaît dans les «P» de la sous-section Barolo et Barbaresco, au sein du chapitre du Piémont, et le Chardonnay 2018, Les Rosiers du Vignoble Les Pervenches est inscrit sous la rubrique Pervenches, Les, dans le chapitre Québec de la section Amérique du Nord.

LES SYMBOLES ET LA NOTATION
DANS LA CATÉGORIE

Dès la première édition du *Guide du vin*, Michel Phaneuf a adopté une simple séquence de zéro à cinq étoiles pour noter les vins. En réalité, ces étoiles ne constituent pas un score, mais un moyen abrégé d'indiquer au lecteur si un vin est moyen, excellent ou remarquable dans sa catégorie. Surtout, parce qu'on ne le dira jamais assez, rappelez-vous que ce ne sont pas les étoiles qui décrivent le vin, mais plutôt les mots.

Il est aussi important de retenir que chaque vin est noté dans sa catégorie et non pas dans l'absolu. Ce faisant, un simple vin de pays d'Oc a autant de chances qu'un grand cru de la Côte de Nuits de mériter une note de quatre étoiles. L'idée derrière cette façon de faire est de permettre au consommateur de faire un choix avisé dans chacune des catégories.

Par exemple, vous pourrez trouver dans la section traitant des vins de la Bourgogne un bourgogne générique ayant obtenu la même note ★★★★ qu'un gevrey-chambertin ★★★→★. Cela ne signifie pas que le vin générique soit aussi complexe que le gevrey. Seulement que chacun s'avère un excellent vin dans sa catégorie.

La combinaison ★★★→★ indique que le vin, déjà très bon, sera encore meilleur dans quelques années. Dans la plupart des cas, la maturité du vin est indiquée par un chiffre allant de ① à ④. Si un vin laisse planer des doutes sur ses possibilités d'évolution en bouteille, j'ai alors recours à la séquence suivante : ★★→?

Les petits cœurs ♥ qui suivent parfois les étoiles représentent un bon rapport qualité-prix, pas un coup de cœur.

LA COULEUR

☆   Vin blanc
★   Vin rouge

LA QUALITÉ

5 étoiles	Exceptionnel
4 étoiles	Excellent
3 étoiles	Très bon
2 étoiles	Correct
1 étoile	Passable

★★★→★   Se bonifiera avec les années
★★★→?   Évolution incertaine

L'ÉVOLUTION

① À boire maintenant, il n'y a guère d'intérêt à le conserver.
② Prêt à boire, mais pouvant se conserver.
③ On peut commencer à le boire, mais il continuera de se bonifier.
④ Encore jeune, le laisser mûrir encore quelques années.

LA CARAFE

⚗ Il est indiqué de passer le vin en carafe environ une heure avant de le servir.

L'AUBAINE

♥ Indique que le vin offre un bon rapport qualité-prix.

BIOLOGIQUE

Issu de l'agriculture biologique. Par souci de traçabilité pour le lecteur, seuls les vins certifiés biologiques par un organisme reconnu par la SAQ ont été retenus. Plusieurs domaines suivent le cahier des charges de l'agriculture biologique et de la biodynamie, mais préfèrent ne pas avoir recours à la certification.

OÙ TROUVER LES VINS?

La SAQ change son modèle de distribution depuis une dizaine d'années. L'éventail de produits s'est élargi et les quantités pour chaque vin sont plus limitées. Pour éviter les frustrations et les déplacements inutiles, il est toujours conseillé de vérifier qu'un produit est bien disponible à votre succursale avant de vous y rendre.

Pour faciliter la consultation du site SAQ.com, vous pouvez utiliser les codes-produits qui accompagnent chaque description de vin.

Ⓢ Vendu exclusivement dans les magasins SAQ Signature.

▼ Stocks en voie d'épuisement, le produit apparaît dans le répertoire de la SAQ. Il peut être encore disponible dans certaines succursales.

 Ces vins sont disponibles exclusivement chez les producteurs de vins du Québec. Plusieurs sont aussi offerts dans les épiceries spécialisées. Voir la liste à la page 382.

 Ces vins ont été dégustés avant leur arrivée sur le marché québécois.

DES QUESTIONS À PROPOS DU *GUIDE DU VIN*

Les vins sont-ils tous dégustés par l'auteure?
Oui. Chaque année, en préparation de ce guide, je déguste plus ou moins 2000 vins et j'en retiens environ la moitié, soit 1000 vins, qui sont répertoriés et commentés dans ces pages.

L'auteure est-elle payée par la Société des alcools ou par des agences de vins?
Non. Indépendance et impartialité constituent la règle d'or. De plus, l'auteure n'a aucun intérêt financier dans un vignoble ni dans une agence de vins.

Les vins vendus à la Société des alcools sont-ils tous répertoriés dans *Le guide du vin*?
Non. La tâche serait impossible, voire inutile, car plusieurs vins sont offerts à raison de quelques bouteilles seulement. Sans compter les produits qui arrivent sur les étagères en cours d'année et qui sont déjà disparus des tablettes au moment de la publication. Ceux qui veulent mettre à jour leur *Guide du vin* tout au long de l'année peuvent s'abonner au site Chacun son vin. En plus d'une foule de renseignements, les abonnés peuvent y lire régulièrement mes commentaires sur les nouveaux vins offerts sur le marché.

LES GRAPPES D'OR

FRANCE

BORDEAUX

CHÂTEAU DUCASSE **Bordeaux 2018** (20,95 $ – p. 32)
SICHEL **Bordeaux 2018, 1883** (18,95 $ – p. 35)
CHÂTEAU DE BEL-AIR **Lalande de Pomerol 2015** (43,75 $ – p. 38)
CHÂTEAU CLARKE **Listrac-Médoc 2015** (41,10 $ – p. 40)

BOURGOGNE

DOMAINE LAROCHE **Chablis Premier cru Les Montmains 2017** (39,75 $ – p. 49)
POMMIER, ISABELLE ET DENIS **Petit Chablis 2018, Hautérivien** (26,55 $ – p. 51)
FAIVELEY, JOSEPH **Gevrey-Chambertin 2015, Vieilles vignes** (69,75 $ – p. 52)
GAY, FRANÇOIS **Chorey-lès-Beaune 2017** (37,75 $ – p. 53)
SAINT-CYR **Beaujolais blanc 2018, La Galoche** (26 $ – p. 54)
MARCHAND – TAWSE **Bourgogne 2018, Chardonnay, Joie De Vigne** (25 $ – p. 56)
SŒUR CADETTE, LA **Bourgogne Vézelay 2018, La Châtelaine** (32,75 $ – p. 57)
MARCHAND – TAWSE **Bourgogne Aligoté 2018** (23,40 $ – p. 59)
LAPIERRE, M. & C. **Morgon 2018** (36,50 $ – p. 63)
LARDY, YOHAN **Moulin-à-Vent 2017** (26,95 $ – p. 65)

JURA

DUGOIS, DANIEL **Arbois 2018, Terre de Marne** (24,90 $ – p. 68)

ALSACE

OSTERTAG **Riesling 2017, Muenchberg, Alsace** (68 $ – p. 73)
JOSMEYER **Pinot blanc 2018, Mise du Printemps, Alsace** (23,20 $ – p. 74)

VAL DE LOIRE

DOMAINE DES HUARDS **Cour-Cheverny 2017, Romo** (26,50 $ – p. 79)
ROCHER DES VIOLETTES **Montlouis-sur-Loire, La Négrette 2017** (34,50 $ – p. 81)
PRIEUR, PAUL ET FILS **Sancerre 2018** (29,60 $ – p. 83)
VACHERON **Sancerre 2018** (42,75 $ – p. 83)
DOMAINE DE REUILLY **Reuilly 2017, Les Pierres Plates** (24,75 $ – p. 85)
AMIRAULT, YANNICK **Bourgueil 2017, La Coudraye** (25,15 $ – p. 86)
GILBERT, PHILIPPE **Menetou-Salon rouge 2017** (32 $ – p. 89)
LANDRON, BERNARD ET BENOÎT **Coteaux d'Ancenis 2018** (19,40 $ – p. 89)

VALLÉE DU RHÔNE

VINS DE VIENNE **Saint-Joseph 2017** (33,75$ – p. 99)

BRUNEL, PÈRE & FILS **Côtes du Rhône blanc 2018, Brunel de la Gardine** (19,60$ – p. 102)

CHÂTEAU DE LA GARDINE **Châteauneuf-du-Pape 2017, Peur Bleue** (64,75$ – p. 106)

DUPÉRÉ BARRERA **Côtes du Rhône-Villages 2018** (18,90$ – p. 108)

MONTIRIUS **Vacqueyras 2016, Le Clos** (49,75$ – p. 109)

DOMAINE DE LA RÉMÉJEANNE **Côtes du Rhône 2016, Les Chèvrefeuilles** (23,95$ – p. 110)

MOURGUES DU GRÈS **Costières de Nîmes 2018, Les Galets rouges** (18,15$ – p. 115)

SUD DE LA FRANCE

COUPE-ROSES **Minervois blanc 2017, Les Schistes** (24$ – p. 118)

DOMAINE DE FENOUILLET **Faugères blanc 2018, Hautes Combes** (20,15$ – p. 118)

DUPÉRÉ BARRERA **Terres de Méditerranée 2017, Pays d'Oc** (15,05$ – p. 121)

DOMAINE DE MAJAS **Rouge 2018, Côtes Catalanes** (19,80$ – p. 125)

MAS LAS CABES **Côtes du Roussillon 2018** (17,40$ – p. 127)

CLOS SIGNADORE **Patrimonio 2016, A Mandria di Signadore** (42,25$ – p. 130)

SUD-OUEST

CAMIN LARREDYA **Jurançon Sec 2018, La Part Davant** (32$ – p. 136)

COSSE-MAISONNEUVE **Cahors 2016, La Fage** (28,25$ – p. 138)

CLOS LA COUTALE **Cahors 2017, Clos la Coutale** (15,30$ – p. 141)

ITALIE

PODERI COLLA **Barolo 2013, Bussia Dardi Le Rose** (59,75$ – p. 150)

PRODUTTORI DEL BARBARESCO **Barbaresco 2015** (41,10$ – p. 151)

VAJRA, G.D. **Langhe Nebbiolo 2017** (30,25$ – p. 153)

VAJRA, G.D. **Dolcetto 2017** (24,45$ – p. 155)

MACULAN **Brentino 2016, Rosso Veneto** (19,65$ – p. 159)

CAMERANI, MARINELLA **Soave 2017, Adalia, Singan Cantare** (23,50$ – p. 160)

SPERI **Amarone della Valpolicella Classico 2015, Vigneto Monte Sant'Urbano** (74$ – p. 165)

VOLPAIA **Chianti Classico 2016** (27,75$ – p. 167)

LE RAGNAIE **Brunello di Montalcino 2013, V.V.** (145,75$ – p. 171)

CARPINETA FONTALPINO **Chianti Colli Senesi 2018** (21,40$ – p. 172)

LE RAGNAIE **Troncone 2016, Toscana** (20,60$ – p. 173)

CARPINETA FONTALPINO **Do Ut Des 2016, Toscana** (42,25$ – p. 174)

BRANCAIA **Ilatraia 2014, Rosso Toscana** (73,75$ – p. 176)

UMANI RONCHI **Conero Riserva 2014, Cùmaro** (30,75$ – p. 179)

PERRINI **Negroamaro 2018, Puglia** (22,30$ – p. 180)

RIVERA **Castel del Monte Riserva 2013, Il Falcone** (23,70$ – p. 181)

COS **Cerasuolo di Vittoria Classico 2016** (39$ – p. 184)

GULFI **Nerojbleo 2016, Sicilia** (27,45$ – p. 185)

ESPAGNE

ORDONEZ, JORGE **Sierras de Malaga 2015, Moscatel Old Vines, Botani** (25$ – p. 189)

TAJINASTE **Valle de La Orotava 2018, Tradicional** (24,90$ – p. 189)

ZARATE Rias Baixas – Val do Salnés 2018, Albariño, Eulogio Pomare (23,20$ – p. 191)
FRONTONIO Macabeo 2017, Microcosmico, Valdejalon (22,75$ – p. 192)
SUMARROCA 2CV 2018, Penedès (19,50$ – p. 193)
ESPELT Empordà 2018, Sauló (15,25$ – p. 194)
ALTOLANDON Manchuela 2017, Garnacha, Mil Historias (16,25$ – p. 196)
LADERAS DE MONTEJURRA Navarra 2016, Emilio Valerio (18,05$ – p. 197)

PORTUGAL
ALVES DE SOUSA Douro 2017, Caldas (15$ – p. 210)
DUORUM Douro 2016 (18,90$ – p. 213)
NIEPOORT Douro 2017, Vertente (26,15$ – p. 214)
VADIO WINES Bairrada 2015 (22,70$ – p. 217)

GRÈCE
PAPAGIANNAKOS Savatiano 2018, IGP Markopoulo (16,55$ – p. 221)
GEROVASSILIOU Blanc 2018, Epanomi (19,95$ – p. 222)

AUTRICHE
JURTSCHITSCH Grüner veltliner 2018, Terrassen, Niederösterreich (27,90$ – p. 233)
HEINRICH St-Laurent 2015, Burgenland, Autriche (32$ – p. 234)

ARMÉNIE
ARMAS Karmrahyut 2014, Arménie (23,60$ – p. 238)

HONGRIE
HEIMANN Kadarka 2017, Szekszárd (22,85$ – p. 237)
CIRINGA Sauvignon blanc 2016, Fosilni Breg, Stajerska, Slovénie (27,15$ – p. 238)
ADIR WINERY Cabernet sauvignon 2015, Kerem Ben Zimra, Upper Galilee, Israël (33,25$ – p. 240)

CANADA
DOMAINE ST-JACQUES Riesling 2017, Vin du Québec Certifié (21,95$ – p. 248)
ARTISANS DU TERROIR, LES Prémices d'Automne 2018, IGP Vin du Québec (13,95$ – p. 250)
VIGNOBLE SAINTE-PÉTRONILLE Voile de la Mariée 2018, IGP Vin du Québec (16$ – p. 253)
DOMAINE LE GRAND ST-CHARLES Roche Vidal 2018, IGP Vin du Québec (26$ – p. 255)
MAS DES PATRIOTES Le Chaume 2018, IGP Vin du Québec (19,95$ – p. 255)
ORPAILLEUR, L' Cuvée Natashquan 2017, Vin du Québec Certifié (28$ – p. 257)
COTEAU ROUGEMONT Versant rouge 2017, Vin du Québec Certifié (14,95$ – p. 260)
MAS DES PATRIOTES, LE Le Sieur Rivard Sélection 2018, IGP Vin du Québec (18,95$ – p. 260)
VIGNOBLE 1292 Marquette-Frontenac 2017, Vin du Québec Certifié (17$ – p. 263)
VIGNOBLE STE-ANGÉLIQUE Argiles noires 2017 (20$ – p. 263)
VIGNOBLE DU MARATHONIEN IGP Vin de glace 2017, Vidal (32,55$ – p. 267)
BAKER, CHARLES Riesling 2015, Picone Vineyard, Vinemount Ridge (35,50$ – p. 268)
SOUTHBROOK Vidal 2017, Skin Fermented White, Orange Wine, Ontario (29,95$ – p. 269)
HIDDEN BENCH Pinot noir 2017, Unfiltered, Beamsville Bench (36,75$ – p. 270)

ÉTATS-UNIS
BIRICHINO **Malvasia 2015, Monterey** (20,05$ – p. 278)
EASTON **Sauvignon blanc 2014, Natoma, Sierra Foothills** (26,90$ – p. 279)
NEWTON **Cabernet sauvignon 2016, Unfiltered, Napa Valley** (83$ – p. 280)
TERRE ROUGE **Syrah 2014, Les Côtes de l'Ouest, California** (28,85$ – p. 287)

CHILI
LEYDA **Sauvignon blanc 2018, Garuma Single Vineyard, Valle de Leyda** (18$ – p. 293)
ERRAZURIZ **Don Maximiano 2016, Founder's Reserve, Valle de Aconcagua** (84$ – p. 295)
MONTSECANO **Pinot noir 2018, Refugio, Valle de Casablanca** (26,55$ – p. 297)
POLKURA **Syrah 2015, Valle de Colchagua – Marchigüe** (24,15$ – p. 299)
MONTGRAS **Carmenère 2017, Antu, Peumo** (20$ – p. 301)

ARGENTINE
MASI TUPUNGATO **Passo Doble 2017, Valle de Uco** (14,95$ – p. 303)

AFRIQUE DU SUD
BEAUMONT **Chenin blanc 2018, Bot River – Walker Bay** (19,30$ – p. 306)

AUSTRALIE
THE OTHER WINE CO. **Grenache 2018, McLaren Vale** (26,95$ – p. 317)

NOUVELLE-ZÉLANDE
KUMEU RIVER **Chardonnay 2017, Village** (22,50$ – p. 320)

CHAMPAGNE
FLEURY **Brut Blanc de noirs** (57$ – p. 324)
LABRUYERE **Brut Grand cru Prologue** (69,75$ – p. 325)

MOUSSEUX ET LES AUTRES
COURVILLE, LÉON **Muse 2016** (36$ – p. 334)
DOMAINE BERGEVILLE **L'intégrale, Extra Brut** (32$ – p. 334)
BOUILLOT, LOUIS **Crémant de Bourgogne 2015, Perle Rare** (21,60$ – p. 336)
VITTEAUT-ALBERTI **Crémant de Bourgogne, Brut Blanc de blancs** (25,10$ – p. 337)
BARMÈS-BUECHER **Crémant d'Alsace 2016, Brut Nature** (27,50$ – p. 338)
CARÊME, VINCENT **Vouvray Brut 2016** (26,10$ – p. 339)
HERETAT MESTRES **Cava 1312** (20,05$ – p. 340)
SUMARROCA **Cava Brut Nature 2014, Gran Reserva** (17,55$ – p. 341)
BISOL **Valdobbiadene Prosecco Superiore 2017, Crede** (22$ – p. 342)
NINO FRANCO **Valdobbiadene Prosecco Superiore, Brut** (22,30$ – p. 343)
RENARDAT-FÂCHE **Bugey Cerdon** (24,85$ - p. 347)

VINS FORTIFIÉS
GRAHAM'S **Vintage 2017** (153,75$ – p. 358)
RAMOS PINTO **Late Bottled Vintage 2014** (31,25$ – p. 359)
BADENHORST, ADI **Caperitif** (28,40$ – p. 364)

FRANCE

||||||||||||||||||||||||||||||||||||||||||||||||||||||||||||||||||||||||||||||||||||||||||||||||||||||||||||||||||||||||||||

Chaque année, je me pose la même question: est-il toujours pertinent d'aborder la France et de lui accorder plus d'espace dans ce guide que tout autre pays viticole? Chaque année, la réponse s'impose en quelques secondes: oui! La France reste souveraine. Et même si le monde du vin se développe et gagne de nouvelles frontières, aucun autre pays n'est encore en mesure d'offrir une telle palette de saveurs que cet immense jardin qui court entre l'Atlantique et la Méditerranée, entre les Alpes, les Pyrénées et le Massif Central.

Difficile de manquer de choix entre l'élégance soyeuse d'un vin rouge de Bourgogne, la droiture des crus bourgeois du Médoc, la force tranquille d'un saumur-champigny, l'effervescence sublime du champagne, le caractère rassasiant des vins du Midi, l'élégance doublée de nervosité d'un vouvray, la singularité des vins du Sud-Ouest ou le caractère tantôt cristallin tantôt plantureux des rieslings alsaciens.

Le jardin français est aussi de plus en plus sain, de plus en plus vert, puisque la superficie du vignoble cultivé en agriculture biologique a été multipliée par 12 depuis le tournant du millénaire. Heureusement, puisque la France a encore beaucoup de travail à faire pour rétablir l'équilibre de ses sols, privés d'une activité microbienne essentielle par des décennies d'agriculture intensive. On estime par ailleurs que 60% du vignoble français est touché par le court-noué, un virus qui compromet l'espérance de vie de la vigne.

Autre ombre au tableau: les Français ne boivent plus. La consommation per capita a chuté de plus de moitié au cours des 60 dernières années. Le pays doit donc jouer du coude avec le reste du monde sur les marchés d'exportation. Ce contexte économique a forcé les retardataires à emboîter le pas vers la qualité et incité l'élite vigneronne à pousser encore plus loin la compréhension de leurs terroirs.

Le plus beau, c'est que ces cuvées prisées – parfois même soumises à la spéculation dans d'autres marchés – demeurent relativement accessibles aux consommateurs québécois. Les pages suivantes sont remplies de ces vins authentiques et savoureux, dont plusieurs biologiques, voire «nature».

||||||||||||||||||||||||||||||||||||||||||||||||||||||||||||||||||||||||||||||||||||||||||||||||||||||||||||||||||||||||||||

BORDEAUX

OCÉAN
ATLANTIQUE

Gironde

Médoc

Lesparre-Médoc

Saint-Estèphe

Côtes de Blaye

Pauillac

Saint-Julien

Côtes de Bourg

Moulis

Listrac

Bor

MÉDOC

Margaux

Fronsa

Haut-Médoc

Libou

RIVE GAUCHE

RIVE GAUCHE

Le vignoble de Bordeaux est traditionnellement séparé en deux: le Médoc, les Graves et le Sauternais sont situés sur la rive gauche de la Garonne. Le cabernet sauvignon est le cépage généralement dominant dans les assemblages. Cette variété à maturation tardive s'est plutôt bien adaptée aux sols graveleux des Graves et du Médoc, où il donne des vins charpentés qui ont souvent besoin de plusieurs années en cave pour s'assouplir et se révéler pleinement.

Bordeaux

Côtes de Bordeaux-C

Garonne

Arcachon

GRAVES **Cérons**

Barsac

SAUTERNES

Pessac-
Léognan

Depuis une quinzaine d'années, plusieurs amateurs de vin, en particulier ceux de la nouvelle génération, ont tourné le dos à Bordeaux. Si vous en doutez encore, jetez un coup d'œil rapide aux cartes des vins des meilleures tables du Québec et d'ailleurs.

Pourtant, avec leur droiture et leur fraîcheur, les clarets et autres vins rouges des Graves, de Fronsac, de Pomerol et même d'appellations secondaires peuvent réserver d'agréables surprises. D'autant plus qu'en dehors du cercle des crus classés, il existe de nombreuses bonnes bouteilles vendues à prix honnêtes, voire compétitifs. La qualité générale des vins entre 15 $ et 30 $ est même souvent exemplaire et n'a rien à envier aux cabernets et aux merlots du Nouveau Monde.

L'excellent millésime 2015 pourrait vous servir de prétexte pour renouer avec le charme des crus de la Gironde. Une année presque parfaite si on se fie aux comptes rendus des conditions météorologiques et au dire des vignerons. Des vins plus en finesse qu'en muscle, selon mon expérience, dont plusieurs commentés dans les pages suivantes.

RIVE DROITE

Le Libournais (Saint-Émilion, Pomerol, Fronsac), les Côtes de Blaye, de Bourg et de Castillon sont situés sur la rive droite de la Dordogne. Sauf exceptions, ces vins sont essentiellement constitués de merlot. Qu'il puise sa sève dans les sols calcaires du plateau de Saint-Émilion, dans les molasses de Fronsac ou dans les argiles et les graves de Pomerol, il donne des vins généralement plus suaves et dodus, aptes au vieillissement, mais pouvant être appréciés plus jeunes que ceux du Médoc.

RIVE DROITE

Côtes de Francs

.ion

Dordogne

Sainte-Foy-la-Grande

tes
Castillon

TRE-DEUX-MERS

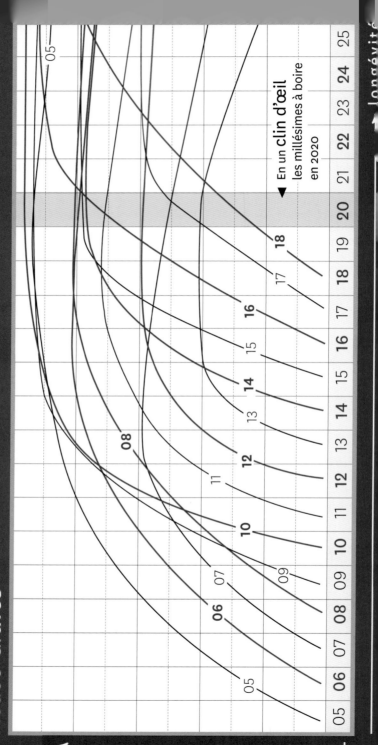

Médoc-Graves

En un **clin d'œil**
les millésimes à boire
en 2020

Longévité

05 06 07 08 09 10 11 12 13 14 15 16 17 18 19 20 21 22 23 24 25

LES DERNIERS MILLÉSIMES

2018

Attaques de mildiou sur les deux rives. Dans le Médoc, on peut s'attendre à des cabernets intenses et aromatiques, riches en alcool, mais équilibrés et aptes à la garde. Sur la rive droite, des vins puissants, mais purs ; les meilleurs vins ont été produits sur le plateau calcaire de Saint-Émilion et sur les argiles de Pomerol.

2017

Un millésime hétérogène à distinguer entre les vignobles touchés par les gelées printanières et ceux qui ont été épargnés. Le Médoc a produit de bons cabernets sauvignons attrayants en jeunesse. Sur la rive droite, le cabernet franc a donné de meilleurs résultats.

2016

Excellent millésime, tant en quantité, qu'en qualité. Dans le Médoc, une longue saison végétative a donné des cabernets profonds et structurés ; plusieurs font un parallèle avec 2010. Sur la rive droite, les jeunes vignes de merlot ont souffert de la sécheresse, mais dans l'ensemble, les conditions sont semblables à celles du Médoc et devraient donner des vins de très belle qualité.

2015

Floraison précoce et uniforme dans toute la Gironde. Des épisodes de chaleur et de sécheresse en juin et en juillet ont fait craindre le pire, mais les pluies du mois d'août ont permis de sauver la mise et la fin de saison a été remarquable. Les quelques échantillons goûtés lors de l'événement Primeur à Montréal m'ont laissé une impression très favorable. Plus de finesse que de muscle ; du fruit, un bel équilibre. Très bon millésime entre classicisme et générosité.

2014

Une autre récolte «miraculeusement» sauvée par l'été indien. Dans le Médoc, on peut espérer de bons cabernets de facture classique. La rive droite a été davantage touchée par la pluie. Les résultats s'annoncent plus satisfaisants et homogènes pour le cabernet franc que pour le merlot.

2013

Jamais deux sans trois, dit-on. Le médoc a connu sa pire récolte depuis 1992 ! Même les crus classés sont à acheter avec prudence. Résultats un peu moins désastreux sur la rive droite ; rendements très faibles et qualité moyenne.

Saint-Émilion-Pomerol

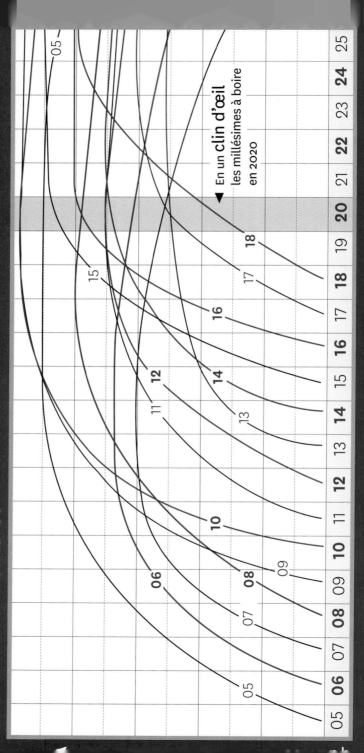

En un clin d'œil
les millésimes à boire
en 2020

longévité

2012

Deuxième année difficile dans la Gironde. Le climat a fait des siennes et le cabernet a peiné à mûrir. Le merlot étant un cépage plus précoce, les vignobles de la rive droite ont eu un peu plus de chance, mais il ne faudra pas fonder de grandes espérances quant à leur potentiel de garde. L'Yquem n'a pas été produit, signe éloquent d'une qualité médiocre à Sauternes.

2011

Retour à la réalité après deux millésimes de rêve. Dans le Médoc comme sur la rive droite, un mois de juillet relativement chaud et humide a causé des problèmes de pourriture; épisode de grêle à Saint-Estèphe. Pomerol est l'appellation qui a le mieux tiré son épingle du jeu. De manière générale, les taux d'alcool sont plus faibles, heureusement! Comme dans tout millésime hétérogène, la réputation du producteur est la meilleure garantie.

2010

Après la sensationnelle récolte 2009, dame Nature s'est de nouveau montrée généreuse envers les Bordelais. Un été exceptionnellement sec et une récolte moins abondante que la moyenne – avec des raisins petits et très nourris – ont donné naissance à des vins rouges tanniques, solides et charpentés. Succès généralisé, autant dans le Libournais que sur la rive gauche. Millésime tout aussi prometteur à Sauternes, où les vendanges se sont étalées jusqu'à la fin d'octobre.

2009

De l'avis de plusieurs, probablement le meilleur millésime de la décennie. Après un été idéal, chaud, sec et ensoleillé, les vignes ont profité d'un mois de septembre de rêve pendant lequel les journées chaudes et les nuits fraîches ont alterné. Des conditions idéales pour produire le Bordeaux parfait. Bon millésime en perspective à Sauternes.

2008

La longue saison végétative qui s'est achevée par temps sec et sans excès de chaleur explique le style fin et classique des meilleurs vins du millésime. Mais tous les 2008 ne sont pas nés égaux, et la qualité reste variable. Seuls les meilleurs terroirs exploités avec rigueur et discernement ont donné des vins fins de style très classique.

2007

Après un été de misère, le beau temps de septembre a permis d'éviter le pire. La qualité est hétérogène. Les producteurs les plus habiles ont obtenu des vins rouges de bonne facture, fins et équilibrés, mais sans la profondeur des grandes années. De bons vins blancs secs et des Sauternes très réussis.

CHÂTEAU DUCASSE
Bordeaux 2018

À 20 $ et des poussières, le vin d'Hervé Dubourdieu est l'un des meilleurs blancs de Bordeaux actuellement offerts à la SAQ. On trouve dans le 2018 la même plénitude de saveurs que le 2017 (lui aussi décoré d'une Grappe d'or l'an dernier), tirées en bouche par une texture à la fois tendue et onctueuse. L'absence de filtration et une proportion importante de sémillon (60 %) de vignes d'une quarantaine d'années y sont sans doute pour quelque chose... Une très belle bouteille pour redécouvrir le charme méconnu des bons vins blancs du bordelais.

13477959   20,95 $ ☆☆☆☆ ② ♥

CHÂTEAU LACAUSSADE ST-MARTIN
Blaye – Côtes de Bordeaux 2017, Trois Moulins

Bel exemple de bordeaux blanc vinifié en fûts de chêne. Boisé, mais aussi riche en arômes complexes de fruits jaunes, d'agrumes, de miel et d'épices. L'élevage nourrit aussi la vinosité naturelle du cépage sémillon, dont il est composé à 90 %, chose plutôt rare pour un bordeaux blanc sec. La rondeur en bouche s'accompagne d'une bonne acidité et le vin laisse une impression générale harmonieuse. Servez-le à la fin du repas avec les fromages, vous vous régalerez.

12950572   20,45 $ ☆☆☆ ½ ②

CHÂTEAU PUYFROMAGE
Entre-deux-Mers 2016

Ce blanc de l'Entre-deux-Mers « sauvignonne » encore à souhait en 2018. Un bon vin commercial aux arômes à la fois tropicaux et herbacés; frais et aromatique en bouche. Très correct pour le prix.

13576594   16,95 $ ☆☆ ½ ①

CHÂTEAU SAINTE-MARIE
Entre-deux-Mers 2017, Vieilles vignes

La majorité des vins blancs secs de Bordeaux proviennent de l'Entre-deux-Mers, une région située entre la Garonne et la Dordogne, les deux fleuves qui confluent pour former la Gironde. C'est sur ces terres, à Targon, plus précisément, que Stéphane Dupuch élabore ce vin blanc savoureux, qui est vite devenu une référence au Québec. Plutôt que de miser uniquement sur l'exubérance et la vivacité du sauvignon, son 2018 met en valeur les notes florales et musquées du muscadelle (10%), ainsi que les accents d'abricot et le gras du sémillon (30%). Un vin frais et élégant, parfait pour accompagner les coquillages.

10269151   16,85$ ☆☆☆ ½ ② ♥

CHÂTEAU SUAU
Bordeaux blanc 2018

Un blanc frais et vif, biologique et vendu en exclusivité dans les SAQ Dépôt. Les saveurs de pêche sont enrobées d'une texture grasse qui rappelle la lanoline, peut-être attribuable au sémillon, qui compose 20% de l'assemblage. Une pointe herbacée en finale apporte une agréable fraîcheur. Parfait pour accompagner une salade de betteraves au chèvre frais.

11015793   18,35$ ☆☆☆ ① 🗨

CHÂTEAU D'AUZANET
Bordeaux Supérieur 2016, Cuvée des Abeilles, Maison Sichel

Laure et Bernard Cazade conduisent les 20 hectares de ce vignoble situé sur la rive droite de la Gironde en agriculture biologique. J'ignore si les 35 % de malbec y sont pour quelque chose, mais leur vin, tout nouveau à la SAQ, embaume les fleurs ; les tanins sont ronds et polis en attaque, plus fermes et denses en fin de bouche. Un bon vin à apprécier dès maintenant et jusqu'en 2023.

14037761　17,95 $　★★★ ½ ②

CHÂTEAU DU GRAND BERN
Bordeaux Supérieur 2016

Au risque de me répéter, Bordeaux n'est pas seulement un repère pour investisseurs et spéculateurs, c'est aussi, et surtout, un grand vignoble capable de produire d'excellents vins, dans toutes les gammes de prix. Le 2016 qu'élaborent les frères Gonfrier dans l'Entre-deux-Mers, sur la rive droite de la Garonne, est l'exemple même du bon vin conçu pour être apprécié à table : moyennement charnu, tissé de tanins tendres, gorgé de fruit mûr, que viennent ponctuer des notes d'espresso. Chapeau! Vignoble certifié Haute Valeur Environnementale (HVE).

13576615　16,50 $　★★★ ½ ② ♥

CHÂTEAU LA MOTHE DU BARRY
Bordeaux Supérieur 2017

Joël Duffau conduit son vignoble en agriculture biologique dans la commune de Moulon, en bordure de la Dordogne, dans l'Entre-deux-Mers. Son bordeaux supérieur est impeccable en 2017, comme toujours d'ailleurs. Un fruit et des tanins de qualité, de jolies notes épicées, une mâche rassasiante et de la fraîcheur. À table, on ne demande pas mieux.

10865307　15,65 $　★★★ ½ ② ♥ 🗩

CHÂTEAU LES 5 CLÉS
Bordeaux 2015

Autre bel ajout au catalogue de la SAQ, ce rouge biologique, composé en grande partie de merlot. Tout en souplesse et en fruit noir, porté par des tanins suaves, le vin montre aussi une certaine profondeur par sa finale délicatement amère, qui rehausse une sensation saline en fin de bouche. À moins de 20 $, c'est une belle alternative aux vins de la rive droite.

14038350　19 $　★★★ ½ ② ♥ 🗩

CHÂTEAU PEY LA TOUR
Bordeaux Supérieur 2015, Réserve du Château

Le groupe Dourthe continue de produire un très bon rouge de facture moderne sur cette propriété située dans l'Entre-deux-Mers. Moderne, mais bien exécuté. La rondeur du merlot (88%) est tonifiée par l'apport du cabernet et du petit verdot, l'élevage en fûts de chêne est joué de façon très habile et le vin, au final, dégage une sensation harmonieuse, en dépit de ses 15% d'alcool. Recommandable, sans être une aubaine.

442392   21,90$ ★★★ ②

GRANDE CHAPELLE, LA
Bordeaux 2017, Merlot-Cabernet sauvignon, Antoine Moueix

Vendu à un prix défiant (presque) toute compétition, un rouge fruité, facile à boire, enrobé par le merlot. Simple, mais bien meilleur que bien des rouges commerciaux (sucrés) de cette gamme de prix.

36012   13,60$ ★★ ½ ① ♥

MOUEIX, JEAN-PIERRE
Bordeaux 2015

Le bordeaux générique des Établissements Jean-Pierre Moueix demeure un incontournable de sa catégorie. Le 2015 est le fruit d'un assemblage de raisins de la rive droite – dont une proportion de saint-émilion et de pomerol déclassés – et repose toujours sur une base de merlot, dont on peut déjà apprécier les tanins veloutés, les goûts précis de fruits noirs, ponctués d'une touche de cacao. Savoureux dès maintenant et taillé pour la table.

13734337   19,55$ ★★★★ ② ♥

SICHEL
Bordeaux 2018, 1883

La mode du sans soufre gagne même le vignoble de Bordeaux. Est-ce un signe que la tendance est là pour rester? Quoi qu'il en soit, la maison Sichel a bien saisi le concept, dans le fond comme dans la forme. Une bouteille épurée et un vin à son image: un nez affriolant de fruits noirs, une bouche pulpeuse, gourmande et de bonne tenue. Complet et très rassasiant par sa mâche et sa chair fruitée. Vraiment, ce vin est une réussite sur toute la ligne.

En primeur

14228786   18,95$ ★★★★ ② ♥

CHÂTEAU BUJAN
Côtes de Bourg 2016

Quoique passablement marqué par l'empreinte du bois en 2016, le vin de Pascal Méli demeure très complet. Un bon *claret* de facture classique, riche en goûts de fruits noirs, sur un fond torréfié; assez solidement constitué pour continuer de se bonifier d'ici 2023.

862086   22,10$ ★★★→? ③

CHÂTEAU CAILLETEAU BERGERON
Blaye – Côtes de Bordeaux 2016, Tradition

Le bois joue ici un rôle plus important que dans le très bon 2015 commenté dans la dernière édition du *Guide,* mais cet assemblage de merlot (90%) et de cabernet sauvignon devrait tout de même plaire à l'amateur de vin corsé.

10388601   17,45$ ★★ ½ ②

CHÂTEAU CAMILLE GAUCHERAUD
Blaye – Côtes de Bordeaux 2015

Le vignoble du Blayais est la source de très bons vins mettant en valeur la souplesse du merlot. Ce 2015 élevé en cuves (sans bois) offre une profusion de fruits noirs et de tanins tendres, qui donne presque au vin une allure de vin de soif. Pas très long, mais savoureux. Vendu en exclusivité dans les SAQ Dépôt.

13921554   22,50$ ★★★ ②

CHÂTEAU MAGDELEINE BOUHOU
Blaye – Côtes de Bordeaux 2014

Depuis 2010, les vins de cette propriété familiale du Blayais sont élaborés sous les conseils de l'œnologue Stéphane Derenoncourt, dont on reconnaît la signature dans ce vin de facture moderne. Un vin noir comme de l'encre, solide et compact, mais tissé de tanins ronds, polis par un usage précis de la barrique. À boire dès maintenant et d'ici 2023.

13988281   27,25$ ★★★ ½ ② ▼

CHÂTEAU PELAN BELLEVUE
Francs – Côtes de Bordeaux 2015

Le 2015 de ce domaine appartenant à Régis Moro (Puy-Landry, Vieux Château Champs de Mars) comporte une proportion importante de cabernet sauvignon (40 %) dans l'assemblage. C'est peut-être ce qui explique sa vigueur tannique et sa fraîcheur. Déjà ouvert et agréable à boire, c'est le compagnon parfait des soirs de semaine, avec une pièce de viande.

10771407   17,30 $ ★★★ ½ ② ♥ 🗨

CHÂTEAU PUYFROMAGE
Francs – Côtes de Bordeaux 2017

En 2017 plus que jamais, le vin de cette propriété située dans la continuité du plateau calcaire de Saint-Émilion est l'expression même du merlot dodu. De la fraise compotée, des tanins souples en attaque et fermes en fin de bouche. Simple, mais bien fait.

33605   16,85 $ ★★ ½ ①

CLOS DES MOISELLES
Côtes de Bourg 2016

Un très bel exemple des vins solides et savoureux produits dans cette appellation située au confluent de la Dordogne et de la Garonne. Bien qu'il soit composé à 50 % de cabernet sauvignon, le 2016 est porté par des tanins enrobés et le vin est déjà agréable à boire. Un très bon bordeaux de facture moderne, offert à prix attrayant.

10856849   20,70 $ ★★★ ½ ② ♥

VIEUX CHÂTEAU CHAMPS DE MARS
Castillon – Côtes de Bordeaux 2015

Un an plus tard, ce 2015 commenté dans *Le guide du vin 2019* a encore une étoffe comparable à bien des vins de Saint-Émilion sur le marché. Ce n'est pas un hasard : Castillon est voisine de cette illustre appellation. Le vin charme encore par ses tanins veloutés, mais compacts, et par son fruit riche, ponctué de délicates notes de cuir et d'épices douces. Très bonne longueur. On pourra le boire dès maintenant ou le laisser reposer en cave jusqu'en 2022.

10264860   23,05 $ ★★★★ ② ♥ 🗨

CHARTIER – CRÉATEUR D'HARMONIES
Fronsac 2015

Un très bon fronsac tout à fait représentatif de son appellation et de son millésime, comme tous les vins de la gamme Chartier goûtés jusqu'à présent, je dois avouer. Pas de goûts boisés, mais une structure droite et franche en attaque, qui laisse en fin de bouche une sensation chaleureuse, sans lourdeur. À moins de 20 $, la proposition est plus qu'honnête.

12068070 18,10 $ ★★★ ② ♥

CHÂTEAU CHANTALOUETTE
Pomerol 2014

Dégusté en février 2019, le millésime 2014 du deuxième vin du Château de Sales – la plus imposante propriété de Pomerol avec une superficie de près de 50 hectares – est légèrement en recul, par rapport au 2012 commenté l'an dernier. Des accents herbacés au nez laissent deviner une certaine verdeur qui se traduit en bouche par une amertume verte et des tanins quelque peu asséchants. Le temps jouera-t-il en sa faveur ? Cela reste encore à voir.

12127279 49,75 $ ★★ ½ →? ③

CHÂTEAU DE BEL-AIR
Lalande de Pomerol 2015

Cette propriété historique est située en bordure de la Barbanne, le ruisseau qui sépare Lalande de Pomerol de son illustre voisine, Pomerol. Le domaine a été racheté en 2011 par un banquier belge qui entend redonner sa noblesse d'autrefois à Bel-Air, «le plus beau terroir de Lalande», selon Laurent Navarre, directeur général des Établissements Jean-Pierre Moueix. Goûté lui aussi en février 2019, au milieu de grands vins de Pomerol, le 2015 ne faisait pas pâle figure. C'était même l'un des mes favoris. Un vin sérieux et séveux. Beaucoup de relief sur le plan aromatique, des senteurs très fines d'épices et de fruits noirs; une texture souple, mais solide et de belle tenue. Sa pureté et son équilibre méritent d'être soulignés. Prix attrayant, vu la qualité.

43,75 $ ★★★★ ②

En primeur

CHÂTEAU GARRAUD
Lalande de Pomerol 2015

Ce cru toujours fiable de Lalande n'allait pas décevoir en 2015. Le vin est ample et relevé, appuyé par des tanins assez fermes; corpulence moyenne, mais des saveurs à la fois juteuses et chaleureuses. Bon dès maintenant.

978072 32,35 $ ★★★ ②

CHATEAU HAUT ROC BLANQUANT
Saint-Émilion 2015

Troisième vin du Château Bélair-Monange, l'un des crus les mieux situés de Saint-Émilion. L'assemblage repose en grande partie sur les jeunes vignes. Bien qu'il soit encore très jeune, le 2015 montre déjà un potentiel certain avec un nez fin et très pur. Ce qui se confirme en bouche par sa complexité aromatique, son attaque suave et la grande qualité de ses tanins, juste assez granuleux. Longueur et puissance contenue. Laissez-le dormir jusqu'en 2025.

14205921   59,75$ ★★★ →★ ③

CHÂTEAU LA JUSTICE
Fronsac 2015

Ce domaine de Fronsac appartient à la famille Labrune, qui a aussi acquis le Château de La Dauphine, en 2015. Les vignobles des deux propriétés sont certifiés biologiques. Le vin déploie en bouche le velouté proverbial du merlot en attaque, autant que son fruit généreux; viennent ensuite des accents de truffe noire et une finale étonnamment serrée et tonique. Belle bouteille à apprécier dès maintenant et jusqu'en 2025.

14057024   24,50$ ★★★ ½ ②

CHÂTEAU MONTAIGUILLON
Montagne Saint-Émilion 2016

Beau temps, mauvais temps, la famille Amart maintient bien haut la qualité. Leur 2016 est à la hauteur de la réputation du millésime: plein, chaleureux, assez solide, sans lourdeur. À boire sans se presser jusqu'en 2025. Servir frais, autour de 16 °C.

864249   24,85$ ★★★ ½ ②

CHÂTEAU TREYTINS
Lalande de Pomerol 2016

Propriété des Vignobles Léon Nony, tout comme Château Garraud. Un très bon bordeaux d'appellation secondaire dont l'élégante fermeté procure déjà un plaisir certain à table. À boire d'ici 2025.

892406   25,75$ ★★★ ②

MOUEIX, JEAN-PIERRE
Pomerol 2015

Le pomerol courant des Établissements Jean-Pierre Moueix repose sur des tanins mûrs, bien servis par l'élevage en fûts, qui ne masque en rien l'expression du fruit. À boire d'ici 2021.

739623   31,60$ ★★★ ②

CHÂTEAU BEL ORME TRONQUOY DE LALANDE
Haut-Médoc 2014

Ce cru bourgeois situé près de Saint-Estèphe appartient à la famille Quié, du Château Rauzan-Gassies. La bouteille de 2014 dégustée en septembre 2019 avait conservé une fraîcheur nettement supérieure à celle ouverte l'an dernier à pareille date. Les tanins sont polis par le temps, mais ni les goûts fruités ni la texture en bouche ne montrent aucun signe de fatigue. À boire sans se presser jusqu'en 2024-2026.

126219   31,60 $ ★★★ ½ ②

CHÂTEAU CLARKE
Listrac-Médoc 2015

À mon avis, aucun vin de l'appellation Listrac-Médoc n'a encore atteint la profondeur et l'étoffe de celui de Clarke. Le fait qu'il soit composé à 70 % de merlot ne prive pas le vin de sa droiture purement médocaine. Son nez élégant marie parfaitement le fruit noir et les parfums de tabac et d'épices du bois de chêne. Les tanins solides, mais veloutés, encadrent un fruit généreux et le vin fait preuve d'une puissance contenue qui le rend vraiment très séduisant. À 40 $, c'est un achat avisé pour l'amateur de bordeaux.

10677550   41,10 $ ★★★★ ③

CHÂTEAU D'ARDENNES
Graves 2011

Ce 2011 a atteint son apogée, sans être fatigué. Le fruit commence à céder le premier plan à des arômes de truffe. La bouche soyeuse est portée en longueur par une trame minérale. Rien de grand, mais une belle occasion (de plus en plus rare) de goûter au charme d'un vin à point.

869933   34,50 $ ★★★ ½ ①

CHÂTEAU DE CRUZEAU
Pessac-Léognan 2016, André Lurton

André Lurton est décédé en mai 2019, à l'âge de 94 ans. Lurton a hérité de Château Bonnet en 1953 et il a construit son petit empire pendant les quatre décennies qui ont suivi, principalement dans l'Entre-deux-Mers et dans les Graves. Cruzeau est un *claret* finement équilibré, dont les saveurs de cassis et de prune se dessinent avec élégance, avec des tanins ronds en attaque et granuleux en fin de bouche.

113381   23,75 $ ★★★ ½ ② ♥

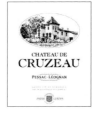

CHÂTEAU DUCLUZEAU
Listrac-Médoc 2014

Listrac culmine à une altitude de 43 m, ce qui en fait le sommet du Médoc! Cette propriété appartient à la famille Borie, aussi propriétaire de Ducru-Beaucaillou. Leur vignoble est planté à 90% de merlot. À défaut de puissance, on apprécie le 2014 pour sa fraîcheur, son équilibre et son fruit pur. Léger, sans être maigre et très digeste à table. Déjà ouvert et bon jusqu'en 2023.

13867527   31,50$ ★★★ ②

CHÂTEAU HAUT-BRETON LARIGAUDIÈRE
Margaux 2015

Le style des vins du Médoc a beaucoup changé depuis 1982, mais on trouve encore sur le marché des vins fidèles à leurs origines, comme cet excellent margaux secondaire, très médocain par sa composition : 90% de cabernet sauvignon. C'est d'autant plus vrai en 2015, millésime qui a particulièrement réussi au cabernet. La texture est soyeuse en attaque, mais le grain tannique se resserre en une finale savoureuse et minérale, qui évoque le noyau de cerise et le graphite. Déjà très agréable à boire à la fin de l'été 2019, il tiendra facilement la route jusqu'en 2025-2027.

732065   44$ ★★★ ½ ②

CHÂTEAU LA BRANNE
Médoc 2014

La qualité au sein de l'appellation Médoc est hétérogène; les vins proviennent essentiellement des basses terres situées dans la partie nord de la péninsule du Médoc. Un 2014 structuré et généreusement boisé, aux notes caractéristiques de vanille et de café; un vin concentré et imposant qui plaira à l'amateur de bordeaux moderne. Prix tout à fait honnête.

11975532   22,75$ ★★★ ①

CHÂTEAU LAROSE-TRINTAUDON
Haut-Médoc 2015

Dans son vignoble de 165 hectares situé à Saint-Laurent, la plus vaste propriété médocaine a produit un bon 2015 d'une mouture classique. Sans être très profond, le vin répond aux attentes de générosité que commande le millésime. La droiture tannique du cabernet (60%) est enrobée par la chair dodue du merlot et le boisé est subtil. Un bon vin d'ampleur moyenne déjà ouvert, à boire d'ici 2024.

11835388   26,80$ ★★★ ②

BOURGOGNE

La qualité des vins de la Bourgogne a longtemps été hétérogène, trop hétérogène. Deux vins d'une même appellation, voire d'une même parcelle, pouvaient tantôt vous tirer des larmes (de joie!), tantôt vous faire regretter amèrement votre investissement. Car oui, être amateur de Bourgogne a un coût. De plus en plus conséquent, avec la spéculation et les aléas météo qui ont engendré de plus faibles récoltes.

Heureusement, la qualité n'a jamais été aussi élevée. La constance aussi. Grâce à l'arrivée de nombreux jeunes vignerons, soucieux de tirer le meilleur de terroirs secondaires, il est désormais possible de boire de très bons vins bourguignons, sans faire les frais des premiers et des grands crus. Pour les «aubaines», cherchez du côté d'appellations moins connues comme Marsannay, Auxey-Duresses, Saint-Romain, Chorey et Savigny-lès-Beaune. Plusieurs grandes maisons de négoce empruntent aussi la voie de la qualité.

Autrefois interdit aux tables sérieuses, le beaujolais est le chouchou d'une nouvelle génération de sommeliers et d'amateurs, tandis que son cépage, le gamay, continue d'essaimer les vignobles partout sur la planète. Envie de vous mettre à l'heure du Beaujolais? Vous lirez dans ces pages plein de suggestions de cette superbe région, située tout au sud de la Bourgogne, juste au nord de Lyon. Entre les dix crus du nord et les Terres Dorées, au sud, vous en trouverez certainement un pouvant donner des vins purement délicieux, aptes à la garde et le plus souvent abordables.

CHABLIS

De l'avis de plusieurs, le chablis est la quintessence du cépage chardonnay. Grâce à leur acidité naturelle et à leur équilibre, les meilleurs peuvent être conservés plusieurs années.

CÔTE DE NUITS

Le morcellement du vignoble bourguignon a commencé dès la Révolution française et s'est poursuivi au fil des siècles et des successions familiales. Deux siècles plus tard, il n'y a toujours qu'un seul Clos de Vougeot, mais il est partagé entre 70 vignerons qui produisent autant de vins différents selon leur savoir-faire et leur rigueur.

CHABLIS

St-Bris

ncy

rre

O Avallon

CÔTE DE NUITS

Marsannay
Fixin
Gevrey-Chambertin
Morey-Saint-Denis
Chambolle-Musigny
Vougeot
Vosne-Romanée
Nuits-Saint-Georges
Prémeaux-Prissey
Hautes Côtes de Nuits

O Dijon

O Beaune

CÔTE DE BEAUNE

Pernand-Vergelesses
Ladoix
Savigny-lès-Beaune
Aloxe-Corton
Chorey-lès-Baune
Beaune
Saint-Romain
Volnay
Auxey-Duresses
Pommard
Monthélie
Meursault
Blagny
Saint-Aubin
Puligny-Montrachet
Chassagne-Montrachet
Santenay
Hautes Côtes de Beaune

O Autun

Bourgogne

Bourgogne Aligoté Bouzeron

Mercurey

Rully

O Chalon-sur-Saône

Givry

CÔTE CHALONNAISE

Montagny

MÂCONNAIS

Mâcon Villages

Saint-Véran

Pouilly-Vinzelles et Pouilly-Loché

Mâcon O

Pouilly-Fuissé

Mâcon Villages

O Bourg-en-Bresse

Beaujolais-Villages

BEAUJOLAIS

Contre toute attente, le Beaujolais compte plus de parcelles classées « viticulture de montagne », que la région de Savoie. Le tiers des vignobles ont une pente de 10 % ou plus.

Villefranche-sur-Saône O

BEAUJOLAIS

Beaujolais

MÂCONNAIS

Certains vins du Mâconnais se comparent avantageusement à des blancs de la Côte de Beaune.

Lyon

Bourgogne rouge Côte d'Or

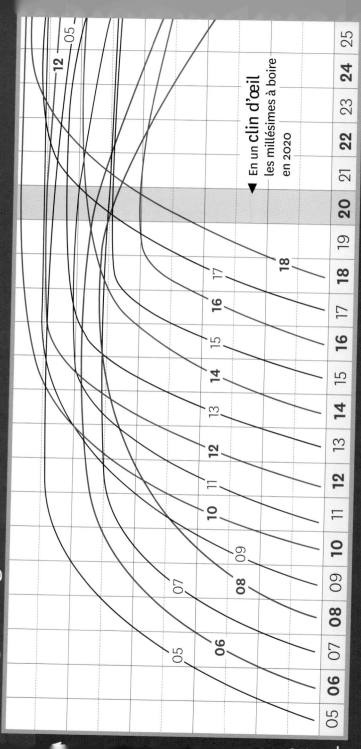

En un **clin d'œil**
les millésimes à boire
en 2020

LES DERNIERS MILLÉSIMES

2018

Volume normal pour Chablis, après une série de millésimes déficitaires. Les producteurs qui ont bien maîtrisé les rendements auront des blancs d'une rare intensité. Aucune chaptalisation sur la côte d'Or ; les rouges sont mûrs et ultra-concentrés ; les blancs sont mûrs sans être chauds, moins intenses qu'à Chablis. Mauvaise floraison et été très chaud et sec, dans le Beaujolais ; concentration inhabituelle, mais les vins des meilleurs domaines pourraient être exceptionnels : intenses, puissants et élégants.

2017

Contrairement à la plupart des régions de France, la Bourgogne a connu sa première récolte abondante depuis 2009 – à l'exception de Chablis, durement touché par les gels printaniers. Pour le reste, des vendanges hâtives ont donné des rouges fruités aux tanins souples et à l'acidité modérée. La récolte de chardonnay fut tout aussi généreuse ; on peut s'attendre à des blancs mûrs, mais dotés d'une bonne tenue. Dans le Beaujolais, la qualité annoncée est exceptionnelle.

2016

L'année de toutes les intempéries : gels printaniers, pluie et froid en mai et juin qui ont compromis la floraison, puis un peu de soleil, enfin. Ceux qui ont réussi à récolter des raisins ont produit de bons rouges souples à apprécier en jeunesse. Les blancs de la Côte d'Or et du Mâconnais sont juteux, frais et faciles à boire ; le peu produit à Chablis est bon, quoique parfois dilué.

2015

En Côte d'Or, des vins rouges très concentrés, semblables, dit-on, à ceux de 2005. Plusieurs vins blancs présentent une richesse atypique, frôlant parfois la lourdeur. Même ceux de Chablis. Les meilleurs producteurs du Beaujolais ont produit des vins gourmands et joufflus, mais on trouve aussi beaucoup de vins capiteux.

2014

Récolte un peu plus abondante, après trois années déficitaires. Vins rouges de densité moyenne, mais sans verdeur ; des vins blancs d'envergure, à la fois élégants et concentrés. Récolte hâtive et excellent potentiel à Chablis ; idem pour le Beaujolais qui a connu sa meilleure récolte depuis 2011.

Bourgogne blanc Côte d'Or

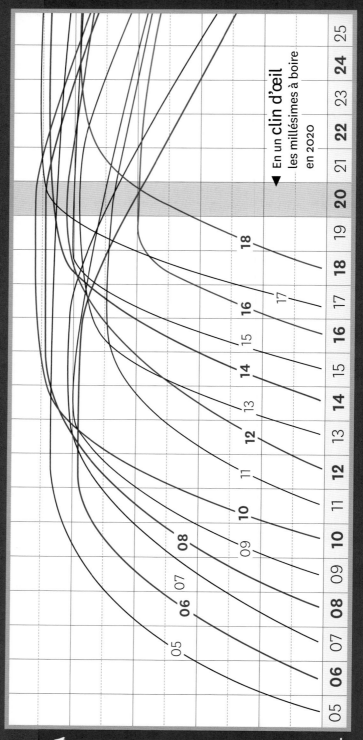

En un **clin d'œil** les millésimes à boire en 2020

longévité

Moins concentré que 2012.
Pluie abondante au moment
des vendanges. La date de la
récolte et le tri de la vendange
ont été des facteurs qualitatifs
déterminants. Malgré tout,
on trouve des vins rouges très
fins et élégants qui plairont
à l'amateur de bourgognes
classiques.

2012

Des mauvaises conditions
météorologiques au printemps
ont nui à la floraison et donné
une très petite récolte. Les vins
rouges sont pour la plupart très
concentrés et auront encore
besoin de quelques années de
repos.

2011

Autre année de faibles
rendements et de vendange
hâtive. La peau des raisins de
pinot noir était relativement
épaisse, ce qui pourrait donner
des vins un peu plus structurés.
Récolte plus abondante en
blanc. Troisième millésime
d'excellente qualité dans le
Beaujolais.

2010

Dans les meilleurs domaines, les
vins rouges s'annoncent charnus
et riches en tanins. Souvent
dotés d'une acidité notable,
les vins blancs semblent de
qualité variable. Conditions plus
favorables à Chablis ainsi que
dans le Beaujolais.

Très bon millésime favorisé par
un mois d'août chaud, ensoleillé
et sec. Des vins rouges de
nature assez souple, et destinés
à s'ouvrir plus rapidement que
les 2005. Nourris et charmeurs,
mais parfois faibles en acidité,
les vins blancs devraient évoluer
rapidement. Excellent millésime
dans le Beaujolais ; des vins
colorés, riches et savoureux.

2008

Quantité réduite de vins blancs
apparemment de qualité plus
homogène, autant en Côte d'Or
qu'à Chablis. Millésime difficile
et irrégulier dans le Beaujolais.

2007

Une faible récolte de vins
rouges, souples et à boire
jeunes.

2006

Un bon millésime, en particulier
en Côte de Nuits où les pluies
ont été moins pénalisantes.
Qualité hétérogène des vins
rouges. Des vins blancs
généralement plus satisfaisants.
Bons vins charmeurs, mais
parfois atypiques à Chablis.

2005

Sur toute la Côte d'Or et en
Côte Chalonnaise, des vins
classiques, à la fois riches
et bien équilibrés. Excellent
millésime à Chablis.

BILLAUD, SAMUEL
Chablis 2017, Les Grands Terroirs

Samuel Billaud est l'un des bons vignerons chablisiens de sa génération et son talent se confirme dans chacune de ses cuvées, grandes ou modestes. Même dégusté au milieu de premier et grand crus, son chablis village 2017 – fruit d'un assemblage de parcelles situées sur les deux rives de Chablis (Pargues, Cartes et une petite partie des Bas de Chapelot) – faisait très bonne figure. Le nez embaume l'écorce de citron et les fleurs blanches, l'attaque est ample et nourrie, puis le vin se déploie avec une agréable tension et la finale, vibrante, offre une profondeur minérale digne des premiers crus. Chapeau!

11890993   36$ ☆☆☆☆ ② ♥

BILLAUD, SAMUEL
Chablis Premier cru Montmains 2017

Samuel Billaud a fondé une entreprise de négoce en 2009, après avoir quitté le domaine familial, Billaud-Simon, qui a lui-même été acquis par Faiveley en 2014. Cette dernière transaction lui a permis de récupérer quelques belles parcelles ancestrales. Son Montmains 2017 est le fruit d'achats de raisins issus de vignes d'une cinquantaine d'années et donne un vin vibrant, à la fois aérien et bien ancré dans les marnes du kimméridgien. Très tendu à l'ouverture, avec un soupçon de réduction, le vin se développe énormément au contact de l'air, permettant d'apprécier ses nuances délicates de poire, sur un fond crayeux. Déjà si bon et pourtant pas encore au sommet de sa forme. Laissez-le reposer jusqu'en 2024-2026.

13980634   52,50$ ☆☆☆☆→? ③ ▼

DOMAINE LAROCHE
Chablis Premier cru Les Fourchaumes 2016, Vieilles vignes

Le millésime 2016 à Chablis a été si catastrophique (en volume) qu'on s'étonne presque d'en trouver des bouteilles sur le marché. Le peu qui a été produit est toutefois de très belle qualité, si on en juge par ce vin élaboré par Grégory Viennois. Le nez présente la minéralité proverbiale de l'appellation. La bouche, quoique aérienne et travaillée tout en délicatesse, témoigne d'une profondeur certaine. Encore jeune, le vin commence toutefois à montrer ses premiers signes d'évolution, avec des notes de miel, sur un fond fumé et crayeux. À apprécier pour son élégance plus que pour sa structure.

13178490   40,75$ ☆☆☆ ½ ②

DOMAINE LAROCHE
**Chablis Premier cru
Les Montmains 2017**

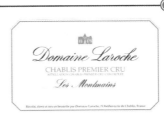

Les quelque 90 hectares de vignoble que compte le Domaine Laroche sont travaillés par une trentaine de viticulteurs ; chacun étant responsable de sa parcelle. Celle du premier cru Montmains, sur la rive gauche du Serein, est plantée de vignes d'une trentaine d'années sur des sols d'argile qui emmagasine la chaleur et favorise un mûrissement hâtif. C'est peut-être ce qui explique la richesse fruitée de ce 2017 ; ample et large en bouche sans être vraiment gras, et gorgé de saveurs de poire mûre et de cerfeuil, qui persistent en une longue finale éthérée et harmonieuse.
13047641   39,75 $ ☆☆☆☆ ②

3 292060 105451

MOREAU, LOUIS
Chablis Premier cru Vaulignot 2017

Dégusté en septembre 2019, ce premier cru m'a paru encore très jeune, marqué par des parfums de bonbon anglais, avec une pointe safranée en fin de bouche. Pas très long ni complexe, pour le moment, mais l'attaque est ronde, le milieu est ample et gras. Peut-être n'a-t-il besoin que de quelques mois, voire quelques années de repos, afin de gagner en profondeur.
480285   33,85 $ ☆☆ ½ →? ③

3 452460 002242

PIUZE, PATRICK
Chablis 2018, Terroirs de Chablis

Arrivé en Bourgogne en 2000, le Montréalais Patrick Piuze a fait ses classes après d'Olivier Leflaive et de Jean-Marie Guffens (Verget), puis chez Jean-Marc Brocard, avant de lancer, sa marque éponyme en 2008, à Chablis. Dix ans plus tard, son nom est devenu synonyme de valeur sûre pour l'amateur de vin blanc pur et droit. C'est d'autant plus vrai en 2018, une superbe année dans le vignoble chablisien, alors que son chablis « village » a des airs de premier cru par sa structure, sa densité, sa minéralité et sa longueur en bouche. Excellent !
11180334   38,50 $ ☆☆☆☆ ½ ②

3 770001 540016

DOMAINE LAROCHE
Chablis 2018, Saint-Martin

La cuvée emblématique du Domaine Laroche – propriété du groupe Advini – est une référence parmi les chablis vendus en continu à la SAQ. Grégory Viennois semble avoir bien maîtrisé les rendements en 2018, puisque son vin fait preuve d'une tenue nettement supérieure à la moyenne du millésime. Structuré, tendu et pourtant tout guilleret et aérien, avec cette sensation saline minérale très particulière des vins de sols kimméridgiens. Produire en grande quantité un vin d'une telle qualité impose le respect. Excellent!

114223 25,90$ ☆☆☆☆ ② ♥

DROUHIN, JOSEPH
Chablis 2018, Vaudon

La plupart des 2018 dégustés jusqu'à présent confirment la rumeur qui veut que ce millésime en soit un d'exception à Chablis. Même le vin courant de la maison Drouhin, vendu au répertoire général de la SAQ, est un modèle de tenue, de droiture et de minéralité.
Pas très long, mais très agréable à boire.

199141 26,95 $ ☆☆☆ ½ ②

MOILLARD
Chablis 2017, Coquillage

Ce chablis produit par une maison de négoce établie à Meursault se signale par ses notes crayeuses et citronnées. Une interprétation modeste, mais nette, du terroir de Chablis.

14042973 24,95$ ☆☆☆ ①

MOREAU, LOUIS
Chablis 2018

Une expression classique du chablis «tout court». Une couleur on ne peut plus typée, jaune-vert, brillante; du corps, une texture juste assez nourrie et des saveurs mûres, sur un fond légèrement fumé. À boire d'ici 2023 avec un carpaccio de pétoncles.

11094727 27,65$ ☆☆☆ ①

MOREAU, LOUIS
Petit Chablis 2018

La dénomination Petit Chablis regroupe des vins issus de terroirs qui, lors du classement, ne se qualifiaient pas pour l'appellation Chablis village. Celui de Louis Moreau respire la jeunesse et la légèreté, avec des notes de menthe et de fumée, une texture délicate, sans être mince et un très bel équilibre d'ensemble.

11035479 25,20$ ☆☆☆ ½ ①

POMMIER, ISABELLE ET DENIS
Chablis 2017

Partis de deux petits hectares en 1990, Isabelle et Denis Pommier en cultivent aujourd'hui une dizaine dont quelques parcelles de premier cru, d'autres de village, dont ils tirent régulièrement un très bon chablis village. Le gel de 2017 a peut-être nui aux volumes, mais la qualité ne semble pas avoir été affectée et les Pommier ont produit un vin pur et délicieux, délicatement parfumé, salin et de bonne tenue.

11890900   33,75$ ☆☆☆ ½ ① 💬

POMMIER, ISABELLE ET DENIS
Petit Chablis 2018, Hautérivien

La plupart des vignobles de l'appellation Petit Chablis sont situés dans la partie nord de la région, près de Maligny et de Lignorelles, mais d'autres parcelles, comme la Ferme de Couverte – qui compose le tiers de ce vin – jouxtent la ligne des grands crus, en haut de coteaux. Mis en bouteille avec «un minimum de clarification», le 2018 déploie en bouche une texture étonnamment ample. Un vin savoureux, aux bons goûts de poire anjou mûre, sur un fond minéral, très désaltérant. On en boirait vraiment sans soif... Quatre étoiles largement méritées dans son appellation.

13386176   26,55$ ☆☆☆☆ ② ♥ 💬

BILLARD
Hautes-Côtes de Beaune 2017

En prenant la relève de l'exploitation en 1999, Jérôme Billard a cessé d'acheminer la récolte vers la coopérative locale pour commencer à vinifier et à commercialiser sous sa propre étiquette. En 2017, son hautes-côtes de beaune se distingue d'abord par son rapport qualité-prix très avantageux, mais aussi par la qualité de ses tanins et par ses saveurs fruitées précises et affriolantes. Très bel équilibre d'ensemble. Un bon vin à boire au cours des trois prochaines années.

13239862 26,65$ ★★★★ ② ♥

FAIVELEY, JOSEPH
Gevrey-Chambertin 2015, Vieilles vignes

Le virage qualitatif entamé au tournant du millénaire s'est fait d'abord par l'acquisition de vignobles, de sorte qu'aujourd'hui, la maison Faiveley est davantage propriétaire-récoltant, que négociant. Erwan et Ève Faiveley assurent la direction de l'entreprise; Jérôme Flous veille sur les vignobles et sur l'équipe de vinificateurs. Ce gevrey issu de vignes de plus de 35 ans, vinifié avec une petite proportion de grappes entières, puis élevé en fûts de chêne pendant 14 mois, porte à la fois l'empreinte généreuse de son millésime et la robustesse de l'appellation. Le fait qu'il soit un simple «village» ne devrait pas vous faire douter de son potentiel de garde; les saveurs de fruits noirs sont compactes, les tanins sont encore tissés très serrés et le vin ne semble pas près de s'ouvrir. Long, intense et harmonieux. À revoir vers 2024.

14128611 69,75$ ★★★→★ ③

FOUGERAY DE BEAUCLAIR
Côte de Nuits-Villages 2018

L'an dernier, alors que je le questionnais sur le millésime 2018, un Bourguignon m'a répondu: «c'est une chance que nous ayons eu de bons volumes, sans quoi, vu la chaleur qu'on a eu cet été, on aurait récolté des raisins secs!» Je comprends mieux ses paroles en goûtant le côte de nuits-villages de Patrice Ollivier. Je n'ai pas souvenir d'avoir jamais trouvé une telle concentration naturelle dans un vin de cette appellation secondaire. Les goûts fruités pleins, intenses et pénétrants rappellent un jus de cerises noires et de pomme grenade; les tanins sont hyper compacts, quoique de belle qualité. Et les saveurs persistent longtemps, très longtemps en bouche. Si tous les 2018 ressemblent à ce vin, on peut déjà prédire que ce sera le millésime de tous les superlatifs… Succulent, sur un mode on ne peut plus atypique. Arrivée prévue en janvier 2020.

10865294 43$ ★★★★ ②

FOUGERAY DE BEAUCLAIR
Fixin 2017, Clos Marion

Ce domaine fondé en 1978 par Jean-Louis Fougeray est aujourd'hui dirigé par son gendre, Patrice Ollivier, qui signe un 2017 en tous points splendide dans la commune de Fixin, dans la partie nord de la Côte de Nuits, entre Marsannay et Gevrey. Tout à fait dans l'esprit de son millésime : classique, fruité et parfumé. Un grain tannique tout en dentelle, des saveurs précises, nuancées et une longue finale élégante. À 50 $, dans le contexte actuel de la Bourgogne, c'est un super achat! Retour en succursales prévu vers la fin de novembre.

872952   57$ ★★★★ ②

GAY, FRANÇOIS
Chorey-lès-Beaune 2017

Le 2017 de Pascal Gay séduit d'emblée par son nez pur, dépourvu des parfums boisés, autant que par son attaque en bouche franche et nerveuse, mariant le fruit et la terre comme la Bourgogne sait si bien le faire. Les tanins portent encore la vigueur de la jeunesse, assez granuleux pour laisser en bouche une sensation tonique. Un excellent exemple de chorey.

917138   37,75$ ★★★★ ②

GAY, FRANÇOIS
Savigny-lès-Beaune 2013

Comme nombre d'amoureux de la Bourgogne déçus par la flambée des prix des cinq dernières années, je trouve une certaine forme de réconfort dans les vins de cette appellation de la Côte de Beaune, l'une des rares encore accessibles. Maintenant parfaitement à point, mais avec des tanins encore tissés serrés, ce 2013 présente des arômes de fraise compotée et d'herbes séchées, et termine sur une finale poivrée. Dans l'ensemble, un très bon vin de facture classique, qu'on boira avec plaisir à table, jusqu'en 2023.

12582773   40,25$ ★★★ ½ ②

POTEL, NICOLAS
Chorey-lès-Beaune 2016

L'entreprise créée par Nicolas Potel a été rachetée par le négociant Labouré-Roi en 2004. Potel a quitté ses fonctions pour se consacrer à Roche de Bellene, sa nouvelle société de négoce. La qualité d'ensemble a décliné depuis. Cela dit, Brigitte Putzu a produit un bon 2016 sur le terroir de Chorey. Rien de complexe, mais l'amateur de bourgogne classique y trouvera, à bon prix, les parfums de terre humide et de griotte, caractéristiques du pinot noir, le tout porté par une trame juste assez charnue, ponctuée de notes de poivre.

12613728   32$ ★★★ ②

CHÂTEAU DE CHAMIREY
Mercurey 2017

Ce domaine phare de l'appellation Mercurey appartient à la famille Devillard, du Domaine des Perdrix, à Nuits-Saint-Georges. Leur 2017 est à l'image des vins du millésime et offre de bons goûts fruités, sur une base tannique souple et gourmande. Un très bon mercurey de facture classique, finement boisé.

962589   29,85$ ★★★ ½ ②

JADOT, LOUIS
Saint-Véran 2017, Combe aux Jacques

La maison Louis Jadot produit annuellement quelque 360 000 bouteilles de ce saint-véran d'une constance exemplaire. Un vin blanc frais et élégant, savoureux et minéral, taillé pour accompagner un poisson à chair fine ou des pétoncles à l'unilatérale. Servez-le frais, autour de 12 °C, plutôt que froid.

597591   23,65$ ☆☆☆ ½ ②

LORON, JEAN
Mâcon-Villages 2017, La Crochette

Bon mâcon produit par une importante maison située à La Chapelle-de-Guinchay, au cœur de la zone des crus du Beaujolais. Bien typé chardonnay par son gras et ses goûts de poire en sirop, mais tout de même un peu rudimentaire pour valoir pleinement son prix.

13668464   20$ ☆☆ ½ ①

SAINT-CYR
Beaujolais blanc 2018, La Galoche

Raphaël Saint-Cyr a repris le domaine familial en 2008 et l'a porté vers de nouveaux sommets, notamment en convertissant les vignobles à l'agriculture biologique. En ce sens, il illustre bien le renouveau que connaît à grande échelle la région du Beaujolais. Il cultive six hectares de chardonnay sur les sols argilo-calcaires de la partie méridionale du Beaujolais, dont il tire un vin purement délicieux en 2018. Un blanc de texture autant que d'arômes; gras, soutenu par une acidité qui contribue à sa structure et à sa tenue en bouche; ample, large et minéral. Miam! Amateurs de bourgogne blanc, faites-en provision!

14045111   26$ ☆☆☆☆ ② ♥ ▮

VIGNERONS DE BUXY
Bourgogne Côte Chalonnaise 2017, Chardonnay, Buissonnier

Cette cave coopérative créée en 1931 a entamé une restructuration globale à compter de 2016. Ses 240 adhérents cultivent collectivement 1130 hectares de vignes et produisent annuellement 8 millions de bouteilles. Leur chardonnay est discret au nez et présente des saveurs singulières de pâte miso, qui contribuent à son côté umami. Rien de complexe, mais plus de caractère que la moyenne.

13946575   19,95$ ☆☆☆ ①

VIGNERONS DE BUXY
Bourgogne Côte Chalonnaise 2017, Pinot noir, Buissonnier

Un peu moins convaincue par le pinot noir de la même gamme. Aucun défaut, mais une version un peu convenue du cépage. Un peu d'éclat fruité lui aurait fait grand bien.

13061494   20,80$ ★★ ①

VIGNERONS DE BUXY
Montagny 2017

La cave de Buxy est active dans la plupart des appellations de la Côte Chalonnaise, dont Montagny, située juste au sud de Buxy, une petite ville médiévale. La qualité du village 2017 est tout à fait à la hauteur des attentes que commande l'appellation et le prix. Une expression méridionale du chardonnay, sans excès ni mollesse, avec une délicate sensation saline en finale. Parfait avec des pâtes carbonara.

12866291   18,65$ ☆☆☆ ①

VIGNERONS DE BUXY
Montagny Premier cru 2016

L'appellation Montagny est dédiée exclusivement au cépage chardonnay. Sur les terroirs de premier cru, la cave a produit un 2017 bien assez près de la terre et assez représentative des vins de sols calcaire, avec sa tension et sa structure. Bel usage du bois, saveurs délicates et bon équilibre.

12454624   24,75$ ☆☆☆ ①

BOUCHARD PÈRE & FILS
Bourgogne 2017, Chardonnay

Cette maison de négoce beaunoise est aussi propriétaire de 130 hectares de vignes, dont 12 dans les grands crus et 72 dans les premiers crus. La qualité du bourgogne blanc générique mérite d'être signalée. Toute la tenue, la fraîcheur, le gras et la palette de saveurs recherchées dans un chardonnay bourguignon de facture classique; très net et sans maquillage inutile.

10796524   23,30$ ☆☆☆ ①

CHABLISIENNE, LA
Bourgogne 2017, Émotions Minérales

Ce vin produit par la cave coopérative de Chablis porte plutôt bien son nom. La minéralité est certes difficile, voire impossible à quantifier, mais elle se conceptualise assez bien lorsqu'on goûte ce 2017. Un vin tendu, dans lequel l'amertume joue un rôle clé, en accentuant la perception de salinité, donc de minéralité. D'autant plus recommandable qu'il est vendu à un prix très attrayant.

13946760   18,95$ ☆☆☆ ½ ②

GUEGUEN
Bourgogne 2018, Chardonnay, Côtes Salines

Céline Gueguen, la fille de Jean-Marc Brocard, mène avec beaucoup d'aplomb le domaine qu'elle a créé avec son mari, Frédéric. En plus d'excellents vins dans les appellations Chablis, Saint-Bris et Irancy, le couple signe un bourgogne générique d'une pureté et d'une minéralité exemplaires. Le 2018 étonne par sa fraîcheur aromatique, entre la menthe, la pelure de pomme verte et l'écorce de citron, et son profil très tendu en bouche. Sec, nerveux et précis, avec une acidité qui vous fait saliver et qui vous met en appétit. Le vin d'apéro idéal!

13657571   19,20$ ☆☆☆☆ ① ♥

MARCHAND – TAWSE
Bourgogne 2018, Chardonnay, Joie De Vigne

Une personne qui m'a beaucoup appris sur le vin avait l'habitude de dire des vins comme celui-ci qu'ils «goûtent cher». En d'autres mots : à l'aveugle, on serait porté à croire qu'ils coûtent cher. Tant par son nez, marqué d'une légère réduction, que par sa bouche à la fois ample, large et tendue et sa longue finale minérale, ce vin évoque des terroirs plus nobles que ceux réservés aux bourgognes génériques. Vraiment, il porte bien son nom : à 25$, un vin d'une telle qualité a tout pour vous accrocher un sourire aux lèvres!

14002875   25$ ☆☆☆☆ ½ ② ♥

POTEL, NICOLAS
Bourgogne 2016, Chardonnay, Vieilles vignes

Il y a dans ce chardonnay comme un goût d'une autre époque ; des arômes de bonbon anglais, une sucrosité attribuable au contact des lies, sans lourdeur ni goût beurré envahissant. Un vin modeste, pour les âmes nostalgiques.

11890926   23,40$ ☆☆ ½ ①

ROPITEAU
Bourgogne 2016, Chardonnay

Cette maison de négoce de Meursault produit aussi un bourgogne blanc générique dans la moyenne de l'appellation. Techniquement correct, mais linéaire, sans grande tenue ni réelle personnalité. On trouve des chardonnays plus abordables et plus excitants hors Bourgogne.

11293953   20,95$ ☆☆ ①

SŒUR CADETTE, LA
Bourgogne 2018, La Sœur Cadette

Jean Montanet est un pilier du vignoble de Vézelay, au sud de Chablis, où il pratique une agriculture biologique, aujourd'hui épaulé par son fils Valentin. Les raisins qui entrent dans le bourgogne générique du domaine ne sont pas certifiés bios, mais ils sont fermentés sans ajout de levures ni autres intrants, puis élevés en cuve inox pour un maximum de pureté aromatique. Très bon 2018 encore vibrant de jeunesse, animé d'un léger reste de gaz, qui rehausse les goûts de fruits blancs. À boire d'ici 2022.

11460660   25$ ☆☆☆ ½ ②

SŒUR CADETTE, LA
Bourgogne Vézelay 2018, La Châtelaine

En 2018, Montanet père et fils ont produit un vin blanc ample et large, riche en goûts de poire bien mûre et soutenu par un fil minéral qui élève la matière et donne au vin une allure à la fois chaleureuse et aérienne. Parfait pour accompagner un poisson gras comme du flétan ou de la morue. Encore meilleur après 30 minutes d'aération en carafe. Arrivée prévue juste avant les fêtes.

11094621   32,75$ ☆☆☆☆ ② ♥ ⚠ 🍷

BAILLY-LAPIERRE
Saint-Bris 2018

Cette cave coopérative de l'Yonne se spécialise dans l'élaboration de crémants de Bourgogne, mais elle produit aussi un bon vin tranquille sur le terroir de Saint-Bris, une appellation du nord de la Bourgogne qui mise sur le cépage sauvignon blanc, plutôt que sur le chardonnay. Un exemple modeste du genre, mais techniquement bien fait. Vif, gras, avec des accents d'agrumes.

10870211   19,45$ ☆☆ ½ ②

3 371801 811445

GOISOT
Bourgogne Aligoté 2017

Spécialiste des vins de l'Yonne, la famille Goisot cultive son vignoble en biodynamie, produit des vins axés vers l'expression du terroir et offrant un rapport qualité-prix quasi imbattable. Leur aligoté a une personnalité bien septentrionale et se distingue des autres vins de ce cépage, produits plus au sud – dans la Côte Chalonnaise, par exemple – par sa structure acide, qui n'est pas sans rappeler certains chablis. Un vin très complet, savoureux et de bonne tenue. À savourer à table avec des pétoncles ou du flétan.

10520835   24,50$ ☆☆☆☆ ② ♥ 🗨

4 000105 208352

GOISOT
Saint-Bris 2017, Exogyra Virgula

Contrairement aux autres vignes du domaine Goisot, orientées plutôt vers le sud, les parcelles de sauvignon blanc sont plantées suivant un axe nord-nord-ouest. Leur 2017 est l'un des meilleurs exemples de sauvignon blanc de Saint-Bris. Très sec, sans la verdeur ni les parfums de pamplemousse parfois associés au cépage, mais avec une pointe tropicale qui rappelle la goyave et qui persiste en finale. Vraiment savoureux!

10520819   27,45$ ☆☆☆☆ ② ♥ 🗨

4 000105 208192

MARCHAND – TAWSE
Bourgogne Aligoté 2018

Le talent de Pascal Marchand se manifeste aussi dans cet excellent aligoté, vinifié sans ajout de sulfite. Un vin fin, d'une grande précision, très marqué par son terroir. D'ailleurs, l'empreinte minérale est si prononcée qu'à l'aveugle, on ne saurait dire s'il s'agit d'un chardonnay ou d'un aligoté. La poire, les fleurs blanches et la craie sont rehaussées en bouche par un très léger reste de gaz qui égaye le palais et soulignées d'une amertume fine qui tire les saveurs en finale. Pas très long, mais à 23$, il serait presque déraisonnable d'en demander plus.

14112783   23,40$ ☆☆☆☆ ② ♥

JAFFELIN
Bourgogne Aligoté 2017

En exclusivité à la SAQ Dépôt, un bon aligoté dont le nez est ponctué de délicats parfums de beurre. La bouche est vive, sans être trop acide et déploie des saveurs très nettes. Simple, mais bien tourné et vendu à prix honnête.

53868   17,25$ ☆☆☆ ①

NAUDIN-FERRAND
Bourgogne Aligoté 2018

Dans la commune de Magny-lès-Villers, à mi-chemin entre Beaune et Nuits-Saint-Georges, la vigneronne Claire Naudin produit, entre autres, un excellent vin blanc issu d'aligoté. Son 2018 présente au nez de subtils parfums de caramel au beurre; la bouche est très fine, l'acidité est souple, mais juste assez présente pour conférer une agréable sensation de vitalité à l'ensemble. Pas le plus complet des derniers millésimes, mais bien fait.

11589703   23,65$ ☆☆☆ ①

VIGNERONS DE BUXY
Bourgogne Aligoté 2018, Silex

L'aligoté en mode gras et enrobé, manifestement nourri par le travail des lies, qui apportent en fin de bouche une certaine sensation de sucrosité. Pas mal et vendu à un prix attrayant, mais pour la tension habituelle du cépage, il faudra chercher ailleurs.

14178694   17,60$ ☆☆☆ ①

BOUVIER, RENÉ
Bourgogne 2017, Chapitre Suivant

Cette cuvée de Bernard Bouvier, établi à Gevrey-Chambertin, est toujours impeccable. Le 2017 n'y fait pas exception : bien en chair, porté par des tanins ronds, bourré de fruits rouges qui se mêlent à des notes d'épices douces.

11153264   24,80$ ★★★ ½ ②

8 026080 001425

CHANSON
Bourgogne 2017, Pinot noir

Depuis son entrée en poste en 1998, Jean-Pierre Confuron a su hisser Chanson au sein de l'élite des maisons de négoce bourguignonnes. Les vignobles en propriété ont été convertis à l'agriculture biologique en 2009. Bon représentant du millésime 2017, le bourgogne rouge est tout en fruit, tissé de tanins fins et bien assez charnu pour accompagner une pièce de viande. Il fait aussi preuve d'une longueur étonnante pour un générique. Excellent achat!

11598394   24,25$ ★★★★ ② ♥

3 342830 158108

FAIVELEY, JOSEPH
Bourgogne 2016

La qualité des vins de Faiveley ne se manifeste pas seulement dans les appellations prestigieuses, mais aussi dans le simple bourgogne générique. Le 2016 est un léger cran en dessous de l'excellent 2015 commenté l'an dernier, mais sa précision aromatique, sa trame souple, serrée en fin de bouche et son équilibre d'ensemble en font un très bon pinot noir authentique.

142448   25,95$ ★★★ ②

3 351000 180610

FOUGERAY DE BEAUCLAIR
Bourgogne 2018

Le pinot noir à la puissance 2018! Amateur d'intensité et de sensations fortes, attachez vos papilles. Une attaque en bouche hyper gourmande, presque sucrée tant les tanins sont mûrs, une profusion de fruits noirs, sur un fond épicé attribuable à la barrique. Ce qui étonne le plus, c'est que, malgré cette intensité quasi débridée, les saveurs fruitées n'évoquent en rien la confiture. Vraiment, je crois que l'amateur de vins de Bourgogne devra réajuster son palais avec les vins de ce millésime qui promet de nous sortir de notre zone de confort. Quant à celui-ci, très bon, mais à aborder avec l'esprit ouvert.

12526413   25,60$ ★★★ ½ ②

3 527941 130414

JADOT, LOUIS
Bourgogne 2016, Pinot noir, Couvent des Jacobins

Ce pinot noir de la maison Jadot fait depuis longtemps partie des valeurs sûres à la SAQ. Frais, fruité et nerveux, mais soutenu par un grain tannique assez charnu pour procurer du plaisir à table, avec un magret de canard aux griottes. Servir autour de 16 °C.

966804   25,05$ ★★★ ½ ②

MARCHAND – TAWSE
Bourgogne 2018, Pinot noir, Joie De Vigne

Le caractère concentré du millésime semble avoir mieux réussi aux cépages blancs qu'au pinot noir. Cela dit, je dois avouer que Pascal Marchand tire assez bien son épingle du jeu avec son bourgogne rouge générique. Tous les éléments sont concentrés à égale mesure, le fruit noir solidement encadré par la charpente tannique, et le vin est très harmonieux. Beaucoup de vin dans le verre pour moins de 25$.

13551670   24$ ★★★★ ② ♥

POTEL, NICOLAS
Bourgogne Pinot noir 2017, Vieilles vignes

Une expression minimaliste du pinot noir; la texture est légère, les tanins granuleux sans être asséchants et la cerise côtoie les parfums de sous-bois. Modeste et fidèle à ses origines.

719104   23,45$ ★★ ½ ①

VIGNERONS DE BUXY
Bourgogne 2017, Pinot noir

Du fruit, des tanins souples et une impression générale gourmande et juteuse. Bien représentatif de son cépage et de la qualité générale des vins produits par cette cave coopérative de la Côte Chalonnaise.

13806089   19,95$ ★★ ½ ①

DESCOMBES
Morgon 2017, Cuvée Joe Beef, Collection réZin

Georges Descombes a très bien réussi son morgon en 2017. Alors que tant de crus du Beaujolais de ce millésime accusent un profil capiteux, voire une certaine lourdeur, celui-ci est plein d'énergie et de vitalité. Le fruit mûr se mêle aux fruits rouges acidulés, les tanins sont soyeux et se resserrent en fin de bouche. Juste assez charnu, frais, de bonne longueur et doté d'un éventail de saveurs assez complexe. À boire entre 2020 et 2025.

13219520   28,40 $ ★★★★ ② ♥

FOILLARD, JEAN
Morgon 2017

Les parfums exubérants de cassis annoncent la donne : ce 2017 n'a rien d'un morgon de soif. L'attaque en bouche est tout de même fraîche et vigoureuse, mais aussi plus dense, avec une charge tannique plus importante que d'habitude. Tout cela étant, le vin est savoureux, vinifié avec beaucoup de sérieux et apte à affronter les années. On devrait le laisser reposer en cave jusqu'en 2025.

11964788   30,25$ ★★★ ½ →? ③

FOILLARD, JEAN
Morgon 2017, Corcelette

Les Foillard possèdent 5 hectares sur le terroir de Corcelette, voisin de Chiroubles, connu pour donner des vins abordables en jeunesse, plus fruités que charnus. Ce vin est issu de vignes âgées de 80 ans, plantées dans des sols de grès. Le 2016 décoré d'une Grappe d'or l'an dernier était spectaculaire. Le 2017, quoiqu'un peu chaleureux est également magnifique. Un régal de fruit, très long en bouche ; tout en délicatesse, sans trop de concentration, ce qui n'empêche pas la profondeur. Toujours recommandable, même à ce prix.

12201643   44,50$ ★★★★ ②

FOILLARD, JEAN
Morgon 2017, Cuvée Éponym

Autant la cuvée Corcelette est l'exemple même du morgon friand et aérien, qu'on boit en jeunesse, autant la cuvée Éponym est à aborder comme un vin de garde. Le vin est issu de vignes de gamay âgées environ d'une cinquantaine d'années, plantées sur les sols de schiste, de granite et de manganèse du lieu-dit Les Charmes, le plus haut en altitude de Morgon, et vinifié selon la méthode beaujolaise, avec des doses minimales de SO_2. Dense et tissé de tanins serrés, voire fermes, à l'ouverture, le vin se montrait sous un jour beaucoup plus leste et aérien le lendemain. Une large éventail de saveurs fruitées, florales, herbacées et poivrées, avec une pointe minérale en fin de bouche. Cher, mais hors catégorie.

13341197 47,50 $ ★★★★ ½ ③ ▼

LAPIERRE, M. & C.
Morgon 2018

Marcel Lapierre a tracé la voie pour de nombreux vignerons de la région quant à l'élaboration de cuvées naturelles, sans ajout de soufre. Ses enfants, Camille et Mathieu, font honneur au legs de leur père et maintiennent bien haut la qualité des vins du domaine phare de Villié-Morgon. La couleur sombre et plus opaque du 2018 annonce d'emblée un vin concentré. La bouche porte elle aussi l'empreinte d'un été de canicule et de sécheresse. Sans lourdeur aucune, cela dit. La nature semble avoir bien fait les choses et concentré à égale mesure le fruit, les tanins et l'acidité, donnant un vin plein, mais équilibré, doté d'une longue, très longue finale florale. Les inconditionnels de Lapierre voudront en mettre au moins une demi-caisse de côté et les laisser dormir pendant la prochaine décennie. Surveillez de près le dernier arrivage de bouteilles prévu pour novembre et les grands formats (magnum et jéroboam) juste avant les fêtes.

11305344 36,50 $ ★★★★ ½ ③ ♥

CAMBON
Brouilly 2018

En plus d'un beaujolais «tout court» vendu à la SAQ depuis quelques années et commenté dans les prochaines pages, Marie Lapierre et Jean-Claude Chanudet élaborent un très bon vin de Brouilly au Château Cambon. Dans l'esprit du millésime, le 2018 est nettement plus concentré et ressemble davantage aux cuvées du Beaujolais vinifiées «à la bourguignonne», qu'en macération carbonique. Charnu, gorgé de fruits noirs et d'épices, soutenu par un fil d'acidité qui confère un tonus essentiel à l'ensemble.

13385931   28,75$ ★★★★ ② ♥

CHERMETTE, PIERRE-MARIE
Moulin-à-Vent 2017,
Les Trois Roches

Ne cherchez pas dans ce moulin-à-vent la structure propre à ce cru. Le vin de la famille Chermette met davantage l'accent sur la rondeur fruitée du gamay. Le nez exubérant donne le ton; la bouche suit, riche en saveurs de confiture de framboise et de cassis, encadrées de tanins fermes, sans être vraiment compacts. Quelques années de repos aideront peut-être les éléments à se fondre.

11154427   32$ ★★★→? ③

DESCOMBES
Brouilly 2017

Les adeptes de brouilly plutôt ample et charnu trouveront leur bonheur chez Georges Descombes, qui adhère à la même philosophie que les Lapierre, Foillard, Breton, etc. Son 2017 est encore plus en chair que d'habitude, avec des notes animales qui rappellent le fer, la viande saignante. Plein, dodu, des tanins tissés serré, à défaut du profil juteux qui a fait le succès populaire des vins de Brouilly.

12494028   27,85$ ★★★ ½ ②

LARDY, YOHAN
Moulin-à-Vent 2017

Yohan Lardy est installé à Moulin-à-Vent depuis 2012. Son vignoble, certifié Haute Valeur Environnementale (HVE) depuis 2019, s'étend aujourd'hui sur 7 hectares, dont 5 sur les terroirs granitiques riches en manganèse et en quartz du climat Les Michelons, le plus haut de l'appellation. Les vinifications sont conduites sans ajout de SO_2 ni aucun intrant et le vin est ensuite élevé dans de vieux fûts bourguignons. Le talent du jeune vigneron se manifeste clairement dans cet excellent 2017, plein et hyper séduisant en attaque, très complet en milieu de bouche et porté par une longue finale solide et parfumée. Déjà ouvert et séduisant, mais capable de se bonifier d'ici 2025.

En primeur

14184453   26,95$ ★★★★ ③ ♥

CAMBON
Beaujolais 2018

Cette propriété reprise en 1995 par la famille Lapierre et par Jean-Claude Chanudet est située à mi-chemin entre Morgon et Fleurie, mais pour une question d'ordre administratif, elle n'a été incluse dans aucune des deux appellations lors de la classification de 1935. Les amateurs de Cambon ne trouveront pas dans ce 2018 la légèreté habituelle, mais pourront apprécier sa vigueur tannique et ses goûts de fruits noirs acidulés.

12454991   24$ ★★★ ②

CHANUDET, JEAN-CLAUDE
Cuvée du Chat 2018, Vin de France

Disciple de la première heure de Jules Chauvet, Jean-Claude Chanudet, alias «Le Chat», a été l'un des précurseurs de l'élaboration de vins sans soufre dans le Beaujolais. En plus d'excellents morgons, il signe aussi ce très bon «beaujo», vendu sous appellation Vin de France. Plus de matière tannique et d'extraction, millésime oblige, des goûts de framboise noire, de bleuets, de violette qui persistent en finale et un bon équilibre d'ensemble.

13184224   24,30$ ★★★★ ② ♥

CHERMETTE
Beaujolais 2018, Les Griottes

Martine et Pierre-Marie Chermette élaborent ce rouge dans la partie sud du Beaujolais, en plus de leurs crus du nord, dont un moulin-à-vent commenté dans les pages précédentes. À son nez fruité compact, on croirait ce vin sorti d'un terroir du Rhône méridional. La bouche suit, dense et pleine, animée d'une saine acidité qui donne de l'éclat aux saveurs et garde le vin harmonieux. Très belle réussite!

11259940   18,85$ ★★★ ½ ② ♥

COQUELET, DAMIEN
Fou du Beaujo 2017

L'an dernier, j'avais choisi de ne pas inclure ce 2017 dans *Le guide du vin* sur la base d'une bouteille jugée trop défectueuse (odeurs de basse-cour, rétro-olfaction d'arachide rance). La nouvelle bouteille ouverte en août 2019 m'a semblé plus nette, mais le vin était encore plutôt décevant. Malgré la réputation de ce jeune producteur, je miserais sur un autre cheval.

12604080   20,85$ ★★ ½ ①

JADOT, LOUIS
Beaujolais-Villages 2018, Combe aux Jacques

Alors que certains vins semblent magnifiés par 2018, celui-ci donne plutôt l'impression de l'avoir subi. Au lieu d'un fruit plus exubérant et d'une chair plus gourmande, on a ici un vin strict, aux tanins un peu secs, donnant à l'ensemble une allure drôlement austère.

365924   17,65$ ★★ ½ ②

LAPIERRE, M. & C.
Raisins Gaulois 2018, Vin de France

Comme tout le reste de la production régionale goûté jusqu'à présent, le Raisins Gaulois du domaine Lapierre a pris un petit coup de soleil en 2018. Une profusion de goûts fruités, une mâche gourmande et charnue, une jolie finale ponctuée de confiture de framboises et de fleurs.

11459976   22,55$ ★★★ ½ ②

VIONNET, KARIM
Beaujolais-Villages 2018

Karim Vionnet a appris le métier de vigneron aux côtés de son ami Guy Breton, chez qui il jouait le rôle informel de chef de culture, avant de créer son propre domaine en 2006, à Villié-Morgon. Son Beaujolais-Villages 2018, comme tout le reste de la gamme, est vinifié dans un esprit «nature», avec une dose minimale de SO$_2$. Un bon rouge juteux en attaque, ferme et chaleureux en finale, un peu creux en milieu de bouche, mais non moins savoureux. Arrivée prévue avant Noël.

13581318   25,25$ ★★★ ②

CHÂTEAU D'ARLAY
Côtes du Jura 2010, Pinot Noir

Propriété de la famille de Laguiche (liée au fameux propriétaire de Montrachet), le Château d'Arlay est l'un des domaines les plus connus du Jura. Au moment d'écrire ces lignes, on pouvait encore trouver dans une trentaine de succursales cet excellent pinot noir élaboré avec beaucoup de sérieux sur le terroir d'Arlay. Maintenant ouvert, sans toutefois montrer quelque signe de fatigue, le vin déploie des arômes de terre et de truffe noire, de griotte acidulée et de fumée. Les tanins sont granuleux, les saveurs sont longues et ce pinot noir laisse en bouche une sensation très rassasiante. À boire sans se presser d'ici 2026.

14032097   40$ ★★★★ ②

DUGOIS, DANIEL
Arbois 2015, Grevillière, Trousseau

Ce trousseau produit dans la commune d'Arbois est un excellent vin pour découvrir, à prix attrayant, le charme des vins rouges de cette région montagneuse – le massif du Jura culmine à 1720 m d'altitude – située tout à l'est de la France. La couleur tuilée et les accents de champignon au nez annoncent un vin déjà ouvert, mais encore plein de vie et de fruit en bouche. L'attaque est souple et mûre, le grain tannique est fin et les saveurs perdurent en une finale complexe aux notes de sous-bois et de cerise noire. Délicieux! Arrivée prévue à la fin de novembre.

12210419   27,15$ ★★★★ ② ♥

DUGOIS, DANIEL
Arbois 2018, Terre de Marne

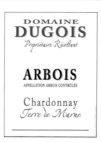

La famille Dugois signe un chardonnay purement savoureux et très typé des vins issus des terroirs de marne du Jura. Après une aération prolongée qui permet aux odeurs de réduction de s'estomper, le nez dévoile de jolis arômes de fruits blancs, mais aussi des notes fumées et épicées. La matière en bouche est riche et ample, mais aussi hyper tendue et soutenue par des amers de qualité en finale. Une expression très jurassienne du chardonnay. Excellent!

14024644   24,90$ ★★★★ ② ♥

RIJCKAERT
Arbois 2017, Chardonnay

Florent Rouve a pris la relève de son mentor, Jean Rijckaert, dont le vignoble se partageait entre le Mâconnais et le Jura. Le chardonnay qu'il produit dans l'appellation Arbois pourrait d'ailleurs être confondu avec un vin du sud de la Bourgogne tant il s'éloigne du profil aromatique oxydatif, souvent associé aux blancs du Jura. Souple et rond, avec des arômes de beurre et de caramel écossais et une pointe d'épices. Un vin d'envergure moyenne qui plaira à l'amateur de chardonnay classique.

12587136   26,25$ ☆☆☆ ②

3 760149 571638

RIJCKAERT
Côte du Jura 2017, Savagnin, Les Sarres

Ce savagnin ouillé (voir la capsule concernant l'ouillage ci-après) est élaboré dans le même esprit que le chardonnay commenté précédemment. Ainsi, plutôt que les parfums de noix caractéristiques du vin jaune et autres vins oxydatifs du Jura, il déploie au nez de délicates notes de beurre et de fruits blancs. En bouche, on appréciera le mariage de gras, d'acidité et d'amertume, qui rehausse les saveurs de fleurs et de poire. Savoureux avec un pavé de lotte au beurre blanc.

12951356   33$ ☆☆☆ ½ ②

3 760149 570266

BON À SAVOIR

L'ouillage consiste à remplir régulièrement le fût. Le vin en fût a tendance à diminuer de volume, surtout au cours des mois froids suivant la vendange. On assiste aussi à une évaporation à travers le bois, de l'ordre de 1% par mois. Un creux se forme alors dans le haut de la barrique, et le vin s'oxyde au contact de l'air. Il faut donc procéder régulièrement à l'ouillage, c'est-à-dire au remplissage du fût.

ALSACE

Le SAVIEZ-VOUS?

Certains producteurs laissent une dose perceptible de sucre résiduel dans leurs vins. Quelques maisons ont commencé à donner des informations relatives aux taux de sucre et d'acidité sur la contre-étiquette, mais cette pratique demeure assez marginale. Pour acheter des vins secs, retenez les noms de Beyer, Hugel, Ostertag et Trimbach.

Wissembourg

Haguenau

Saverne

Sarrebourg

Sarre

Molsheim

Strasbourg

Alsace

Mont-Sainte-Odile

Barr

Dambach la Ville

Saint-Die

Sélestat

Ill

ALLEMAGNE

Bergheim

Hunawihr · **Ribeauvillé**
Riquewihr

RHIN

FRANCE

Kaysersberg

Colmar

Eguisheim

Guebwiller

Thann

Mulhouse

En raison de leur forte acidité, les grands vins secs de riesling ont besoin de temps pour atteindre leur sommet. Ils peuvent vivre très longtemps.

À part de très rares exceptions, le goût de bois est inexistant dans les vins d'Alsace. L'expression du cépage et du terroir est pleinement mise en valeur.

Pour comprendre l'Alsace et ses vins, il faut se pencher sur l'histoire de cette région du nord-est de la France. Séparée de l'Allemagne par le Rhin et du reste de la France par le massif des Vosges, l'Alsace a longtemps été disputée par ces deux pays frontaliers.

Peut-être en raison de l'héritage écolo de leurs ancêtres germaniques, les Alsaciens ont développé plus tôt que le reste de la France une certaine sensibilité environnementale. Aujourd'hui, près de 300 viticulteurs alsaciens sont dédiés à la culture biologique et 15 % du vignoble est certifié ou en voie de l'être. La moyenne nationale s'établissait à environ 9 % en 2016…

Première source française de vins blancs d'appellation, l'Alsace mise sur une poignée de cépages et sur une multitude de sols. Chaque sol a son cépage et chacun contribue à exprimer, de manière différente, la complexité du terroir alsacien. L'un des plus grands terroirs à vins blancs de France.

LES DERNIERS MILLÉSIMES

2018
Un été chaud, mais des vins relativement frais. Les terroirs d'altitude (grands crus) ont donné d'excellents riesling, pinot gris et gewurztraminer.

2017
Le gel printanier a fait des ravages et amputé la récolte de 20 %, par rapport à 2016. Un été chaud, avec un apport suffisant en eau, a conduit à une récolte précoce et on annonce un millésime d'exception, «l'un des meilleurs depuis la Seconde Guerre mondiale, avec 1947, 1971 et 2008», selon le Britannique Hugh Johnson, et ce, pour tous les cépages et tous les niveaux de maturité.

2016
Après un printemps particulièrement humide, la vigne – en particulier le riesling – a souffert d'un stress hydrique dans certains secteurs, en raison d'un mois de juillet chaud et très sec. Le pinot gris semble avoir été moins touché par la sécheresse et a donné des vins riches, équilibrés par une acidité mûre et fraîche. Les quantités récoltées sont satisfaisantes et la qualité s'annonce très bonne. Peu de vins botrytisés.

2015
Un été de grande chaleur. On peut espérer d'excellents vins secs de riesling et de pinot gris, surtout dans les vignobles situés en haut de coteaux. Qualité plus hétérogène pour les gewurztraminer et muscat. Peu ou pas de vins liquoreux.

HUGEL
Riesling 2017, Alsace

Chaque année depuis des décennies, ce vin de la famille Hugel est en quelque sorte l'archétype du riesling alsacien courant. Celui que tout élève devrait goûter pour saisir la qualité et le style des vins de la région. Le nez du 2017 embaume les fleurs blanches et l'écorce de citron ; la bouche témoigne d'une concentration supérieure aux derniers millésimes, mais conserve une certaine légèreté. Comme toujours, un très bon riesling sec et désaltérant.

42101   18,05$ ☆☆☆ ② ♥

KUHLMANN-PLATZ
Riesling 2017, Réserve, Alsace, Cave vinicole de Hunawihr

Ce riesling a un goût d'une autre époque, tant au nez qu'en bouche. Des odeurs de cire d'abeille témoignent d'une certaine évolution, tandis qu'en bouche, des accents de safran laissent soupçonner la présence de botrytis. Rien de bien vilain ni de bien excitant.

13581001   20,50$ ☆☆ ①

LORENTZ, GUSTAVE
Riesling 2017, Évidence, Alsace

Établie à Bergheim depuis 1836, la famille Lorentz conduit aujourd'hui son vignoble en agriculture biologique. Leur riesling se présente avec une richesse certaine au nez, mais n'ayez crainte, la bouche, bien que chaleureuse et ample, est dépourvue de sucre résiduel, bien droite et animée d'une acidité toute septentrionale. Très bien.

14023713   25$ ☆☆☆ ② ▼ ◗

OSTERTAG
Riesling 2017, Heissenberg, Alsace

Tout comme le sublime riesling Muenchberg commenté ci-après, le Heissenberg a de toute évidence été magnifié par la nature du millésime 2017. Le nom de ce cru situé dans le petit village de Nothalten signifie «montagne chaude», en raison de son exposition plein sud, ainsi que d'une faible circulation d'air. André Ostertag y pratique la biodynamie depuis 1997. Le nez présente des notes fumées, qui évoquent le silex; la bouche est à la fois ample et solide, la matière est soutenue par un fil d'acidité qui élève le vin en bouche et le tire en finale. Lorsque goûté en août 2019, le fruit jouait en sourdine, presque occulté par la force minérale de ce vin déjà excellent, mais qui devrait élargir son éventail de nuances d'ici 2025.

739813 49,25$ ☆☆☆☆→? ③ 💬

OSTERTAG
Riesling 2017, Muenchberg, Alsace

Grand! Voilà, c'est dit. On annonce que 2017 est l'un des plus beaux millésimes que l'Alsace ait connu depuis la fin de la Seconde Guerre mondiale. André Ostertag n'allait pas décevoir avec son Muenchberg, qui semble imperméable même aux plus moroses des années. Tout dans ce vin est impeccable. Sa structure est monumentale, ses saveurs pénétrantes, profondes, longues comme un coucher de soleil sur l'océan Pacifique. Le plaisir est déjà immense, mais ce vin devrait traverser les décennies avec un aplomb légendaire. Si vous avez la chance d'avoir un enfant né dans ce millésime, vous pourrez sans craindre coucher quelques bouteilles jusqu'à sa majorité.

739821 68$ ☆☆☆☆☆ ③ 💬

OSTERTAG
Riesling 2018, Les Jardins, Alsace

En 2018, juste avant les vendanges, André Ostertag a officiellement passé le flambeau à son fils Arthur, qui vinifiait déjà à ses côtés depuis 2015. Le fils a manifestement été bon élève et son vin traduit l'essence du riesling alsacien, dans ce qu'il a de plus authentique: sec et opulent, mais digeste et cousu d'une palette de saveurs qui se déclinent en bouche comme un cortège de pur plaisir. Un vin d'une grande intégrité.

11459984 31,25$ ☆☆☆☆ ② ♥ 💬

RIESLING – ALSACE 73

BARMÈS BUECHER
Trilogie 2018, Alsace

Sophie et Maxime Barmès ont pris la relève du domaine familial et signent une belle gamme de crémants et de vins tranquilles, dont cet assemblage de pinot blanc, de riesling et de pinot gris, créé exclusivement pour le marché québécois. Le nez exubérant du 2018 évoque un peu le cépage muscat avec ses accents de fruits tropicaux. Sec, mais particulièrement ample, vineux et savoureux. Il fera bon mariage avec une cuisine épicée.

12254420 21,90$ ☆☆☆ ½ ②

BOTT GEYL
Points Cardinaux Métiss 2017, Alsace

Jean-Christophe Bott cultive son domaine selon les principes de l'agriculture biodynamique. Cette cuvée réunit les vertus complémentaires de pinots (blanc, auxerrois, gris et noir). Un excellent vin blanc sec, gras, plein et savoureux, aux saveurs de pêche, de fruits tropicaux et d'épices. Excellent avec des pâtes crémeuses aux champignons sauvages.

10789800 22,95$ ☆☆☆☆ ② ♥

JOSMEYER
Pinot blanc 2018, Mise du Printemps, Alsace

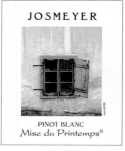

Jean Meyer a propulsé le domaine familial de Wintzenheim au sein de l'élite alsacienne, notamment en convertissant l'ensemble du vignoble à la culture biologique, puis biodynamique dès 2000. Ses filles Céline et Isabelle assurent maintenant la relève et signent des vins d'une grande authenticité, dont cet excellent pinot blanc. Un modèle de finesse, de précision et d'élégance, dans la continuité des derniers millésimes. Minéral et délicat, juste assez gras, savoureux, plein de vie et d'énergie. À moins de 25$, c'est un super achat!

12604063 23,20$ ☆☆☆☆ ② ♥ 💬

LORENTZ, GUSTAVE
Pinot gris 2010, Grand cru Kanzlerberg, Alsace

Amateur de vin blanc à parfaite maturité, vous voudrez goûter ce très bon pinot gris aux parfums intenses de cire d'abeille, de fruits secs et d'épices douces. Les raisins sont récoltés en surmaturité et fermentés presque à sec (≈ 20 g/l de sucre); la bouche s'impose avec richesse et onctuosité, chaleureuse sans être lourde, et vaporeuse en finale. À boire à la fin du repas, avec les fromages, d'ici 2023.

14023676 58$ ☆☆☆ ½ ① ▼

MANN, JL & FABIENNE
Pinot blanc 2017, Alsace

La famille Mann pratique la biodynamie à Eguisheim. Leur pinot blanc est en tous points savoureux. On appréciera la pureté des saveurs ciselées de ce 2017, autant que sa texture fine, qui tapisse la bouche et laisse une sensation à la fois rassasiante et hautement désaltérante. Biologique, élégant et long en bouche. Encore meilleur s'il est aéré pendant une heure en carafe et servi autour de 12 °C.

13830521   28,05$ ☆☆☆☆ ② ♥ △ ▮

OSTERTAG
Pinot gris 2017, Fronholz, Alsace

Au sommet de la colline d'Epfig, le terroir de Fronholz – exposé sud-ouest, un fait rare en Alsace – est un terrain de jeu rêvé pour le pinot gris. Les Ostertag le cultivent en biodynamie depuis plus de 20 ans. Le 2017 est encore hyper jeune et un peu réduit à l'ouverture, mais incroyablement concentré et structuré. Aussi large que long, pas si exubérant, mais complexe et profond. Il devrait reposer en cave jusqu'en 2025, au moins.

12392777   54,75$ ☆☆☆☆ ③ ▼

OSTERTAG
Pinot gris 2017, Les Jardins, Alsace

Un vin blanc de texture, autant que de parfums, riche en bons goûts de fruits jaunes à noyau et d'épices douces, avec une pointe de céréales grillées qui accentue son caractère umami. Encore meilleur après une aération d'une heure en carafe.

866681   35,50$ ☆☆☆☆ ② △

VINS PIROUETTES, LES
Pinot noir 2016, Les Vins Pirouettes, Alsace

Une explosion de saveurs fruitées qui évoquent presque le gamay nature tant elles brillent par leur éclat et leur intensité. L'attaque en bouche est nerveuse, presque perlante, animée d'un reste perceptible de gaz, qui se dissipe assez vite; trame tannique souple et bonne longueur. À servir frais et à boire sans trop se poser de questions…

13909660   32,50$ ★★★★ ②

VINS PIROUETTES, LES
Tutti Frutti 2017, Alsace

Sous la marque Vins Pirouettes, le vigneron «nature» Christian Binner et ses amis proposent des rouges et des blancs vinifiés sans soufre ni autres intrants. Son Tutti Frutti est un assemblage de sylvaner, de riesling et d'auxerrois. Pas très long, mais sec, vibrant de jeunesse et relevé de saveurs pures. Tout léger et idéal pour l'apéro. Arrivée prévue vers la fin de novembre.

13903639   25,55$ ☆☆☆ ½ ①

VAL DE LOIRE

ANJOU

Coteaux-d'Ancenis

Muscadet-Ctx-de-la-Loire

Muscadet

Muscadet

Anjou

Ctx de la L

Angers

Ctx de l'Au

Anjou-Villages

Anjou

Bou

Nantes

Muscadet-Sèvre et Maine

Ctx du Layon

Saint-

Gros-Plant

Anjou

Saumur

Muscadet-Côtes-de-Grandlieu

Cholet

Quarts-de-Chaume

PAYS NANTAIS

Bonnezeaux

Haut-

La Roche-sur-Yon

Poitie

Fiefs vendéens

Niort

La Rochelle

Laval

Le M.

la Flèche

Ja

C

Rochefort

Saintes

Cognac

Ar

Entre le massif Central et l'océan Atlantique, de part et d'autre du long fleuve auquel il doit son nom, le vignoble du val de Loire est le plus diversifié de France. Le vin s'y décline en plusieurs temps: rouge, rosé, blanc, sec, moelleux, liquoreux, tranquille, mousseux. On a souvent dit de ses crus qu'ils étaient les plus français de tout l'Hexagone.

Le caractère hautement digeste des vins rouges et blancs de la Loire explique sans doute leur popularité croissante. Comment ne pas succomber au charme discret d'un bon cabernet franc, à la légèreté proverbiale d'un muscadet, à la singularité d'un cour-cheverny ou à la minéralité d'un grand vouvray?

La tentation est d'autant plus grande que les prix, malgré la hausse de l'euro, demeurent accessibles. Les acheteurs de la SAQ semblent aussi multiplier les efforts pour enrichir l'offre de petits producteurs dédiés à la mise en valeur de leur terroir. En jetant un coup d'œil rapide aux pages suivantes, vous verrez aussi que l'offre est de plus en plus verte. Que demander de mieux?

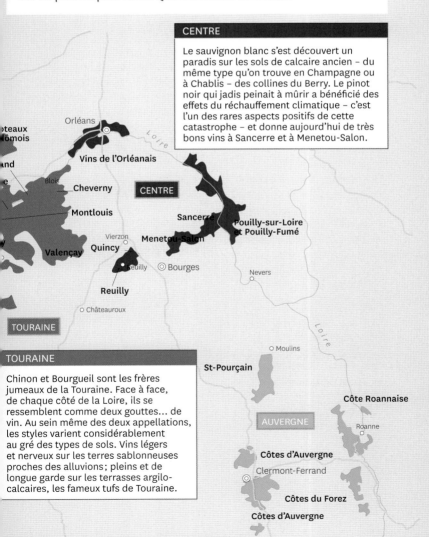

CENTRE

Le sauvignon blanc s'est découvert un paradis sur les sols de calcaire ancien – du même type qu'on trouve en Champagne ou à Chablis – des collines du Berry. Le pinot noir qui jadis peinait à mûrir a bénéficié des effets du réchauffement climatique – c'est l'un des rares aspects positifs de cette catastrophe – et donne aujourd'hui de très bons vins à Sancerre et à Menetou-Salon.

TOURAINE

Chinon et Bourgueil sont les frères jumeaux de la Touraine. Face à face, de chaque côté de la Loire, ils se ressemblent comme deux gouttes... de vin. Au sein même des deux appellations, les styles varient considérablement au gré des types de sols. Vins légers et nerveux sur les terres sablonneuses proches des alluvions; pleins et de longue garde sur les terrasses argilo-calcaires, les fameux tufs de Touraine.

LES DERNIERS MILLÉSIMES

2018

Été chaud et sec, après un mois de juin pluvieux. Un millésime de qualité exceptionnelle dans toute la vallée, que certains comparent déjà à 1947, grandiose. Certains vins goûtés jusqu'à présent sont atypiquement mûrs, sans verser dans l'excès.

2017

Un millésime de très bonne qualité et une quantité en légère hausse, après une année 2016 désastreuse. Les chenins secs sont moins tendus, plus suaves et accessibles en jeunesse. En rouge, le cabernet franc a profité d'une maturation lente à Bourgueil et à Chinon; Saumur-Champigny est plus hétérogène.

2016

Un millésime désastreux avec une récolte amputée du tiers. Vers la fin avril, une vague de gel a compromis la saison de plusieurs vignerons en Touraine et en Centre-Loire (surtout à Menetou). Ensuite, il y a eu les inondations, le mildiou, etc. Sancerre a apparemment été épargné.

2015

Un été chaud et sec, jusqu'aux violents épisodes de pluie de la fin août et de la mi-septembre. Très bonne qualité escomptée, tant en rouge qu'en blanc, excepté pour le Muscadet, qui a souffert des pluies d'août.

2014

Un autre millésime sauvé par une météo plus clémente pendant les mois de septembre et octobre. Résultats exceptionnels dans le Muscadet. Ailleurs, on a pu produire de bons vins blancs secs et amener les cépages rouges à maturité. Rendements en baisse un peu partout, à l'exception du Centre-Loire (Sancerre, Menetou-Salon, etc.).

2013

Un autre petite récolte et un millésime compliqué qui comportait de nombreux défis pour les vignerons: pourriture, taux de sucre faibles et acidité élevée. Peu de vins de longue garde.

2012

Une année très difficile et une petite récolte. De bons résultats en Muscadet, Sancerre et Menetou-Salon. Les variétés tardives comme le cabernet franc et le chenin blanc ont parfois souffert des pluies de la fin de l'été qui ont engendré de la pourriture.

2011

Une année un peu étrange et un millésime de vigneron. Printemps exceptionnellement chaud et floraison hâtive; temps frais en juillet et en août, et vagues de chaleur en septembre et en octobre. Le travail à la vigne a été un facteur déterminant, surtout pour les rouges.

CHÉREAU CARRÉ
Muscadet Sèvre et Maine 2018, Réserve Numérotée

Ce muscadet distribué dans l'ensemble du réseau de la SAQ n'a pas la complexité ou le potentiel de vieillissement des meilleurs vins de l'appellation, mais il offre à prix juste une expression délicate et fruitée du cépage melon de Bourgogne. Un bon vin d'apéro.

365890   15,40$ ☆☆☆ ① ♥

DOMAINE DES HUARDS
Cheverny 2018, Pure

Ce cru vendu à la SAQ dès 1997 connaît un retour en force depuis quelques années. Le Pure est composé de sauvignon blanc (85%) et de chardonnay, cultivés selon les principes de la biodynamie, non loin de Chambord. Un bon vin ample, aux parfums délicats d'écorce de citron, de miel et de fleurs. Pas complexe, mais assez long et de bonne tenue.

961607   25,45$ ☆☆☆ ½ ② 🗨

DOMAINE DES HUARDS
Cour-Cheverny 2017, Romo

On ne le répétera jamais trop : les vrais bons vins blancs de terroir gagnent beaucoup à être aérés. Celui-ci était déjà délicieux à l'ouverture de la bouteille, mais après deux jours, il était splendide! Les parfums s'étaient épanouis, la matière était plus leste et le vin était tout aussi bouillonnant de vie et d'énergie. Une expression solide et minérale du cépage romorantin. Complexe, long et savoureux. Offrez-lui un petit séjour en carafe et servez-le frais plutôt que froid.

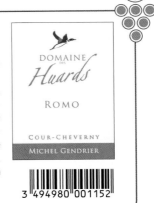

13513286   26,50$ ☆☆☆☆ ② ♥ 🗨 △

LANDRON
Muscadet 2017, Amphibolite Nature

Jo Landron est l'un des vignerons qui ont contribué à redonner au muscadet ses lettres de noblesse. Son Amphibolite est son muscadet de soif, celui qu'on sirote avec les huîtres, en attendant que les cuvées de terroir atteignent leur apogée. On trouve dans ce 2017 la nervosité habituelle; une texture ample, un fruit bien mûr et une salinité qui rappelle que l'Atlantique n'est pas bien loin. Excellent, comme toujours. Le 2018 prendra le relais en décembre.

12741084   24,75$ ☆☆☆☆ ② ♥ 🗨

BRÉDIF, MARC
Vouvray 2018

D'aussi loin que je me souvienne, j'ai toujours trouvé dans ce vouvray des parfums de cave humide, qui rappellent l'odeur des caves de Vouvray, creusées à même les sols calcaire. La bouche est plus discrète, moins distinctive, mais joliment fruitée. Longueur et envergure moyennes.

10267809   21,65$ ☆☆ ½ ②

3 443094 210004

BRETON, C & P
Vouvray 2018, Épaulé Jeté

Un vouvray tout en jeunesse et en fraîcheur, mis en bouteille au printemps, avec un léger reste de sucre (6,8 g/l) – comme plusieurs vouvrays «secs», d'ailleurs – qui n'enlève rien à sa vitalité ni à sa légèreté. La rondeur et l'acidité se rencontrent de façon harmonieuse, les goûts de fruits blancs bien mûrs sont ponctués de notes de camomille et de cerfeuil, qui accentuent sa fraîcheur en finale. Aussi bon à table qu'à l'apéro.

12103411   24,05$ ☆☆☆ ½ ②

3 760099 780074

CARÊME, VINCENT
Vouvray Sec 2018

À l'opposé des chenins opulents produits dans le vignoble angevin, Vincent Carême signe des vins d'une pureté exemplaire, qui misent davantage sur la structure et sur la garde que sur le plaisir fruité facile et immédiat. Son 2018, bien qu'il soit plus opulent que la moyenne des derniers millésimes, n'en demeure pas moins cristallin. Le fruit mûr et la texture vineuse font corps avec une minéralité sous-jacente, qui sert de colonne vertébrale au vin et assure sa verticalité, autant que sa longueur. Excellent vouvray!

11633612   28,45$ ☆☆☆☆ ② ♥ 🗨

3 770003 649328

CARÊME, VINCENT & TANIA
Vouvray sec 2018, Spring

Les raisins qui composent la cuvée de négoce de Tania et Vincent Carême proviennent de vignes d'au moins 35 ans, cultivées sur les sols d'argile, de silex ou de calcaire de l'appellation. Leur Spring est succulent en 2018. Une profusion de poire juteuse, de compote de pomme et de fleurs blanches, sur un fond crayeux; une texture ample tapisse la bouche, soutenue par un fil d'acidité. Un vin droit et sincère, offert à prix très abordable.

13594899   20,35$ ☆☆☆☆ ② ♥

3 770003 649632

LAMBERT, ARNAUD
Saumur 2018, Saint-Cyr-en-Bourg

En plus d'élaborer les vins du Domaine de Saint-Just, propriété de sa famille, Arnaud Lambert commercialise sous une étiquette éponyme ce très bon saumur, issu du terroir de Saint-Cyr-en-Bourg. Les arômes de pêche s'expriment avec une belle intensité dans ce 2018; chair fruitée ronde, fraîche et juteuse. Expression mûre et typée du chenin de Saumur. Simple et facile à boire, mais de bonne longueur.

13587963   18,60 $ ☆☆☆ ½ ② ♥

LANGLOIS-CHATEAU
Saumur 2018

Cette maison saumuroise centenaire est réputée pour sa cuvée Quadrille, un excellent crémant, mais elle produit aussi de bons vins tranquilles, comme ce blanc souple et acidulé, composé de chenin blanc. Simple, mais bien ficelé dans un style classique.

962316   17,55 $ ☆☆ ½ ①

ROCHER DES VIOLETTES
Montlouis-sur-Loire, La Négrette 2017

Xavier Weisskopf est tombé sous le charme du chenin blanc alors qu'il travaillait comme œnologue à Gigondas, dans le sud du Rhône. En 2005, une parcelle de vieilles vignes – à vendre et sous-évaluée – l'a amené en Touraine. Son vignoble conduit en bio est une référence de l'appellation Montlouis. On n'a pas de mal à le croire lorsqu'on goûte ce 2017 à la fois plein, large et vibrant, qui devrait arriver à la SAQ juste avant Noël. Un éventail de saveurs complexes, entre les fruits blancs et la lanoline, la marmelade de citron et le miel, les épices douces et les fleurs blanches. Opulence contenue et minéralité conjuguées au plus-que-parfait. À boire entre 2020 et 2026.

11909800   34,50 $ ☆☆☆☆ ② 🗨

VINI BE GOOD
Montlouis-sur-Loire 2017, La Grande Parcelle

L'appellation Montlouis-sur-Loire évolue un peu dans l'ombre de son illustre voisine, Vouvray. La première est située sur la rive sud de la Loire, la seconde sur la rive nord, mais les vignes des deux appellations plongent leurs racines dans le fameux tuffeau de Touraine. Celui-ci, en particulier, puise sa sève et son éclat minéral dans les argiles à silex. Un vin d'une fraîcheur et d'une énergie remarquables, vu le millésime. Sec, droit, plutôt complexe et d'une bonne longueur.   **En primeur**

14159910   23,85 $ ☆☆☆☆ ② ♥

BOURGEOIS, HENRI
Sancerre 2018, Les Baronnes

La famille Bourgeois exploite un vaste domaine à Sancerre, ainsi qu'un commerce de négoce, dont elle tire une gamme étendue de vins blancs. Depuis près d'une dizaine d'années, Les Baronnes adopte un style un peu convenu avec des goûts de pamplemousse et une sucrosité (sans sucre), attribuable au travail des lies. Correct, sans avoir la fibre des bons vins de l'appellation.

303511   28,60 $ ☆☆ ½ ②

CHÂTEAU DE SANCERRE
Sancerre 2017

Les vins de cette entreprise qui vend annuellement près de 100 000 bouteilles au Québec offrent bien peu de substance pour le prix. Des parfums simples d'agrumes, un caractère vaguement acidulé, enrobé d'une texture ronde. Correct pour un sauvignon, ordinaire pour un sancerre.

164582   26,95 $ ☆☆ ①

CHERRIER, PIERRE ET FILS
Sancerre 2018, Domaine de la Rossignole

Le 2018 est un cran plus ample et généreux que le 2017 noté l'an dernier, avec des saveurs quasi tropicales. L'équilibre en bouche est tout de même très au point, notamment grâce à une touche d'amertume qui fait contrepoids au fruit et qui donne au vin une longueur digne de mention. À servir avec une salade d'endives, agrumes et chèvre frais.

872465   28,05 $ ☆☆☆ ½ ②

NATTER, HENRY
Sancerre blanc 2017

Cette année encore, j'ai bien aimé la mouture très classique de ce vin blanc de Sancerre. Le nez est sobre, la bouche offre un mariage de saveurs herbacées et végétales, sur un fond de citron et de miel, portées par une texture juste assez nourrie par un élevage sur lies. Pas très complexe, mais frais, digeste et élégant.

13657538   27,30 $ ☆☆☆ ②

PELLÉ, HENRY
Menetou-Salon 2017, Les Blanchais

La famille Pellé est un monument de l'appellation Menetou-Salon. Cet excellent blanc provient d'une petite parcelle de vignes d'une quarantaine d'années, qui puisent leur sève dans des sols alliant argilo-calcaire et silex. Un vin d'envergure dont la structure, la tension et la complexité aromatique se comparent avantageusement à bien des sancerres commentés dans ces pages. Sec, vibrant de fraîcheur et doté d'une excellente tenue. Servez-le autour de 12 °C pour mieux l'apprécier.

872572   33,50 $ ☆☆☆☆ ②

France

PELLÉ, HENRY
Menetou-Salon 2017, Les Bornés

Une expression vive et distinguée du sauvignon blanc. Vineux et savoureux, avec un fruit croquant et des accents de cire d'abeille. Très bon vin blanc tout-aller dont la netteté et le caractère authentique méritent d'être signalés.

10523366   23,25 $ ☆☆☆ ½ ②

PELLÉ, HENRY
Menetou-Salon 2018, Morogues

Les coteaux escarpés de la commune de Morogues ont la réputation de donner des vins blancs plutôt fins. Le 2018 est encore plus mûr et riche en parfums de fruits tropicaux que ne l'était le 2017. Son ampleur en bouche, attribuable à la nature du millésime et à la maturité des raisins, plus qu'à des manipulations dans le chai, séduit à coup sûr. Excellente qualité.

852434   25,05 $ ☆☆☆☆ ② ♥

PRIEUR, PAUL ET FILS
Sancerre 2018

La famille Prieur cultive la vigne à Verdigny depuis plus de 10 générations et élabore des vins dans la plus ancienne tradition sancerroise. Malgré la nature un peu excessive de l'été 2018, leur vin conserve un caractère vibrant et tonique. L'acidité et la minéralité agissent ici comme une colonne vertébrale, donnant au vin toute la tension voulue, tandis que l'amertume met le fruit en relief et donne au vin une longueur admirable.

11953245   29,60 $ ☆☆☆☆ ② ♥

VACHERON
Sancerre 2018

En prenant le flambeau de leurs pères, les cousins Jean-Laurent et Jean-Dominique Vacheron ont entamé la métamorphose du domaine familial. Le sancerre «village» qu'ils ont produit en 2018 est remarquable. Un vin blanc d'envergure, qui fait preuve d'une grande concentration et qui en mène aussi long que large en bouche. Les saveurs sont ciselées, ultra-précises, tirés par une amertume fine et par une minéralité sous-jacente qui porte le vin dans un registre aromatique complexe. Plus cher que la moyenne; plus sérieux, aussi.

10523892   42,75 $ ☆☆☆☆ ½ ② 🍷

BOIS VAUDONS
Sauvignon blanc 2018, Touraine, L'arpent des Vaudons

Jean-François Mérieau a tiré le meilleur du millésime 2018 et produit un sauvignon harmonieux, dans lequel la structure pallie le manque d'acidité. Fruit de la passion, pomelo, et une pointe de thé vert; texture ronde, grâce au travail des lies; belle longueur. À servir avec un carpaccio de poisson blanc nappé d'huile d'olive et de chair de pamplemousse.

12564233   20,10 $ ☆☆☆ ½ ②

BOURGEOIS, HENRI
Pouilly-Fumé 2017, En Travertin

La famille Bourgeois offre avec ce pouilly-fumé une expression souple et ample du sauvignon blanc. Une bonne dose d'acidité tient sa texture grasse en équilibre et donne de l'éclat à ses arômes de lime, de melon miel et de thé vert japonais. Très bon avec un tajine de poulet aux olives vertes et aux citron confit.

412312   29,75 $ ☆☆☆ ②

BOURGEOIS, HENRI
**Sauvignon blanc 2017, Petit Bourgeois,
Vin de Pays du Val de Loire**

Ce très bon sauvignon blanc variétal vendu à prix juste présente de très légers accents de poivrons verts, sur un fond généreux d'agrumes. Nerveux, sec et droit, il semble taillé sur mesure pour les ceviches.

13072302   18,60 $ ☆☆☆ ①

CHIDAINE, FRANÇOIS
Sauvignon blanc 2018, Touraine

François Chidaine a surtout fait sa marque avec de somptueux vins de chenin blanc, à Montlouis-sur-Loire. Plus à l'est, en Touraine, il produit aussi ce sauvignon blanc rond et bien mûr, vendu pour la première fois à la SAQ. Rien de vert ici, 2018 nous porte plutôt dans un registre solaire, gorgé de fruits exotiques. Bien ficelé.

En primeur

18,90 $ ☆☆☆ ①

COMPLICES DE LOIRE
Touraine 2018, Pointe d'agrumes

La pointe d'agrumes fait relâche cette année pour faire place à l'ananas et au fruit de la passion ; le tout porté par une texture à la fois ronde et nerveuse. Le profil est générique et variétal, mais l'offre est tout à fait honnête. Sec, acidulé, équilibré.

12260002   18,30 $ ☆☆☆ ①

DELAUNEY, THIERRY
Sauvignon blanc 2018, Le Grand ballon, Val de Loire

Parmi les arômes de ce vin, on trouve les traditionnelles notes végétales et herbacées du sauvignon blanc. Les agrumes laissent toutefois la place à la pomme verte. La bouche est rafraîchissante, dotée d'une pointe d'amertume en finale. Une proposition honnête à petit prix.

12489456   13,85 $ ☆☆ ½ ① ♥

DOMAINE DES FINES CAILLOTTES
Pouilly-Fumé 2017

Les vignes de ce domaine s'enracinent dans les sols argilo-calcaires (appelés caillottes, dans la région) de Pouilly-Fumé. Les saveurs de ce 2018, bien que joliment fruitées, traduisent davantage le lieu d'origine que le caractère variétal du sauvignon, avec des accents fumés qui persistent en fin de bouche. Mûr et volumineux, tout en restant tendu, droit et désaltérant.

963355   26,25 $ ☆☆☆ ½ ②

DOMAINE DE REUILLY
Reuilly 2017, Les Pierres Plates

Le domaine de Denis Jamain est une référence à Reuilly, une petite appellation située à l'ouest de Bourges. Son vignoble conduit selon les principes de la biodynamie a donné vie à un 2017 d'une grande pureté. Élégant, minéral et complexe. L'acidité et le gras font corps, les saveurs de melon, de coriandre et de thé blanc se dessinent avec délicatesse et persistent en une finale saline qui appelle l'autre verre.

11463810   24,75 $ ☆☆☆☆ ② ♥ 🗩

AMIRAULT, YANNICK
Bourgueil 2017, La Coudraye

Le domaine de Yannick Amirault est une excellente adresse pour s'initier aux vertus trop peu connues des vins de Bourgueil. La qualité de sa cuvée d'entrée de gamme est d'une constance exemplaire. Abordable et accessible, relevé de parfums élégants de poivrons rouges rôtis et tissé de tanins juste assez charnus, qui donnent l'impression de croquer dans le vin. Un vin hautement digeste, taillé pour la gastronomie.

10522401   25,15 $ ★★★★ ② ♥ 🗩

AMIRAULT, YANNICK
Bourgueil 2017, Le Grand Clos

Le Grand Clos est un cru historique de Bourgueil, une parcelle de 2 hectares située sur le coteau de l'appellation. L'empreinte boisée du 2017 aura encore besoin de quelques années pour se fondre, mais une gorgée suffit pour saisir tout son potentiel. Un nez profond et compact, des tanins d'une grande qualité, polis et délicats dans leur fermeté, et une finale longue et très complexe, aussi près de la terre que du fruit. On pourra commencer à l'apprécier vers 2024.

11154128   33,75 $ ★★★★ ③ 🗩

GERMAIN, THIERRY
Saumur-Champigny 2018, Domaine des Roches Neuves

Les rouges de l'appellation Saumur-Champigny, contrairement à ceux de Saumur, sont à aborder comme des vins sérieux; les meilleurs survivent à l'épreuve du temps avec autant d'aplomb que leurs pendants bourguignons ou bordelais. Thierry Germain signe ici une version accessible et friande, mais non moins agréable. Les tanins du cabernet franc sont veloutés et caressants, les saveurs riches emplissent la bouche et laissent en finale une sensation chaleureuse, sans lourdeur. Prix attrayant.

10689622   22,70 $ ★★★ ½ ② ♥ 🗩

GROSBOIS, NICOLAS
Chinon 2018, Clos du Noyer

Nicolas Grosbois pratique l'agriculture biologique dans le vignoble familial de Panzoult. Le Clos du Noyer est une parcelle exposée plein sud et plantée il y a une quarantaine d'années. En 2018, cela donne un vin plein et chaleureux, assez accessible à l'ouverture de la bouteille, mais plus volubile et riche en nuances après deux ou trois jours. Le vin révèle alors son fruit noir profond, ses accents d'anis, de poivre long et d'eau-de-vie de framboise. Une grande intensité, un bon équilibre et toute la matière pour se bonifier au cours des cinq ou six prochaines années.

13128169   42,25 $ ★★★→★ ③ 🗩

GROSBOIS, NICOLAS
Chinon 2018, La Cuisine de ma Mère

Nicolas Grosbois s'est surtout fait connaître dans les dernières années par cette cuvée joliment nommée, issue de vignes de cabernet franc d'une quinzaine d'années. Un chinon accessible, bien en chair et porté par des tanins ronds, fermenté en cuves de béton, sans ajout de levure. Un peu moins tonique en 2018, mais il compense par sa générosité. Servir autour de 15-16 °C.

12782441   22,55 $ ★★★ ½ ②

LORIEUX, PASCAL
Chinon 2015, Thélème

Les terroirs de tuffeau (calcaire) donnent naissance à des rouges toujours plus fermes et structurés. C'est précisément ce qu'on trouve dans le Thélème: une expression pure et inaltérée du cabernet franc à Chinon. Pas de bois (élevage en cuves inox), mais des saveurs nettes de poivre et de mûre, des tanins un peu anguleux qui chatouillent les papilles et une impression générale fraîche et digeste.

917096   27,75 $ ★★★ ½ ②

LORIEUX, PASCAL
Chinon 2016, Expression

Sur les sols d'argile à silex de chinon, Lorieux signe un 2016 très frais, mettant en relief les bons goûts de poivrons rôtis et de poivre du cabernet franc. Peu d'extraits tanniques, mais une texture juste assez granuleuse, en équilibre avec la souplesse du fruit.

873257   19,80 $ ★★★ ②

LORIEUX, PASCAL
Saint-Nicolas de Bourgueil 2017, Les Mauguerets La Contrie

Le plateau graveleux entre Saint-Nicolas et Bourgueil – où sont situés les lieux-dits Les Mauguerets et la Contrie – donne, en général, des rouges souples et légers. En 2017, celui de Pascal Lorieux est à retenir pour sa fraîcheur en bouche et sa matière fruitée pure, très séduisante. Un bon vin jeune, à apprécier dès maintenant pour sa vitalité.

872580   24,15 $ ★★★ ½ ②

BOULAY, GÉRARD
Sancerre 2014, Oriane

Gérard Boulay excelle dans l'art de magnifier les terroirs de kimméridgien de la commune de Chavignon, avec des vins blancs hyper tendus. Son sancerre rouge résulte d'un assemblage de deux parcelles dédiées au pinot noir depuis des siècles. Le 2014 était encore dans une forme splendide lorsque goûté au printemps 2019. Un vin solide sans être puissant et savoureux sans être vraiment exubérant. Il déroule en bouche un tapis de tanins encore fermes, légèrement granuleux, mariant les parfums du chêne à la terre humide, à la griotte et à la truffe noire. Sa force tranquille exerce déjà un charme certain, mais cet excellent pinot noir gagnera encore en profondeur d'ici 2024.

14023300　52,50 $　★★★→★ ③ ▼

DAVID, SÉBASTIEN
Hurluberlu 2018, Vin de France

Cette cuvée vendue sous dénomination Vin de France est composée en bonne partie de cabernet franc de Bourgueil, complété par un pourcentage de syrah et de grenache du Sud. Le tout est vinifié en macération carbonique, élevé sans bois et mis en bouteille sans collage ni filtration. Le 2018 est un peu un hybride entre un bon bourgueil droit et charnu et un vin de soif gourmand. Beaucoup de fruit sur une trame veloutée; finale chaleureuse relevée de notes de poivre et d'épices.

En primeur

14172719　22,85 $　★★★ ½ ② ♥ 💬

DOMAINE DES HUARDS
Cheverny 2016, Envol

Jocelyne et Michel Gendrier pratiquent la biodynamie sur leur vignoble de Cheverny, une appellation peu connue située près de Chambord, à cheval sur les régions du Val de Loire et de la Sologne. Pinot noir et gamay s'unissent pour donner un vin affriolant, souple et riche en fruit, tissé de tanins veloutés. Finale croquante aux parfums d'épices douces.

12748278　22,70 $　★★★ ½ ② 💬

DOMAINE DES HUARDS
Cheverny 2016, Le Pressoir

Cette cuvée majoritairement issue de pinot noir et de 20 % de gamay est à retenir parmi les vins rouges les plus achevés de l'appellation Cheverny. En 2016, la famille Gendrier a produit un vin très rassasiant, tant par sa chair fruitée que par sa fraîcheur. Le grain tannique et les arômes sont mûrs, mais gardent tout leur tonus. Savoureux et harmonieux.

11154021　26,10 $　★★★ ½ ② 💬

GILBERT, PHILIPPE
Menetou-Salon rouge 2017

Philippe Gilbert a repris le domaine familial il y a maintenant vingt ans et l'a converti à la culture biologique, puis biodynamique. Chaque année, en goûtant son menetou rouge, je me dis que cet ancien dramaturge n'a pas perdu la main et sa capacité de surprendre. Car le vin est si délicat, qu'on pourra facilement passer à côté. Puis, on s'arrête de parler, on se concentre un moment et on réalise alors qu'on a là un pinot noir unique, tissé de tanins soyeux, pur et complexe et long et racé et savoureux et… Un réel bonheur mis en bouteille.

11154988   32 $ ★★★★ ② ♥ 🗨

JAMAIN, DENIS
Reuilly 2017, Les Fossiles

En plus d'un excellent vin blanc, Denis Jamain signe un pinot noir passablement solide. De bons goûts de cerise mûre, une petite pointe de kirsch et d'épices douces, des tanins granuleux et une impression d'ensemble harmonieuse.

13998287   26,90 $ ★★★ ② 🗨

LANDRON, BERNARD ET BENOÎT
Coteaux d'Ancenis 2018

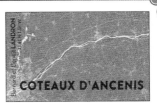

L'amateur de gamay ne voudra pas manquer l'arrivée à l'automne de cet excellent vin de soif produit dans une minuscule appellation de la Loire, qui couvre à peine 166 hectares, entre les villes de Nantes et d'Ancenis. Si vous aussi vous craquez pour le caractère souple et nerveux, croquant, juteux et poivré du gamay, vous voudrez même en faire provision à la caisse. Vibrant d'authenticité et biologique. Tant de raisons de l'aimer !

En primeur

14172612   19,40 $ ★★★★ ② ♥ 🗨

MARIONNET, HENRY
Gamay 2018, Touraine, Domaine de la Charmoise

Longtemps, bien longtemps avant que la SAQ intègre à son inventaire des vins de petits producteurs nature du Beaujolais, ce rouge de la famille Marionnet était déjà une valeur sûre pour qui savait apprécier les vertus d'un bon gamay souple et bourré de fruit. Les années ont passé et les succursales sont maintenant remplies de Bojo et autres vins de soif, mais le gamay de Marionnet est toujours là, souple et bourré de fruit, comme un compagnon fidèle sur lequel on peut compter. On aime !

329532   17,70 $ ★★★ ½ ② ♥

VALLÉE DU RHÔNE

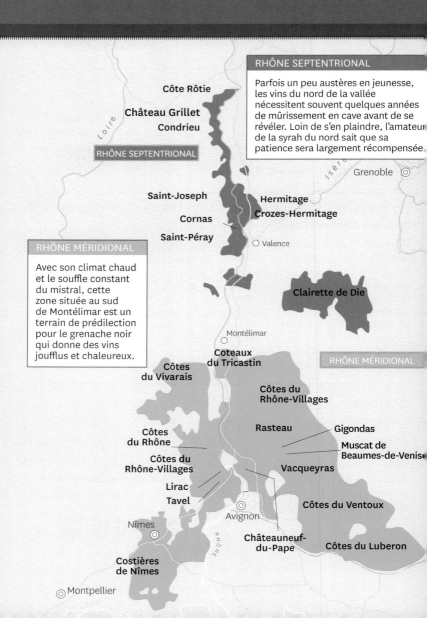

RHÔNE SEPTENTRIONAL

Parfois un peu austères en jeunesse, les vins du nord de la vallée nécessitent souvent quelques années de mûrissement en cave avant de se révéler. Loin de s'en plaindre, l'amateur de la syrah du nord sait que sa patience sera largement récompensée.

RHÔNE MÉRIDIONAL

Avec son climat chaud et le souffle constant du mistral, cette zone située au sud de Montélimar est un terrain de prédilection pour le grenache noir qui donne des vins joufflus et chaleureux.

Côte Rôtie

Château Grillet

Condrieu

RHÔNE SEPTENTRIONAL

Loire

Isère

Grenoble

Saint-Joseph

Cornas

Saint-Péray

Hermitage

Crozes-Hermitage

Valence

Clairette de Die

Montélimar

Coteaux du Tricastin

RHÔNE MÉRIDIONAL

Côtes du Vivarais

Côtes du Rhône-Villages

Côtes du Rhône

Côtes du Rhône-Villages

Lirac

Tavel

Nîmes

Rasteau

Gigondas

Muscat de Beaumes-de-Venise

Vacqueyras

Côtes du Ventoux

Avignon

Châteauneuf-du-Pape

Côtes du Luberon

RHÔNE

Costières de Nîmes

Montpellier

Le vignoble de la vallée du Rhône est scindé en deux zones distinctes : le sud et le nord. Le sud de la vallée est la source de 90 % de la production vinicole de la région. C'est un jardin fertile où une foule de cépages s'épanouissent sous le soleil. Les paysages sont méditerranéens, avec la garrigue, les oliviers, les terres chaudes et arides.

Le nord, parce qu'il reçoit plus de précipitations, est beaucoup plus vert. Son vignoble est davantage soumis à l'effet du millésime que son voisin du sud. Les vignobles, souvent de petite taille, sont aménagés à flanc de coteau, profitant d'un climat continental et d'une longue période végétative, favorable à l'élaboration de vins raffinés. Seul cépage autorisé pour les appellations rouges, la syrah trône en reine. Elle a quand même la bonté de partager un peu de son royaume avec quelques sujets : les viognier, roussanne et marsanne, qui donnent vie à des vins blancs à la fois substantiels et raffinés.

LES DERNIERS MILLÉSIMES

2018

Le nord de la vallée a engendré des rouges immenses, voire capiteux ; exceptionnel à Hermitage. Les gras sont blancs, faibles en acidité et parfois lourds. Dans le sud, les vignobles de Châteauneuf-du-Pape ont été durement touchés par la coulure (sur le grenache), puis par le mildiou (un champignon), si bien que Château Rayas n'a produit que 2 % du volume habituel.

2017

Très bon millésime dans le nord, qui a donné des blancs de terroir, parfaits pour la table, et des rouges mûrs et tanniques, plus profonds que les 2016. Le sud a été touché par une période de sécheresse. Dans l'ensemble, on peut prévoir des rouges et des blancs typiquement méridionaux : pleins, riches et mûrs.

2016

Un mois de septembre radieux a permis de produire de bons, voire très bons, vins dans le nord de la vallée. À condition d'avoir pu éviter les attaques de mildiou (un champignon) et d'avoir vendangé plus tard. Sans être un millésime de garde…

2015

De manière générale, un excellent millésime. Les blancs sont parfois capiteux, mais les vins rouges du nord de la vallée sont denses et frais à la fois. Les meilleurs crus de Côte Rôtie, Hermitage et Cornas ont encore 15, sinon 20 belles années devant eux. Le sud a produit des vins rouges et blancs pleins, séduisants et de bonne tenue. Les meilleurs châteauneufs vivront jusqu'en 2025.

Rhône septentrional

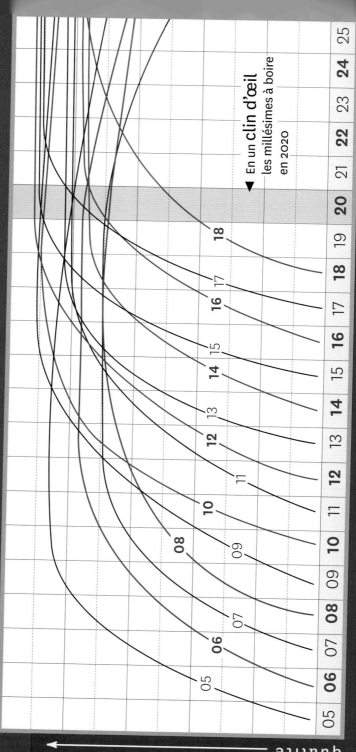

qualité

longévité

En un clin d'œil
les millésimes à boire
en 2020

Un millésime exceptionnel pour Condrieu a donné des vins blancs à la fois denses et empreints de fraîcheur. En revanche, les cépages rouges ont atteint la maturité de justesse et donneront des vins classiques. Dans le sud de la vallée aussi, une réussite plus convaincante pour les blancs que pour les rouges. À Châteauneuf, d'importants volumes sur le grenache occasionneront peut-être une certaine dilution ; meilleurs résultats pour les syrahs et mourvèdres.

2013

Une année compliquée dans le nord qui devrait donner des vins rouges assez solides. De belles réussites à Condrieu. Dans le sud, de très faibles rendements pour le grenache et des degrés d'alcool plus modérés.

2012

Un millésime classique dans le nord a donné des vins rouges concentrés, très longs et structurés, qui auront besoin de temps avant de se révéler. Millésime tout aussi favorable aux appellations méridionales ; les rouges sont généralement plus étoffés que les 2011, avec un supplément de tonus. Les vins blancs des deux régions présentent un équilibre irréprochable.

Au nord comme au sud, un millésime qui ne passera pas à l'histoire. Peu de vins de longue garde dans la partie septentrionale. À retenir pour des rouges souples et fruités et de bons vins blancs empreints de fraîcheur.

2010

Une récolte déficitaire et de très bons vins de Côte Rôtie à Châteauneuf-du-Pape. Dans le nord, des rendements faibles ont donné des vins rouges concentrés, mais néanmoins harmonieux ; condrieus très fins et équilibrés. Plusieurs réussites aussi dans le sud : vins rouges nourris et charnus.

2009

Millésime très satisfaisant, en particulier dans le nord où la syrah a donné des vins profonds et de longue garde. Été exceptionnellement sec et récolte déficitaire dans la partie méridionale ; plusieurs vins amples et puissants à Châteauneuf-du-Pape.

2008

Des conditions précaires dans toute la vallée. Au mieux, des vins souples et fruités destinés à être consommés dans leur jeune âge. La qualité des vins blancs est plus homogène.

GAILLARD, PIERRE
Condrieu 2017

Toujours plus exubérant que la moyenne des vins de l'appellation, le condrieu de Pierre Gaillard dégage en 2017 des vapeurs d'alcool parfumé de jasmin, de marzipan et de confiture de pêches. Capiteux et enivrant par sa maturité, mais aussi empreint de notes terreuses qui font contrepoids à sa richesse débridée. À table, il sera assez puissant pour tenir tête à un plat de poulet à l'orientale, riche en cardamome, en cumin et en fruits séchés. À boire au cours des trois ou quatre prochaines années.

12423932   64,25$ ☆☆☆→? ③

GAILLARD, PIERRE
Saint-Joseph blanc 2018

Ensoleillé et généreux avec des accents frais et terreux, ce saint-joseph blanc se présente par vagues: du beurre frais, des parfum d'agrumes confits, qui rappellent de la marmelade, de la pâte d'amandes, de la pêche compotée et des herbes séchées. Chaleureux, capiteux même, mais doté d'une certaine salinité et d'un léger reste de gaz. Servir autour de 10 °C et à table, avec du homard ou un autre plat riche.

11219606   41,75$ ☆☆☆ ½ ②

GAILLARD, PIERRE
Saint-Péray 2018

Autrefois reconnue pour ses effervescents de méthode traditionnelle, Saint-Péray est la plus méridionale des appellations du nord. Le blanc qu'y produit Gaillard est composé de marsanne à 70% et de roussanne. Opulent, très mûr et un peu à court de nerf, aux parfums de fruits jaunes, sur un fond bien beurré. Les nostalgiques des années 1980 pourront le servir avec des coquilles Saint-Jacques.

13387312   28,70$ ☆☆☆ ②

GUIGAL, E.
Condrieu 2017

Le tiers de la production de ce condrieu est fermenté à basses températures, puis élevé en fûts neufs; le reste se fait en cuves inox. Le 2017 se signale par sa finesse aromatique, tant au nez qu'en bouche. Le vin laisse une sensation plus chaleureuse que le 2015 commenté l'an dernier, mais des vinifications précises et une saine amertume accentuent la sensation de salinité, qui garantit sa fraîcheur.
Une référence de l'appellation.

13260856   78,50$ ☆☆☆ ②

GUIGAL, E.
Hermitage blanc 2016, Ex-Voto

En lisant la réaction sur nos visages alors qu'on goûtait l'Ex-Voto blanc 2016, Ève Guigal a acquiescé : «il est balèze» – costaud, si vous préférez. Cet assemblage de vieilles vignes marsanne (90%) et roussanne, bien enracinées dans les coteaux abrupts des parcelles Murets et Hermite, a l'habitude d'en mener large en bouche, mais il était majestueux en avril 2019. Les 30 mois en fûts de chêne neufs ont élevé le vin plutôt que d'en couvrir les saveurs. Hyper structuré, presque tannique, racé, long et savoureux. Un monument qu'on devrait oublier en cave pendant la prochaine décennie.

320,25 $ ☆☆☆☆→? ④

VERNAY, GEORGES
Condrieu 2017, Coteau de Vernon

Georges Vernay, celui qu'on surnommait le «pape de Condrieu», s'est éteint en 2017 à l'âge de 92 ans. Il était l'un des hommes forts du Rhône septentrional. Sa fille Christine est née au pied du coteau de Vernon, où sa famille possède un peu plus de 2 hectares, plantés de vignes âgées de 50 à 80 ans, qu'elle cultive selon les principes de la biodynamie. Le 2017 a un nez de marmelade et de confiture d'abricots, mais aussi de fruits blancs; la bouche est immense, structurée, presque tannique; sa vivacité est doublée d'une exquise onctuosité. Et cette finale multidimensionnelle, longue, si longue... Grand vin!

200 $ ☆☆☆☆ ½ ②

VERNAY, GEORGES
Condrieu 2017, Les Terrasses de l'Empire

Lors d'un passage au domaine en avril 2019, Christine Vernay nous confiait que la tension naturelle qu'on trouve presque toujours dans cette cuvée vient des sols de granite à biotite (une forme de mica noir). Son 2017 a séjourné pendant 18 mois en fûts de chêne, sans bois neuf. La minéralité joue ici un rôle de colonne vertébrale, palliant la faible teneur en acidité du viognier. Son équilibre et sa longue finale fruitée et épicée semblent porteur d'un bel avenir.

13934734 112,75 $ ☆☆☆☆→? ③

VINS DE VIENNE
Crozes-Hermitage blanc 2017

La couleur dorée de ce crozes blanc annonce un vin riche, gorgé d'un fruit bien mûr et très parfumé. Il se dessine en bouche sur une trame de fond fumée, grillée et épicée, avec une pointe de réduction en finale. Rond, chaleureux et plutôt complexe. Il faudra prévoir une cuisine copieuse pour faire écho à sa richesse.

12034275 36,50 $ ☆☆☆ ②

GUIGAL, E.
Côte Rôtie 2015, Brune et Blonde

Le domaine de la famille Guigal est un monument d'Ampuis. Chaque année, leur côte rôtie d'entrée de gamme est produite à 280 000 exemplaires. Maintenir un tel niveau de qualité avec ce genre de volume relève de l'exploit et témoigne de l'immense rigueur de Philippe Guigal et de son équipe. Le 2015 était encore très jeune, un peu strict et fermé lorsque goûté pour la dernière fois au printemps 2019, il avait l'étoffe, la matière fruitée et l'équilibre pour vieillir en beauté d'ici 2024.

13260821   77,75$ ★★★→? ③

GUIGAL, E.
Côte Rôtie 2015, Château d'Ampuis

Les raisins qui composent cette cuvée sont issus exclusivement de parcelles qui bordent La Mouline, La Turque et La Landonne. L'élevage de 38 mois en fûts neufs apporte au fruit noir des notes torréfiées qui évoquent le café et le cacao et permet au tanins de s'assouplir un peu, quoiqu'ils se présentaient encore d'un seul bloc en avril 2019. Ferme, musclé et taillé pour une garde d'au moins une décennie. Au moment d'écrire ces lignes, on trouvait sur le marché des magnums de 2015. Les bouteilles suivront…

13319491   152,25$ ★★★→★ ③

GUIGAL, E.
Côte Rôtie 2015, La Landonne

La Landonne provient d'une parcelle célèbre de la Côte Brune, qui doit elle-même son nom à la nature des sols de mica schiste, riches en oxyde de fer. Issue uniquement de syrah, fermentée avec les rafles entières, ce vin sculptural d'une incroyable richesse tannique séjourne en fûts de chêne neufs pendant 40 mois, comme La Mouline et La Turque. L'étoffe et l'envergure du 2015 confirme l'extraordinaire potentiel de garde des vins du millésime; plein, majestueux, avec une grande puissance contenue qui ferait pâlir d'envie bien des Grands crus classés de Pauillac. Il faudra l'oublier jusqu'en 2030, au moins.

+/- 495 $ ★★★★ ½ ④   En primeur

GUIGAL, E.
Côte Rôtie 2015, La Mouline

La parcelle dédiée à La Mouline couvre un hectare sur la Côte Blonde; l'assemblage comporte 11 % de viognier. Les Guigal la produisent de façon ininterrompue depuis 1966. La marque de 2015 m'a semblé moins prononcée ici, comme si le millésime s'effaçait pour laisser toute la place au terroir. Le nez est déjà volubile, tout en dentelle. Par contre, quelle autorité en bouche! L'attaque est suave, gorgée de fruits noirs, de cacao et de violette; le milieu est plein et onctueux et les saveurs vont crescendo en finale. Magnifique! À revoir à compter de 2028.

+/- 495 $ ★★★★ ½ ③   En primeur

GUIGAL, E.
Côte Rôtie 2015, La Turque

Cette cuvée issue des sols de schiste de la Côte Brune est certainement la plus singulière des trois glorieuses de Guigal; l'assemblage compte 7% de viognier. Un peu plus compacte et solide que La Mouline, un peu plus volubile et gracieuse que La Landonne, pour l'heure, La Turque se distingue par sa définition aromatique, son relief en bouche, sa fraîcheur et son élégance dans la puissance. Son profil quelque peu austère, contenu, s'avère aussi hyper séduisant. Un grand vin en devenir. À laisser dormir, lui aussi, pendant la prochaine décennie.

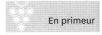
En primeur

+/- 495 $ ★★★★→★ ④

VERNAY, GEORGES
Côte Rôtie 2016, Blonde du Seigneur

Fruit d'un assemblage de trois parcelles: Maison Rouge, Bassenon et Lancement. Le 2016 a été élevé en barriques pendant 18 mois et offrait déjà une irrésistible sensation de plénitude au printemps 2019. Fruits noirs, viande fumée, poivre long et fleurs se dessinent avec précision, tirés en bouche par une trame veloutée, cousue de tanins d'une grande qualité. Les saveurs se devinent plus qu'elles ne s'imposent, donnant au vin une allure mystérieuse, qui inspire l'introspection et donne envie d'arrêter le temps. Plaisir et émotions garantis. Il faudra l'attendre jusqu'en 2026.

12158391   116$ ★★★★ ½ ③

VINS DE VIENNE
Côte Rôtie 2017, Les Essartailles

Les 2017 sont austères pour le moment et auront besoin de temps. Le tissu tannique du côte rôtie que signent Cuilleron, Gaillard et Villard est vraiment dense et tricoté serré. Peu bavard au nez, tout en retenue en bouche, où on devine des parfums de mûre et de poivre. Saveurs discrètes, mais profondes et très belle qualité de tanins et envergure certaine. On voudra le revisiter vers 2025.

11600781   79,25$ ★★★→? ③

FARGE, GUY
Saint-Joseph 2017, Terroir de Granit

Guy Farge était le directeur de la cave coopérative à Tain-L'Hermitage, avant de commencer à embouteiller sous sa propre étiquette, en 2007. Il veille sur de beaux terroirs de Saint-Jean-de-Muzols, l'une des six communes historiques de Saint-Joseph. En 2017, craignant les risques d'une piqûre acétique, il a procédé à une filtration stérile sur cette cuvée. C'est sans doute ce qui explique son profil moins charnu et moins expressif cette année. Malgré tout, même plus austère, cela reste un très bon vin droit, aux saveurs franches et nettes. À boire entre 2020 et 2024.

12474158   33,75$ ★★★→? ③

GAILLARD, PIERRE
Saint-Joseph 2017, Clos de Cuminaille

Le terroir de Chavanay, qui chevauche celui de Condrieu, est situé tout au nord de Saint-Joseph. C'est là, sur ces sols de granites exposés à l'est, que se trouve le Clos de Cuminaille, où Pierre Gaillard signe un vin large et plein en bouche, qui était encore bien marqué par l'élevage en août 2019. La concentration tannique fait toutefois contrepoids à la richesse et la texture crémeuse, laissant entrevoir un beau potentiel de garde. Revoir vers 2024.

11231963   43,50$ ★★★→? ③

GAILLARD, PIERRE
Syrah 2017, La Dernière Vigne, Vin de pays des Collines Rhodaniennes

Dans la commune de Ternay, à 20 km au sud de Lyon, Pierre Gaillard cultive avec grand soin cette minuscule parcelle plantée de syrah, qui a survécu à l'essor démographique de la deuxième ville de France. Par sa vivacité, son grain tannique fin, mais néanmoins serré et ses saveurs pures de poivre, La Dernière Vigne de la famille Gaillard se veut de nouveau une interprétation bien septentrionale de la syrah. Frais, digeste et agréable à boire.

10678325   25,90$ ★★★ ½ ②

VERNAY, GEORGES
Syrah 2017, Sainte-Agathe, IGP Collines Rhodaniennes

La cuvée Sainte-Agathe de Christine Vernay est le fruit d'une sélection de vignes d'une quarantaine d'années, sur les coteaux granitiques escarpés de Condrieu et des alentours, vinifié en cuves inox et élevé en fûts neutres pendant 12 mois. Une expression volubile et très fraîche de la syrah; profusion de violette, de fruits noirs et de viande fumée, tanins soyeux et compacts, finale hautement digeste. Un régal à table.

12334884   50$ ★★★★ ②

VILLARD, FRANÇOIS
Syrah 2016, L'appel des sereines, Vin de France

Cette syrah que François Villard commercialise en Vin de France provient essentiellement de vignobles du nord de la vallée, près des zones de Condrieu et de Saint-Joseph. Un an plus tard, ce 2016 commenté l'an dernier est toujours aussi expressif; les parfums de violette et de poivre se mêlent aux fruits noirs et sont portés par un tissu tannique velouté et juste assez granuleux, qui donne au vin une étoffe et une tenue admirables pour le prix. Une expression croquante et délicieuse de la syrah.

12292670   20,45$ ★★★★ ② ♥

VINS DE VIENNE
Saint-Joseph 2017

Ce saint-joseph pimpant de jeunesse et animé d'un léger reste de gaz est le fruit d'un assemblage de parcelles situées dans cinq communes. Au nez, une tonne de fruit annonce un saint-joseph dont on a soif. L'attaque est juteuse et affriolante, puis les tanins se resserrent en milieu de bouche pour laisser en finale une sensation compacte et vigoureuse, caractéristique de ce cépage dans les climats

frais. Très rassasiant cette année; il mérite bien quatre étoiles.

10783310   33,75$ ★★★★ ② ♥

COMBIER
Crozes-Hermitage 2017

Si la cuvée Laurent Combier mise à fond sur l'expression fruitée et gourmande de la syrah, la cuvée domaine est à ranger du côté des vins de terroir. Combier mise ici sur un assemblage de raisins du sud, sur les galets roulés du Pont de l'Isère, et du nord, sur les sols granitiques des communes de Gervans et de Serves-sur-Rhône. Le vin repose pendant 12 mois en fûts récents. Beaucoup de structure, une étoffe tannique mûre, drapée d'un fruit gourmand et profond. Sa finale encore très compacte me fait croire qu'il n'atteindra son apogée que dans quatre ou cinq ans. D'ici là, la carafe s'impose. Un excellent vin de caractère.

11154890   39,25$ ★★★★ ③ ⚗ 🍷

COMBIER
Crozes-Hermitage 2017, Cuvée Laurent Combier

En 1999, Laurent Combier a créé cette cuvée issue d'un achat de raisins chez ses voisins, ainsi que des jeunes vignes du domaine. Le vin est vinifié et élevé en cuves de béton, et met en lumière le caractère croquant et fruité de la syrah. Gourmand comme pas un, juteux, tendre et savoureux. Une certaine chaleur se dessine en finale (le vin ne titre pourtant que 13,5% d'alcool), mais dans l'ensemble, ce vin donne l'impression de mordre à pleines dents dans le fruit mûr. Miam!

11895065   30,50$ ★★★★ ② ♥ 🍷

DELAS
Crozes-Hermitage 2016, Domaine des Grands Chemins

La maison Delas a acquis en 2006 cette parcelle de vignes d'une vingtaine d'hectares située là où l'Isère rencontre le Rhône. L'œnologue bourguignon Jacques Grange, directeur technique en poste depuis 1997, signe un 2016 d'emblée séduisant par ses goûts distingués mariant le fruit mûr aux accents délicatement torréfiés. Le vin gagne en complexité après 30 minutes dans le verre et les tanins se délient, offrant en finale un éventail de nuances fruitées et florales, mais aussi des notes terreuses qui donnent un supplément de complexité à l'ensemble. Jeune et capable de révéler de belles surprises d'ici 2026.

13931197   48,75$ ★★★→★ ③ ▼ §

GUIGAL, E.
Crozes-Hermitage 2016

Goûté lui aussi à Ampuis en avril 2019, alors qu'il venait tout juste d'être mis en bouteille, ce vin se veut une expression croquante, fruitée et très classique du terroir de Crozes-Hermitage. Pas de feux d'artifices ni de grandes émotions, mais un plaisir sincère et digeste à table.

739243   28,85$ ★★★ ②

VINS DE VIENNE
Crozes-Hermitage 2017

J'aime la syrah quand elle se dessine ainsi, en mode léger, guilleret et parfumé. L'intensité aromatique pourrait presque faire craindre une certaine lourdeur et un caractère crémeux, mais il n'en est rien. La bouche est soyeuse et gourmande, mais tonique, avec une mâche tannique compacte et une saine concentration du fruit. Un léger reste de gaz apporte une vitalité supplémentaire. Si toutefois ça vous gêne, prévoyez une demi-heure de carafe.

10678229   26,95$ ★★★ ½ ②

BRUNEL, PÈRE & FILS
**Côtes du Rhône blanc 2018,
Brunel de la Gardine**

Je connaissais bien les rouges de
Patrick Brunel, mais je n'avais pas
encore eu l'occasion de goûter ses
blancs. Son côtes du rhône fraîchement arrivé à la SAQ s'est avéré
une très agréable surprise. Les vertus complémentaires des grenache
blanc, roussanne, clairette et viognier s'unissent pour former un vin d'un
équilibre impeccable ; très expressif au nez, plus nerveux en bouche
que les autres blancs dégustés au même moment, des goûts de pêche
mûre tirés en longueur par des amers de qualité.
Un vin blanc de gastronomie, ample et savoureux.
14014809   19,60$ ☆☆☆☆ ② ♥

CHAPOUTIER
Côtes du Rhône 2017, Belleruche blanc

Le pendant blanc de la gamme Belleruche est délicatement parfumé et
tout à fait recommandable. Aucun excès, des saveurs fines de fruits
blancs, rehaussées d'un léger reste de gaz pour la
fraîcheur. Bon côtes du rhône générique.
13470001   18,05$ ☆☆☆ ①

COLOMBO, JEAN-LUC
Côtes du Rhône blanc 2016, Les Abeilles de Colombo

L'œnologue Jean-Luc Colombo est surtout réputé pour ses rouges musclés, mais il produit aussi quelques blancs, dont cet assemblage de
roussanne et de clairette, vendu à bon prix. Parfums de pomme, saveurs nettes, acidité agréable qui met en relief de
délicates notes végétales.
14077228   18,50$ ☆☆☆ ②

GUIGAL, E.
Châteauneuf-du-Pape blanc 2017, Saintes-Pierres de Nalys

Réputés depuis longtemps pour ses vins blancs (qui représentent le quart de la production totale de la maison), la famille Guigal ajoute de nouvelles nuances à leur palette de cépages avec le rachat de Nalys, en juillet 2017. Elle tire des cépages clairette, bourboulenc et grenache blanc un châteauneuf blanc impeccable, qui illustre à quel point les cépages méridionaux peuvent donner des vins blancs complexes et sans la moindre lourdeur, grâce à sa structure et à sa tension minérale. On peut déjà apprécier sa finale aux parfums d'amande amère, de fleurs et de beurre, mais il continuera de s'ouvrir jusqu'en 2021.

13905626   48,75$ ☆☆☆ ½ ②

GUIGAL, E.
Côtes du Rhône blanc 2017

Chaque année, je m'incline devant la qualité impeccable de ce blanc produit à 700 000 exemplaires. Le nez est d'emblée attrayant avec ses parfums de tarte à la lime, de fruit exotique et de fleurs. La bouche est on ne peut plus fidèle au profil des bons blancs du sud : généreuse, juste assez parfumée, de bonne longueur et taillée pour la table. Nettement supérieur à la moyenne de son appellation.

290296   20,40$ ☆☆☆☆ ② ♥

VINS DE VIENNE
Reméages 2018, Vin de France

Ce blanc commercialisé sous appellation Vin de France résulte d'un assemblage de viognier, de chardonnay, de marsanne et de sauvignon, cultivés sur les sols argilo-calcaires du sud de la vallée du Rhône. Sans parler d'un vin de terroir, il faut souligner que le caractère variétal des différents cépages s'efface et que ce vin présente avant tout un caractère méditerranéen. Rond, ponctué de fruits blancs et de miel, tout à fait élégant dans sa générosité méridionale.

13966736   19,75$ ☆☆☆ ½ ② ♥

CHÂTEAU DE NAGES
Costières de Nîmes 2016, Cuvée JT blanc

Le grand vin blanc du Château de Nages mise sur une proportion importante de roussanne (60 %). Le vin se distingue des autres blancs des Costières de Nîmes goûtés ce jour-là par son profil aromatique qui tend davantage vers l'écorce d'agrume, sur un fond floral et végétal. Tenue et structure ; beaucoup de volume en bouche et une fraîcheur qui fait saliver.

895839   25,95 $ ☆☆☆ ½ ② 💬

CHÂTEAU DE NAGES
Costières de Nîmes blanc 2018, Vieilles vignes

Une expression délicate, fruitée et tout en nuances des Costières de Nîmes. De bons goûts de melon des charentes, de melon d'eau, de fleurs et de poire séduisent d'entrée de jeu, puis des notes d'amande fraîche et une touche végétale accentuent sa complexité et sa fraîcheur aromatique. Juste assez gras et animé d'un léger reste de gaz, pour la vitalité.

12764921   19,95 $ ☆☆☆ ½ ② ♥ 💬

GASSIER, MICHEL
Costières de Nîmes blanc 2015, Lou Coucardié

Dans la dernière édition du *Guide*, je notais la fraîcheur exquise du 2014, décoré d'une Grappe d'or. Le 2015 marque un retour à un style bien méridional : plein, chaleureux et solaire. La richesse de la roussanne se fait bien sentir, le viognier embaume de ses parfums floraux et tropicaux, sans verser dans la démesure. Moins désaltérant que l'année précédente, mais gras et savoureux. Quelques mois de repos lui permettront peut-être de gagner en nuances.

12445365   35,50 $ ☆☆☆→? ③ 💬

GASSIER, MICHEL
Costières de Nîmes blanc 2018, Nostre Païs

Grenache blanc, roussanne, clairette, viognier et bourboulenc sont baignés par le soleil méditerranéen et certifiés biologiques. Le vin est mûr et plein, très séduisant par son volume en bouche, ainsi que par la générosité de ses saveurs fruitées et florales. Chaleureux, mais pas lourd, grâce, entre autres, à des accents de menthe qui laissent une sensation fraîche en finale. Bonne longueur.

12854169   23,85 $ ☆☆☆ ½ ② 💬

MOURGUES DU GRÈS
Costières de Nîmes blanc 2015, Les Capitelles des Mourgues

François Collard utilise les meilleures parcelles de blancs de la propriété pour cette cuvée haut de gamme, vinifiée sans ajout de soufre, à compter du millésime 2015. Les vieilles vignes de grenache blanc (75 %) puisent dans le calcaire cette tension minérale qui fait la marque des meilleurs vins de l'appellation, tandis que la roussanne et le viognier apportent à l'ensemble du gras, de l'ampleur et de jolis parfums d'amande, de fleurs blanches et de fruits tropicaux. Un excellent blanc qu'on pourra servir avec du homard ou laisser reposer en cave jusqu'en 2022.

13944781   29,65$ ☆☆☆☆ ½ ② ▼ 🍷

MOURGUES DU GRÈS
Costières de Nîmes blanc 2018, Galets Dorés

Plus je fréquente ce vin, plus je l'aime. Avec raison, j'ose croire. Le nez embaume la pomme, l'ananas ; la bouche est portée par une rondeur, soulignée d'une amertume et d'un léger reste de gaz. Frais, délicat et étonnamment long.

11095877   19$ ☆☆☆ ½ ② ♥ 🍷

MOURGUES DU GRÈS
Terre d'Argence blanc 2017, Pont du Gard

Issu de raisins cultivés à l'intérieur de la zone des Costières de Nîmes, mais commercialisé sous IGP Pont du Gard, en raison d'un assemblage inusité de viognier, de roussanne et de petit manseng, un cépage du Sud-Ouest non autorisé dans l'appellation Costières de Nîmes. Une robe dorée et un nez de pâtisseries, de bonbon au beurre et de poire annoncent un blanc tout en texture. Attaque ronde, finale serrée ponctuée d'une saveur de gingembre, qui laisse une sensation agréable de chaleur. Conçu pour la table, comme la plupart des blancs de la région.

11874264   24$ ☆☆☆☆ ② ♥ 🍷

CHÂTEAU DE LA GARDINE
Châteauneuf-du-Pape 2016

Ce vaste domaine de Châteauneuf-du-Pape appartient depuis 1945 à la famille Brunel. Leur 2016 est représentatif de son appellation ; jamais grand, mais classique ; chaleureux, charnu et relevé de notes épicées. Une introduction abordable et accessible à Châteauneuf.

22889   37,85$ ★★★ ②

CHÂTEAU DE LA GARDINE
Châteauneuf-du-Pape 2017, Peur Bleue

Il y a quelques années, Patrick Brunel racontait à ses collègues vignerons et à quelques journalistes, ses premières vinifications sans soufre, ajoutant que sa femme lui avait dit, méfiante «tu vas te faire une peur bleue!» Une dizaine de millésimes plus tard, la cuvée Peur Bleue a gagné en précision et s'est révélée l'un des moments forts de notre dégustation de châteauneufs cet été. Le vin présente à l'ouverture un reste important de gaz qui n'affecte en rien sa qualité et qui s'estompe avec une demi-heure en carafe. On note un grand respect de la matière première ; le vin s'exprime librement, floral et guilleret ; la bouche affiche une finesse et une fraîcheur étonnantes, vu le millésime. Excellent vin!

14070392   64,75$ ★★★★ ②

CLOS DU MONT-OLIVET
Châteauneuf-du-Pape 2017

Thierry Sabon gère cet ancien domaine, voisin des ruines de la résidence papale, qui a donné son nom à l'appellation. Son 2017, tout en volume et en finesse, illustre bien le profil du grenache à Châteauneuf : gorgé de fruit et de parfums de kirsch ; plein, chaleureux et pourtant élégant, sans épaisseur tannique ni lourdeur. Sa finale vaporeuse embaume les fleurs séchées, la cendre et la garrigue.

11726691   54,25$ ★★★★ ③

DAUMEN
Châteauneuf-du-Pape 2016

Le propriétaire du Domaine de la Vieille Julienne a créé une étiquette de négoce, sous laquelle il commercialise une belle gamme de vins du Rhône, dont trois cuvées vendues à la SAQ. Son 2016 offre une explosion de cassis, laissant d'abord une impression un peu unidimensionnelle au premier nez. La bouche, en revanche, se décline avec plus de nuance et de profondeur aromatique ; le vin en mène large en bouche et ses tanins granuleux assurent son tonus en finale. À revoir dans trois ou quatre ans.

13085630   43$ ★★★ ½ ③

GUIGAL, E.
Châteauneuf-du-Pape 2016, Saintes-Pierres de Nalys

En 2017, après avoir passé nombre d'années à «magasiner» de manière passive les terroirs de Châteauneuf, Philippe et Marcel Guigal ont acquis cette vaste propriété, voisine de Château Rayas et du domaine Henri Bonneau. La famille prévoit convertir le vignoble à l'agriculture biologique d'ici 2021. Les Guigal n'ont pas récolté les raisins de 2016, mais ils ont complété l'assemblage et changé de façon considérable le temps d'élevage des vins, qui est passé de 8 mois avant le rachat, à 18 mois. Le second vin est élevé en foudre et en cuve inox, et mise à parts égales sur les trois terroirs de Nalys. Un vin élégant, plutôt que concentré, doté d'une attaque gourmande et d'une belle définition aromatique, entre les herbes séchées, la pivoine, le kirsch. Déjà ouvert et agréable à boire.

13905600   67,50$ ★★★ ½ ②

HALOS DE JUPITER, LES
Châteauneuf-du-Pape 2016

L'œnologue-conseil Philippe Cambie, réputé pour ses vins musclés et puissants, s'est associé à Michel Gassier, vigneron-phare des Costières de Nîmes pour créer cette étiquette de négoce dédiée essentiellement au grenache. Leur châteauneuf étonne d'emblée par ses parfums singuliers de noix rôties, sur fond de réglisse et de confiture de framboise. En bouche, l'extraction tannique et la matière fruitée capiteuse se heurtent à une acidité prononcée, laissant un fini anguleux et une impression générale bancale, voire brutale. Quelques années de repos aideront-elles à dompter la bête ?

En primeur

11806472   54,25$ ★★ ½ →? ③

BRUNEL PÈRE & FILS
Rasteau 2017, Benjamin Brunel

Créée en 2009, l'appellation Rasteau est reconnue pour ses rouges pleins et poivrés, issus de l'assemblage classique du Rhône méridional, grenache-syrah-mourvèdre ou «GSM», comme disent les *Rhone Rangers*. Celui de Patrick Brunel est rond et généreux, pas très complexe, mais plutôt rassasiant avec sa chair fruitée, ponctuée d'une touche d'eucalyptus. Un bon achat à moins de 20$.

123778   19,80$ ★★★ ②

DUPÉRÉ BARRERA
Côtes du Rhône-Villages 2018

Dupéré Barrera
Côtes du Rhône Villages
Appellation d'Origine Contrôlée

La Québécoise Emmanuelle Dupéré et son conjoint Laurent Barrera mènent un commerce de négoce haut de gamme dans le Rhône. Le nez gorgé de fruit de leur 2018 met en appétit et donne tout de suite le ton: on a affaire à un vin de plaisir. L'attaque en bouche est poivrée, la chair fruitée est juteuse, encadrée de tanins juste assez fermes, qui accentuent ses notes florales. Facile et agréable à boire, mais de bonne longueur. Excellent rapport qualité-prix!

10783088   18,90$ ★★★★ ② ♥ 🍷

ESTÉZARGUES
Côtes du Rhône-Villages Signargues 2018, La Montagnette

Cette petite cave rhodanienne, créée en 1965, regroupe à peine une dizaine de vignerons qui ont à cœur de communiquer leurs terroirs jusque dans le verre. Ce côtes du rhône-villages fait preuve d'une constance exemplaire, année après année. La bouche est gourmande, les tanins sont ronds et les goûts de cerise, de cuir et d'herbes séchées s'étirent en une finale vaporeuse. Excellent rapport qualité-prix.

11095949   17,20$ ★★★★ ② ♥

HALOS DE JUPITER, LES
Gigondas 2017

L'amateur de grenache et de syrah du Nouveau Monde ne sera pas trop dépaysé par ce gigondas qui marie un fruit bien mûr aux parfums boisés de la barrique. Le vin ne fait pas dans la dentelle, mais il conserve tout de même un style classique européen; harmonieux dans sa force et son opulence. Pour l'apprécier pleinement, prévoyez une aération d'une heure en carafe et servez-le autour de 16 °C.

En primeur

12265111   36$ ★★★→? ③ 🍷

MONTIRIUS
Gigondas 2016, Confidentiel

Cet assemblage de grenache et de mourvèdre traduit le terroir de Gigondas avec plénitude. Autant d'ampleur que de «verticalité», un cœur tannique solide, sans la moindre dureté. On appréciera plutôt le grain velouté de ce vin qui revêt une élégance rare dans la puissance. Encore jeune, il faudrait le laisser sommeiller en cave jusqu'en 2025.

14019474   69,75$ ★★★★ ½ ③ 🅢 🗩

MONTIRIUS
Vacqueyras 2016, Le Clos

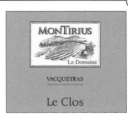

Pas de barrique chez Montirius. Zéro. Même pour les cuvées haut de gamme. Le Clos est issu à parts égales de grenache et de syrah, qui puisent une sève unique dans les sols d'argile bleue et de montmorillonite, «les mêmes qu'à Petrus», ajoute Christine Saurel. Un Vacqueyras hors norme, posé sur des tanins solides, mais aussi hyper veloutés et caressants. L'attaque est délicate, le milieu de bouche expansif et la finale, hyper serrée et digeste, laisse une sensation minérale très franche. Intensité et puissance contenues. La vigneronne croit qu'il aura besoin de cinq à sept ans. Je la crois sans peine. Un excellent vin de garde.

14019440   49,75$ ★★★★ →? ③ 🗩

MONTIRIUS
Vacqueyras 2017, Le Village

Le vignoble de la famille Saurel est conduit en agriculture biodynamique depuis une vingtaine d'années. J'ignore si c'est là un effet direct du type de viticulture, mais il y a dans ce vin une fraîcheur qui fait défaut à nombre de 2017 dans la vallée du Rhône. Pur et savoureux, souple et gorgé de parfums de fleurs et de fruits frais. Un vin juteux et digeste qui vous fait saliver et qui vous accroche un sourire au passage.

872796   22,95$ ★★★★ ② ♥ 🗩

VINS DE VIENNE
Gigondas 2017, Les Pimpignoles

Je ne suis pas très carnivore de nature, mais ce vin m'a donné envie presque instantanément d'une pièce de viande grillée, servie bien saignante – mes excuses aux végétariens. Tanins solides, longueur, saveurs compactes de fruits noirs, de cuir et de poivre. Tout y est, mais les éléments se présentent avec retenue pour le moment. Le vin aura besoin d'encore quelques années avant de «se faire».

13211878   37$ ★★★ →? ③

CHÂTEAU PÉGAU
Côtes du Rhône-Villages 2015, Cuvée Setier

Le nez de cuir de ce vin signé Laurence Féraud présente un début d'évolution. La bouche est encore dense et bien ferme, tout en retenue, avec une trame aromatique épicée et poivrée, sur fond de fruit noir. Un très bon vin de facture classique, dans l'ensemble.
À boire d'ici 2023.

14141568   24,95$ ★★★ ②

CHÂTEAU PESQUIÉ
Ventoux 2017, Quintessence

Le nez à la fois fruité, boisé et sanguin de ce 2017 annonce un vin solide. La matière est charnue, assise sur des tanins robustes, sans rudesse. Harmonieux et sans maquillage inutile. À table, on l'appréciera avec un plat de viande braisée.

969303   24,15$ ★★ ½ ②

CLOS DU CAILLOU, LE
Côtes du Rhône 2017, Bouquet des Garrigues

Cette cuvée de Sylvie Vacheron est produite sur le terroir de Courthézon, tout près de la zone de Châteauneuf-du-Pape. Même s'il est chaleureux et enrobé, ce 2017 composé à 85% de grenache distille une grande finesse. L'attaque en bouche est saline, le fruit pur est encadré de tanins soyeux et le vin est gracieux et aérien. Que c'est bon!

12249348   29,75$ ★★★★ ② ♥

DOMAINE DE LA RÉMÉJEANNE
Côtes du Rhône 2016, Les Chèvrefeuilles

Au pied du mont Ventoux, au milieu des figuiers et des oliviers, les vignobles en terrasses de la famille Klein sont conduits en agriculture biologique depuis une dizaine d'années. Le profil aromatique de ce vin tout nouveau vin à la SAQ est aussi près du salé que du fruit, avec ses notes d'olives noires, d'herbes séchées, de cerise noire juteuse et de cacao brut, tirées en bouche par des tanins tendres, légèrement granuleux, qui s'apparentent aussi à la texture du cacao. Gourmand, savoureux, irrésistible.

14216208   23,95$ ★★★★ ② ♥ 💬

En primeur

DOMAINE DE LA VIEILLE JULIENNE
Côtes-du-Rhône 2016, Lieu-dit Clavin

Le Lieu-dit Clavin de Jean-Paul Daumen est toujours à retenir parmi les plus complets des côtes du rhône génériques. Issu d'une petite parcelle plantée de vieilles vignes de grenache, son 2016 se dessine sur un mode un peu plus robuste que le 2015. Au nez, des parfums d'herbes séchées et de pâte de tomate qui évoquent la sauce bolognaise mettent tout de suite en appétit. Une charpente tannique solide, beaucoup de chair autour de l'os, des parfums d'épices qui contribuent à la sensation de chaleur en bouche, sans que le vin soit brûlant. Il pourrait dormir encore quelques années.

10919133   31,50 $ ★★★★ ③

3 760169 470980

PERRIN
Côtes du Rhône 2016, Coudoulet de Beaucastel

Le « petit » Beaucastel s'inscrit dans la continuité des derniers millésimes avec son nez typé méridional. Une attaque souple, une mâche tannique serrée et fine et des notes herbacées, presque mentholées, qui apportent une agréable fraîcheur en finale. Longueur moyenne, équilibre très classique.

973222   28,85 $ ★★★ ②

0 633135 162154

VIGNON, XAVIER
Côtes du Rhône 2016, Vieilles vignes

Xavier Vignon a œuvré comme œnologue-conseil à Châteauneuf-du-Pape pendant une vingtaine d'années avant de lancer son étiquette éponyme. Plutôt animal d'abord, son côtes du rhône générique s'ouvre ensuite sur des parfums fruités. L'attaque en bouche est fraîche et soyeuse, mais la finale chaleureuse rappelle ses 14,5 % d'alcool. Longueur appréciable et qualité d'ensemble tout à fait correcte.

En primeur

14214579   22,10 $ ★★★ ②

BONPAS
Ventoux 2017, Grande Réserve des Challières

Sous une étiquette vieillotte, ce vin de l'appellation Ventoux est imperméable aux changements de mode. Ni discret ni exubérant; un peu de fruit, un soupçon d'herbes séchées et un minimum de tanins. Recommandable à 12 $ et des poussières.

331090   12,20 $ ★★ ½ ①

CHÂTEAU PESQUIÉ
Ventoux 2017, Terrasses

Une proportion importante de syrah dans l'assemblage (40 %) explique peut-être le profil un peu strict de cette cuvée, moins accessible que le savoureux 1912M, commenté ci-après. Le nez est discret, voire fermé; le vin donne l'impression d'être techniquement sans faille, sans toutefois exercer un charme réel. Mûr, charnu et généreux.

10255939   17,55 $ ★★★ ②

CHÂTEAU PESQUIÉ
Ventoux 2018, Édition 1912M

Cette année encore, le 1912M – un clin d'œil à l'altitude du géant du Midi – est le plus attrayant de la gamme. La violette, les fruits rouges et le romarin trouvent écho au nez et en bouche; la trame tannique est souple et fraîche en attaque, un peu asséchante et chaleureuse en finale. Dans l'ensemble, un très bon rouge du sud, à boire dès maintenant, contrairement à ce que suggère la contre-étiquette.

743922   15,70 $ ★★★ ½ ② ♥

GUIGAL, E.
Côtes du Rhône 2015

Je continue d'être impressionnée par le sérieux que porte la famille Guigal à ses cuvées d'entrée de gamme, particulièrement à ce rouge, produit à raison de 4 millions de bouteilles par année! Le 2015 a un profil aromatique un peu plus animal à l'ouverture de la bouteille. Les fleurs et la cerise confite se révèlent après quelques minutes dans le verre, portées en bouche par une trame souple, mûre et vaporeuse en finale. Taillé sur mesure pour des plats maison réconfortants.

259721   20,35 $ ★★★ ½ ②

HALOS DE JUPITER, LES
Côtes du Rhône 2017

Des parfums affriolants de framboise sure s'expriment dans le verre et invitent à y plonger les lèvres. La bouche est tout en chair, soutenue par des tanins enrobés et prolongée par des saveurs épicées et terreuses. Structure, fraîcheur et finale juteuse.

11903619   17,95 $ ★★★ ½ ♥

MEFFRE, GABRIEL
Côtes du Rhône 2017, Hommages

Le nez discret de beurre et de petits fruits rouges évoque les viennoiseries. L'attaque est souple, fraîche et soyeuse; le fruit est présent du début à la fin. Un bon rouge passe-partout. La bouteille coiffée d'une capsule à vis est d'ailleurs parfaite pour les pique-niques.

14012070   14$ ★★★ ① ♥

OGIER
Côtes du Rhône 2017, Héritages

Un bon 2017 qui mise à fond sur la rondeur et le profil séduisant du grenache. Un peu réduit à l'ouverture, il offre ensuite une profusion de cerise et de cacao; tanins tendres, bouche assez profonde. Rien de compliqué, mais à moins de 15$, c'est un bon achat.

535849   14,45$ ★★★ ① ♥

POUIZIN, RÉMI
Côtes du Rhône 2017, Les Pious

Le grenache et la syrah sont nourris par le soleil du sud, mais ils puisent une certaine vigueur dans les sols calcaires et donnent un vin à la fois rond, bourré de fruit et doté d'une fraîcheur rassasiante. Pour mieux apprécier ses nuances aromatiques et sa finale délicatement poivrée, servez-le frais, autour de 15 °C. Un régal quatre saisons!

13994930   17,45$ ★★★★ ② ♥ 🗨

VINS DE VIENNE
Côtes du Rhône 2017, Les Cranilles

Le bouquet aux arômes de fraises mûres et d'herbes séchées se dessine avec retenue, mais élégance. La bouche, en revanche, est structurée et la trame tannique bien compacte, sans jamais perdre sa ligne de fraîcheur. Un vin rassasiant et digeste, résolument conçu pour la table.

722991   20,60$ ★★★ ½ ②

CHÂTEAU DE NAGES
Costières de Nîmes 2016, Cuvée JT

Michel Gassier et son frère ont hérité du vignoble familial du Château de Nages et en ont fait un fleuron des Costières de Nîmes, puis l'ont converti à l'agriculture biologique il y a 12 ans. En plongeant le nez dans le verre, on peut difficilement résister à l'attrait immédiat qu'exercent les odeurs de cerise confite, de kirsch et de chocolat noir. La bouche suit, gourmande, veloutée et généreuse, mais aussi solide et tonique, à sa manière. Longueur appréciable. Il pourrait se bonifier d'ici 2023.

567115   25,95$ ★★★ ½ ②

0 690604 000041

CHÂTEAU DE NAGES
Costières de Nîmes 2017, Vieilles vignes rouge

À propos du 2015, je notais la forte influence aromatique de la syrah. Le 2017 est nettement plus près du grenache, avec des goûts de kirsch, de confiture de framboise et de cerise; une attaque en bouche joufflue, presque sucrée tant elle est mûre. Des parfums de réglisse, des tanins enrobés d'une chair fruitée généreuse et une finale un peu chaude faisant bien sentir ses 14,5% d'alcool.

12268231   18,80$ ★★★ ②

0 690604 000133

GASSIER, MICHEL
Costières de Nîmes 2016, Nostre Païs

Le propriétaire du Château de Nages produit aussi, sous une étiquette éponyme, une très belle gamme de vins, eux aussi, certifiés biologiques. Cet assemblage classique du sud (grenache à 55%, syrah, mourvèdre, carignan et cinsault) se dessine avec une certaine retenue, tant au nez qu'en bouche. Les parfums fruités et floraux sont présents, mais jouent en sourdine; la matière est riche et son cadre tannique serré fait contrepoids à la sensation de chaleur qu'apportent les 15% d'alcool. Bien méridional, mais harmonieux dans sa générosité.

12854097   23,85$ ★★★ ½ ②

0 690604 000393

GASSIER, MICHEL
Costières de Nîmes 2017, Fleur de Syrah

Bien que situées tout au sud de la vallée du Rhône, les Costières de Nîmes comportent aussi certaines zones où le climat est relativement frais. Cette syrah, par exemple, est cultivée sur des terrasses rafraîchies par les brises marines de la Méditerranée et donne un vin croquant et bourré de fruit, aux parfums exubérants de violette. Rien de complexe, mais une belle expression solaire de la syrah.

14106800   18,80$ ★★★ ②

0 690604 000270

MOURGUES DU GRÈS
Costières de Nîmes 2016, Terre d'Argence

Fruit d'une sélection de vieilles vignes de syrah, complétée de mourvèdre en 2016, ce vin à l'attaque saline et juteuse est tout de même encadré d'un grain tannique fin et compact. On y trouve beaucoup de saveurs herbacées, poivrées et sanguines propres à la syrah. Finesse, élégance et longueur se dessinent tant en hauteur qu'en largeur. Une longue finale égrène les épices, les fruits noirs et le cuir. Vous pouvez le boire dès maintenant, mais il est encore loin d'avoir atteint son apogée. La carafe est indiquée pour les trois ou quatre prochaines années.

11659927   24,45$ ★★★→★ ③ 🍷 ⚗

MOURGUES DU GRÈS
Costières de Nîmes 2018, Les Galets rouges

Syrah, complétée de grenache, avec une pointe de marselan et de mourvèdre. La constance de ce vin n'a jamais failli au cours de la dernière décennie. J'ai donc toujours certaines attentes. En 2018, il les dépasse. Nez invitant, affriolant, poivre et cerise mûre; tout y est pour un profil vin de soif. Attaque en bouche si fraîche et rassasiante et pourtant chaleureuse. Des tanins granuleux en milieu de bouche accentuent la sensation de fraîcheur. Explosion florale en finale, ponctuée de kirsch. On se régale pour vraiment pas cher.

10259753   18,15$ ★★★★ ② ♥ 🍷

SUD DE LA FRANCE

COTEAUX DU LANGUEDOC

Au fur et à mesure que leur style se précise, les différents secteurs des Coteaux du Languedoc gagnent en reconnaissance. En septembre 2016, Pic-Saint-Loup a été promu au rang d'appellation d'origine, au même titre que Saint-Chinian, Faugères et les Terrasses du Larzac. Cette dernière, située tout au nord du Languedoc, est l'une des étoiles montantes du vignoble français.

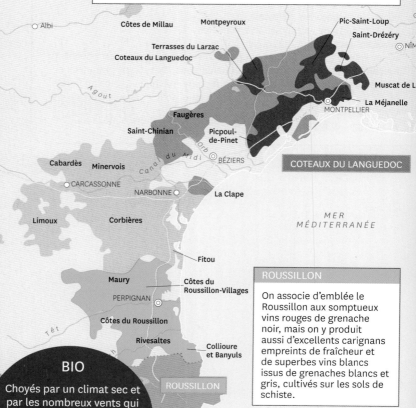

Aveyron

Albi

Côtes de Millau

Montpeyroux

Pic-Saint-Loup

Saint-Drézéry

NÎM

Terrasses du Larzac

Coteaux du Languedoc

Agout

Muscat de L

La Méjanelle

MONTPELLIER

Faugères

Picpoul-de-Pinet

Saint-Chinian

Orb

Cabardès

Minervois

Canal du Midi

BÉZIERS

CARCASSONNE

COTEAUX DU LANGUEDOC

NARBONNE

La Clape

Limoux

Corbières

MER MÉDITERRANÉE

Fitou

Maury

Côtes du Roussillon-Villages

PERPIGNAN

Côtes du Roussillon

Têt

Rivesaltes

Collioure et Banyuls

ROUSSILLON

ROUSSILLON

On associe d'emblée le Roussillon aux somptueux vins rouges de grenache noir, mais on y produit aussi d'excellents carignans empreints de fraîcheur et de superbes vins blancs issus de grenaches blancs et gris, cultivés sur les sols de schiste.

BIO

Choyés par un climat sec et par les nombreux vents qui soufflent sur la région, plusieurs vignerons ont opté pour la viticulture biologique.

Le vignoble du Midi est le plus ancien et le plus vaste de France. La vigne a colonisé ces paysages à couper le souffle, entre mer et montagnes, dès l'Antiquité. Longtemps regardées de haut, les appellations de cet immense croissant qui s'étend le long de la Méditerranée, de la frontière espagnole à la vallée du Rhône, connaissent un dynamisme sans précédent.

Les vignerons du Languedoc et du Roussillon misent à fond sur les multiples facettes de leurs terroirs, redécouvrent les qualités des cépages carignan et cinsault, qui peuvent donner des vins racés et étonnamment frais, particulièrement s'ils sont issus de vieilles vignes.

La Provence, elle, mise plus que jamais sur la popularité du rosé, qui représentait 89 % de la production régionale en 2018. Bien que marginale, la palette de rouges et de blancs produits entre Marseille et Nice, est loin d'être banale.

LES DERNIERS MILLÉSIMES

2018
Le sud a aussi été victime d'attaques de mildiou, mais a donné des blancs et des rouges vibrants. Été très chaud et sec. La date de la vendange est un facteur-clé de l'équilibre.

2017
Le sud n'a pas été épargné par les épisodes de gel du printemps et a connu un été de sécheresse. Résultat : vendange hâtive et petite récolte de raisins d'excellente qualité. Les blancs semblent particulièrement prometteurs.

2016
Une saison estivale très sèche s'est traduite par une faible récolte, dont la qualité s'annonce toutefois satisfaisante. Quelques vins accuseront peut-être une certaine lourdeur en alcool, mais ceux du Roussillon s'annoncent sensationnels.

2015
Une année classique, avec juste ce qu'il faut de pluie au printemps pour renflouer les réserves et permettre à la vigne de s'épanouir pendant la saison estivale. Une récolte de très beaux fruits qui devrait donner des vins plus élégants que puissants.

2014
Dure année pour le midi de la France. Le secteur de La Clape et le Minervois ont été touchés par des épisodes de grêle. Ceux qui ont réussi à vendanger avant les pluies torrentielles de septembre ont pu sauver la mise. La Provence a connu 65 jours de précipitation, contre 50 sur une année normale. On peut anticiper une certaine dilution.

France

CAZES
Le Canon du Maréchal 2018

L'idée d'un assemblage de muscat et de viognier pourrait faire craindre le pire. Du moins, si vous n'êtes pas *fan* de vins blancs très parfumés. Emmanuel Cazes et son équipe parviennent néanmoins chaque année à en tirer un vin certes bien aromatique, sans être pommadé. Un blanc ample et vineux, doté d'une certaine tenue, relevé de fleurs, de fruits tropicaux et d'épices douces. À table, osez une cuisine pimentée, comme un sauté à la thaïlandaise ou un cari de poisson.

10894811   17,05$ ☆☆☆ ② 🗨

COUPE-ROSES
Minervois blanc 2017, Les Schistes

Le vin blanc de Françoise Calvez brille par sa fraîcheur et par sa minéralité en 2017. Fruit d'un assemblage de roussanne et de marsanne biologiques, cultivées entre 300 et 450 m d'altitude et exposées au nord et nord-ouest, le vin renoue avec une forme très classique, après un 2016 plus nourri. L'attaque est précise et se dessine avec retenue; la fin de bouche se fait légère, presque aérienne. Un blanc de terroir, il n'y a pas de doute. À servir avec un poisson au citron et aux herbes.

894519   24$ ☆☆☆☆ ② ♥ 🗨

DOMAINE DE FENOUILLET
Faugères blanc 2018, Hautes Combes

Les vins blancs ne représentent que 2% de la production de Faugères. Plus qu'une curiosité, ce vin composé de marsanne et de roussanne, qui s'enracinent sur des pentes de schistes, est simplement délicieux. La texture est juste assez vineuse et les saveurs de pâte d'amande et de pêche blanche sont soulignées par une délicate amertume, qui met le fruit en relief et donne au vin un supplément de caractère et de salinité. Servez-le avec un pavé de morue en tapenade d'olives noires. Arrivée prévue à la fin de novembre.

11956850   20,15$ ☆☆☆☆ ② ♥

ORMARINE
Picpoul de Pinet 2018, Les Pins de Camille

Le picpoul est le «muscadet du Midi», comme on dit là-bas. Un vin blanc guilleret et nerveux, animé d'un léger reste de gaz. Celui-ci fait partie de la catégorie des classiques à petit prix à la SAQ. Un nez expressif d'agrumes, de pomme verte et de notes végétales. Frais, équilibré et désaltérant. Rien de grand, mais un beau passe-partout pour les soirs de semaine et pour les piques-niques.

266064   13,45 $ ☆☆☆ ① ♥

VENTENAC, MAISON
Préjugés 2017, Vin de France

Ce domaine de Ventenac-Cabardès, au Nord-Ouest de Carcassonne, est aujourd'hui entre les mains de Stéphanie Maurel et d'Olivier Ramé. Cette cuvée vendue sous appellation Vin de France (autrefois vin de table) est composée à 100 % de chardonnay, cultivé sur des argiles, à une altitude de 250 m, vinifié et élevé en majorité dans de grands foudres de chêne. Un blanc pur et minéral, dont la structure et la tension ne sont pas sans rappeler certains vins de Limoux. À ce prix, on achète sans hésiter.

14029197   17,70 $ ☆☆☆ ½ ② ♥

CLAVEL
Coteaux-du Languedoc 2016, Les Garrigues

Le terroir de la Méjanelle, quelques kilomètres à l'est de Montpellier, est situé à plus basse altitude que le reste des Coteaux du Languedoc. Le vin qu'y produit Pierre Clavel ne voit pas de bois et mise à fond sur l'expression fruitée des syrah, carignan et grenache noir, cultivés en bio. Au-delà du fruit, on trouve aussi une profusion d'arômes qui évoquent la garrigue (thym, lavande, romarin, etc.) et qui invitent à passer à table. Une finale minérale, aux accents de graphite, ajoute à sa dimension et à sa profondeur.

874941   22,20$ ★★★ ½ ② 🗨

CLAVEL
Pic Saint-Loup 2017, Bonne Pioche

Pierre Clavel signe également un excellent rouge composé de syrah (65%), de mourvèdre et de grenache, conduits en agriculture biologique, sur les sols calcaires de Pic-Saint-Loup. Le 2017 était en grande forme à la fin de l'été 2019. Un fruit éclatant, du vin plein la bouche, tout en largeur et en générosité, mais aussi débordant d'énergie et de vitalité. Des notes végétales qui rappellent la garrigue environnante donnent un élan supplémentaire aux goûts de framboise fraîche ; des tanins granuleux se chargent de la tension. Arrivée en début d'année 2020.

11925658   26,40$ ★★★★ ② ♥ 🗨

DOMAINE DE LA PATIENCE
Syrah 2017, Coteaux du Pont du Gard

La zone de l'IGP (Indication Géographique Protégée) Coteaux du Pont du Gard est située tout au nord du Languedoc et chevauche les vignobles de la vallée du Rhône. La syrah de Christophe Aguilar n'est d'ailleurs pas sans rappeler quelques rouges des Costières de Nîmes, vendus à la SAQ... Joufflu, souple, bourré de fruit, avec le grain tannique propre au cépage, juste assez dense pour laisser la bouche fraîche.

14060952   16,20$ ★★★ ② ♥ 🗨

DOMAINE DE TAVERNEL
Pont Neuf 2017, Vin de pays du Gard

Cette année encore, cet assemblage de merlot, de marselan, de cabernet sauvignon et de syrah, issus de l'agriculture biologique est un très bel exemple d'un bon vin du Sud, gorgé de soleil et fidèle à ses origines. Rassasiant et charnu, on croque dans le fruit mûr et on se régale de sa finale chaleureuse aux accents de garrigue et de réglisse.

896233   16,25$ ★★★ ½ ① ♥ 🗩

DUPÉRÉ BARRERA
Terres de Méditerranée 2017, Pays d'Oc

Ce vin est issu de terroirs dans la zone la plus septentrionale du Languedoc. Grenache, syrah, cabernet sauvignon et carignan puisent leur fraîcheur dans des sols argilo-calcaires et donnent un vin dont la stature, la qualité des tanins et la définition fruitée dépassent largement les attentes que commandent un simple vin de Pays d'oc. Et sa longue finale qui égrène les cerises, le romarin, la lavande et les épices... Un autre grand succès pour la Québécoise Emmanuelle Dupéré et son conjoint Laurent Barrera. Chapeau!

10507104   15,05$ ★★★★ ② ♥

JEANJEAN
Languedoc 2017, Devois des Agneaux d'Aumelas

Cette propriété de la famille Jeanjean est située à Aumelas, une vingtaine de kilomètres à l'ouest de Montpellier, dans le département de l'Hérault. Par son fruit noir et ses riches effluves de cacao, tirés en bouche par une texture veloutée, ce vin de syrah et de grenache résume à lui seul tout le plaisir des bons rouges du Midi. Plein et chaleureux sans être lourd; 13,5% d'alcool et un plaisir garanti à table.

912311   19,65$ ★★★ ½ ②

CANET-VALETTE
St-Chinian 2018, Antonyme

Marc Valette mise sur un assemblage peu commun de mourvèdre et de cinsault, à parts égales. Le premier, nous indique la contre-étiquette, apporte la structure et le second, la fraîcheur. Le mariage est de nouveau réussi en 2018. Le vin séduit à coup sûr avec ses goûts de mûre et de cerise, ses parfums rôtis qui évoquent le cacao brut et son fini velouté. À boire dans l'année pour croquer dans le fruit.

11013317   19,70$ ★★★ ½ ② 🗨

CARREL, JEFF
Languedoc 2017, Les Darons

Assemblage de vieilles vignes de grenache et un peu de carignan et syrah, issus des terroirs de Minervois, des Corbières et de La Clape. Un rouge bien méditerranéen par sa mâche tannique dense et ses goûts généreux de fruit noir et d'épices, auxquels une pointe de garrigue apporte une fraîcheur très agréable à table.

13072601   16,30$ ★★★ ② ♥

CHÂTEAU ROUQUETTE SUR MER
La Clape 2016, Cuvée Amarante

Le domaine de la famille Boscary est un pilier de La Clape et sa Cuvée Amarante est un pilier du Languedoc à la SAQ. Les cépages du sud sont polis par un usage intelligent de la barrique qui laisse parler le fruit, tout en le ponctuant de délicates notes torréfiées. Un bon rouge de facture classique; suave et chaleureux.

713263   26,40$ ★★★ ½ ②

COUPE-ROSES
Minervois 2017, Les Plots

La trame tannique est suave et les saveurs se déclinent avec nuances. Délicieux et gorgé de soleil, mais plutôt élégant. On ne s'étonne pas qu'il soit devenu une référence pour l'amateur de vin rouge du Sud.

914275   20,70$ ★★★ ½ ② 🗨

GAILLARD, PIERRE
Faugères 2016, Transhumance, Domaine de Cottebrune

Le 2016 est habillé d'une nouvelle étiquette et le format de la bouteille a changé, mais les fidèles de la cuvée Transhumance y trouveront le profil habituel. Pierre Gaillard, aussi vigneron dans le nord de la vallée du Rhône, signe cette année une interprétation un peu plus sobre du faugères, mais toujours avec des saveurs compactes de fruits noirs, qui rappellent le cassis. Solide plutôt qu'exubérant. Très agréable à table.

10507307   25,60$ ★★★ ½ ②

MADURA, LA
Saint-Chinian 2016, Classic

Nadia et Cyril Bourgne portent une attention manifeste à la biodiversité sur leur propriété, l'une des plus qualitatives de Saint-Chinian. Leurs vignobles sont morcelés et s'étendent sur les sols de schiste, d'argilo-calcaire et de grès, qui participent à la complexité des assemblages. Mis en bouteille comme toujours sans collage ni filtration, le vin tapisse la bouche d'une trame suave, cousue de tanins ronds et croquants. Les saveurs sont pures, fines et nuancées. À juste titre, un classique.

10682615   19,90$ ★★★★ ② ♥

SIMON, CHRISTINE
Saint-Chinian 2017, Donnadieu, Les Sentiers de Bagatelle

Christine Simon produit ce vin fruité, rôti et épicé dans la commune de Donnadieu, au nord de l'appellation Saint-Chinian. Un assemblage classique de syrah, de grenache et de mourvèdre donne un vin tout aussi classique. Sobre, mais séduisant à sa manière avec son fruit sombre et ses notes de chocolat noir.

642652   16,25$ ★★★ ②

VIGNOBLE DU LOUP BLANC
Les Trois P'tits C 2017, Aude

Alain Rochard, Nicolas Gaignon et Carine Farre conduisent leurs vignes en biodynamie depuis une dizaine d'années. Même s'il est résolument espagnol par son assemblage de tempranillo, de grenache, de carignan et d'alicante, ce vin de pays n'en est pas moins méditerranéen par sa forme et par son profil aromatique. Léger et pourtant riche en nuances avec, en prime, une finale juteuse et hyper digeste qui vous accroche un sourire.

10528239   25,80$ ★★★★ ② ♥ 🗨

VIGNOBLE DU LOUP BLANC
Minervois 2018, Le Régal

La fraîcheur qu'on retrouve année après année dans la cuvée Le Régal, vient à la fois de la nature des sols (calcaire) et de l'altitude du vignoble, situé au pied de la montagne Noire, dans la partie nord-est du Minervois, aux limites de Saint-Chinian. Le 2018 séduit d'emblée par ses notes florales, mais c'est surtout son tonus et sa tenue en bouche qui donnent envie d'y revenir. Le fruit s'unit à l'anis et à l'olive noire, rehaussés par une acidité vibrante, qui met en appétit et qui à table, c'est le cas de le dire, nous régale.

10405010   22,45$ ★★★★ ② ♥ 🗨

CHAPOUTIER
Côtes du Roussillon-Villages Latour de France 2015, Domaine de Bila-Haut, Occultum Lapidem

En plus de produire du vin dans presque toutes les appellations de la vallée du Rhône, Michel Chapoutier exploite aussi une propriété dans le Roussillon. Ce 2015 s'impose d'abord par son nez compact, chargé d'odeurs d'espresso et de viande fumée. Des macérations longues (quatre semaines) ont permis d'extraire des saveurs profondes; la bouche, puissante et capiteuse, fait bien sentir ses 15,5 % d'alcool, sans que le vin ne verse dans la lourdeur. Il vaudrait tout de même mieux le servir autour de 16 °C.

11940698   26,45 $ ★★★ ②

CLOS DES FÉES
Côtes du Roussillon 2017, Les Sorcières

Tout au nord du Roussillon, à Vingrau, Hervé Bizeul signe chaque année un très bon vin abordable et bourré de fruit, issu d'une sélection de vieilles vignes de grenache et de carignan âgées de 40 à 80 ans, ainsi que de jeunes vignes de syrah. Ce 2017 est déjà agréable à boire avec son grain tannique mûr et ses arômes de cuir, de goudron et de fruits confits, qui laissent sur une finale chaleureuse.

11016016   19,60 $ ★★★ ½ ② ♥

CLOS DES FÉES
Côtes du Roussillon-Villages 2016, Vieilles Vignes

Hervé Bizeul est vite devenu une star du Roussillon, notamment pour sa Petite Sibérie, un vin culte vendu à plus de 300 $. Sans avoir la même profondeur (ce serait trop beau!), cette cuvée vieilles vignes est taillée du même bois. Un nez de confiture de framboise et de goudron annonce un vin d'abord fringant et presque frais en attaque, mais dont les tanins se resserrent en une étoffe compacte; ferme et pourtant élégante. J'ai particulièrement apprécié sa finale vaporeuse aux parfums de kirsch, ponctuée d'une touche d'amertume qui rappelle un bon *ristretto*. Long, sombre et complexe; à revoir vers 2026.

11177240   44,50 $ ★★★★ ③

DOMAINE CAZES
Côtes du Roussillon 2018, Hommage

Cette cuvée qui rend hommage au Maréchal Joffre, originaire du Roussillon, mise sur le même assemblage que la cuvée Marie-Gabrielle (commentée ci-après), mais il laisse en bouche, une impression plus riche et concentrée. Parfums de cassis, texture veloutée, saveurs intenses et vaporeuses. L'amateur de rouge solaire sera servi à peu de frais. Savoureux!

12704101   18,15 $ ★★★ ½ ② ♥ 🗩

DOMAINE CAZES
Côtes du Roussillon 2018, Marie-Gabrielle

Cette cuvée de syrah (50%), de grenache et de mourvèdre, cultivés selon les principes de la biodynamie, est exclusive au marché canadien. Les habitués y trouveront la générosité habituelle: une attaque en bouche presque sucrée tant le fruit est gorgé de soleil et des tanins gourmands. À table, il fera un malheur avec un tajine d'agneau au pruneau.

851600   18,65$ ★★★ ½ ②

DOMAINE CAZES
Côtes du Roussillon 2018, Sans sulfites ajoutés

Composé (comme les deux vins précédents) de syrah à 50%, de grenache et de mourvèdre, mais vinifié, élevé et mis en bouteille sans ajout de sulfites, comme son nom l'indique de façon on ne peut plus explicite. Est-il meilleur? Certains diront oui, d'autres non, ça reste une question de goût. Personnellement, je le trouve moins complet, moins charnu surtout. Son grain tannique un peu sec me donne l'impression qu'on a filtré davantage pour limiter les risques de déviation. On a donc perdu en texture, en longueur et en charme. Une curiosité, sans plus.

13837512   23,05$ ★★ ½ ②

DOMAINE DE MAJAS
Rouge 2018, Côtes Catalanes

Alain Carrère a fondé Majas en 1992, dans la vallée de l'Agly, juste à l'ouest de Maury. Depuis 2007, sous les conseils de Tom Lubbe – un Sud-Africain qui a fait ses classes au Domaine Gauby, dans le Roussillon –, il a converti les 30 hectares du domaine à l'agriculture biologique et commencé à vinifier sans intrant, avec un faible apport en SO$_2$. Cette année encore, son rouge est l'exemple même du bon vin frais et digeste, qui se boit sans soif. La vigueur du carignan s'unit à la rondeur du grenache, le vin est vibrant, voire aérien, et pourtant riche en saveurs et doté d'une longueur appréciable. Peu de vins de la région offrent autant de plaisir dans le verre pour moins de 20$.

13105910   19,80$ ★★★★ ② ♥

DOMAINE LAFAGE
Grenache noir 2017, Cuvée Nicolas, Côtes catalanes

Le vignoble sur lequel veille Jean-Marc Lafage couvre près de 200 hectares, entre Perpignan et les Pyrénées. Le nez de violette et de fruit des champs du 2017 annonce un grenache riche et mûr, qui tapisse la bouche d'une matière chaleureuse. Toutefois, aussi généreux soit-il, le vin ne verse pas dans la lourdeur. Les proportions sont heureuses, les saveurs sont nettes et la finale évoque même un fruit juteux dans lequel on croque. À boire d'ici 2023.

12211366   19,10$ ★★★ ②

FERRER-RIBIÈRE
Carignan 2016, Côtes catalanes

L'été 2016 dans le Roussillon a été marqué par une sécheresse, qui a donné des raisins concentrés, mais portant aussi un très bel équilibre entre la charge tannique, l'acidité et le fruit. C'est ce qui explique le caractère atypique en 2016, de cette cuvée issue de vignes centenaires de carignan. Le nez étonne d'emblée avec son bouquet de fruits secs, qui rappelle un maury. La bouche présente une agréable fraîcheur, mais porte elle aussi les traits du millésime, avec ses goûts de figues et de cuir, qui lui donnent des allures de rioja. Un peu déroutant, mais très bon.

12212182   22,95$ ★★★ ② 💬

FERRER-RIBIÈRE
Côtes du Roussillon 2016, Tradition

La cuvée Tradition que signent Denis Ferrer et Bruno Ribière au sud-ouest de Perpignan, dans la vallée de l'Aspres, nous a habitués à un caractère un peu plus juteux, guilleret et facile à boire. En 2016, elle se présente sous un jour dense et concentré, mais dans des proportions toujours très harmonieuses. La charpente est enrobée d'un fruit dodu et l'ensemble est souligné par une acidité qui met en relief les arômes de fleurs, de fruits noirs et d'aromates. Excellente longueur, super rapport qualité-prix!

11096271   20,65$ ★★★★ ② ♥ 💬

MAS LAS CABES
Côtes du Roussillon 2018

À Espira-de-l'Agly, le vignoble du Mas Las Cabes, est conduit en agriculture biologique et donne de très beaux fruits, entre les mains de Jean Gardiès. Cette cuvée vendue à prix d'aubaine repose sur une dominante de syrah, complétée de grenache et de mourvèdre. Le 2018 est un pur régal : une texture pleine et caressante, une explosion de fruits noirs et d'épices avec, en trame de fond, des parfums d'herbe qui évoquent la garrigue et accentuent la sensation de fraîcheur en finale. Miam!

11096159   17,40$ ★★★★ ② ♥ ▶

3 760039 380463

PUIG-PARAHŸ, GEORGES
Côtes du Roussillon 2011, Georges

Le vaste domaine (110 hectares) de Georges Puig est situé au pied du massif des Aspres. Cette cuvée éponyme offre le plaisir de plus en plus rare d'un vin poli par les années. Les parfums fruités primaires des carignan, grenache et syrah s'effacent peu à peu pour faire place au cuir, au kirsch et aux accents de champignon et de thé pu'er. Même s'il a déjà atteint son apogée, le vin n'est pas encore fatigué et il offre encore une agréable vigueur en bouche. À apprécier à table, avec un risotto aux champignons.

12731177   16,95$ ★★★ ½ ②

8 414219 901317

BOUSQUET, JEAN-NOËL
Languedoc 2017, Galarneau

Jean-Noël Bousquet semble avoir trouvé la formule gagnante pour produire à peu de frais des vins qui ont l'heur de séduire. Son Galarneau rassemble les qualités complémentaires des cépages grenache, cinsault et syrah, gorgés du soleil du Languedoc, si on en juge par son attaque quasi sucrée, tant elle est gourmande et tissée de tanins gommeux. La générosité du fruit en bouche contraste d'ailleurs avec son nez délicat qui sent la terre et la sauce worcestershire. Comme une invitation à manger des grillades, avec de sauce BBQ.

13993259   14,30$ ★★★ ② ♥

CASTELBARRY
Grenache rouge 2017, Saint-Guilhem-Le-Désert

La cave coopérative Castelbarry est bien établie dans la commune de Montpeyroux depuis 1950. Cette cuvée est issue de vignes de grenache d'une trentaine d'années cultivées au pied du plateau du Larzac. Non seulement le vin est sec (2 g/l de sucre), ce qui est de plus en plus rare dans cette gamme de prix, mais son fruit est pur, net et dépourvu de maquillage boisé. Simple, mais très recommandable.

13576287   12$ ★★★ ① ♥

DOMAINE CAZES
Syrah-Mourvèdre 2018, Cap au Sud, IGP Pays d'Oc

Ce vin est le fruit d'un assemblage des raisins de la propriété Cazes (Côtes Catalanes) et d'achat de raisins d'appellation Pays d'Oc, aussi cultivés en biodynamie. Un bon rouge de tous les jours, au profil méridional classique: souple, chaleureux, gorgé de fruit et facile à boire.

12829051   13,20$ ★★ ½ ①

DOMAINE GAYDA
Grenache-Syrah 2018, Tair d'Oc, Pays d'Oc

À Brugairolles, au sud-ouest de Carcassonne, le domaine de Tim Ford et de Vincent Chansault est la source d'un rouge frais et parfumé, simple, mais net, équilibré et gorgé de fruit. À table, sa souplesse siéra autant à une salade de confit de canard qu'à une pizza.

14092727   13$ ★★ ½ ②

DOMAINE GAYDA
Syrah 2017, Pays d'Oc

Un peu plus charnu et substantiel que le précédent vin de la même maison. Nez animal sur fond de petits fruits noirs; beaucoup de fruit en bouche, des notes d'olives noires et une jolie mâche tannique qui se resserre en une finale chaleureuse de longueur moyenne. Très bien pour les soirs de semaine.

14033815   15,50$ ★★★ ②

GRAND CHAI DE FRANCE
Le Havre de Paix 2017, Aude

Un bouquet de pomme grenade et de jujubes annonce un rouge frais, aux tanins souples, qui laisse en finale des arômes de confiture de framboise, soulignés d'une acidité qui pince les joues. Pas particulièrement long, mais à ce prix, oserait-on lui reprocher?

13996193   9,80$ ★★ ½ ① ♥

CHÂTEAU LA LIEUE
Coteaux Varois en Provence 2017

Le vignoble des Coteaux Varois en Provence s'étend autour de la petite ville de Brignoles et jouit d'un climat continental. Les journées sont chaudes et les nuits sont fraîches, offrant aux raisins une maturation plus lente. Le rouge de la famille Vial est un brin plus nerveux et fringant en 2017, animé d'un reste assez important de CO_2, qui n'affecte en rien sa qualité. Au contraire, je trouve que ça rend le fruit encore plus affriolant et le vin encore plus frais. Un bon rouge de soif à boire jeune et à apprécier en toute saison.

605287   16,80$ ★★★ ½ ♥ 🗨

CLOS SIGNADORE
Patrimonio 2016, A Mandria di Signadore

Tout au nord de la Corse, les terroirs calcaires de Patrimonio donnent naissance à certains des meilleurs vins de l'île. Christophe Ferrandis y cultive son vignoble en bio et propose une expression toute méditerranéenne du cépage sangiovese, qui porte là-bas le nom de nielluccio. Le vin déploie d'abord des arômes de fruits noirs confits, puis se décline en des couches de saveurs de tomate confite, d'anis, de thym, de ciste et de romarin, ces derniers rappelant le maquis, la végétation locale. La trame est veloutée, mais comporte juste assez d'aspérités tanniques pour donner du tonus et de la fraîcheur à l'ensemble. Déjà excellent et fort en caractère; on pourra aussi le coucher en cave jusqu'en 2023.

11908161   42,25$ ★★★★ ② 🗨

DOMAINE LA LIEUE
Chardonnay 2017, IGP Var

Sans révolutionner le genre, ce chardonnay biologique offre une interprétation pure et joliment fruitée du grand cépage bourguignon. Tout le gras souhaité, aucun goût de beurre, mais une pointe d'amertume qui laisse une délicieuse sensation de salinité en finale.

10884655   19,90$ ☆☆☆ ② 🗩

REVELETTE
Coteaux d'Aix-en-Provence 2016

L'Allemand Peter Fischer est installé depuis longtemps en Provence, où il pratique une agriculture biologique et il vinifie sans intrants, sinon une petite dose de soufre à la mise en bouteille. La fraîcheur, la précision dans le dessin des tanins et la pureté du fruit confèrent à son «petit vin» un charme fou. Encore jeune, plein de fougue et très légèrement réduit lorsque dégusté vers la fin de l'été, le 2016 gagne beaucoup à l'aération. Sortez la carafe ou étirez le plaisir sur deux jours.

10259737   24,30$ ★★★★ ② ♥ △ 🗩

REVELETTE
Coteaux d'Aix-en-Provence 2016,
Le Grand Rouge

L'année 2016 a été aussi aride en Provence qu'ailleurs dans le midi de la France, mais les vignes du Château Revelette ne semblent pas en avoir souffert. Au contraire, le Grand Rouge fait même preuve d'élégance, de retenue et d'une grande «buvabilité». Le nez est plutôt discret, mais les couches de saveurs se succèdent en bouche, tirées en finale par un grain tannique de haute qualité, très bien servi par l'élevage. Déjà excellent, mais il a encore assez de matière en réserve pour tenir jusqu'en 2026.

10259745   42$ ★★★★ ② 🗩

SUD-OUEST

PAYS BASQUE

Le cabernet franc est originaire du Pays basque espagnol. On raconte qu'il aurait migré de l'autre côté des Pyrénées grâce à l'initiative de quelques pèlerins, sur le chemin du retour de Saint-Jacques-de-Compostelle. Moins tannique et coloré que d'autres cépages du Sud-Ouest, il s'adapte bien aux terroirs frais, comme celui de Chinon dans la Loire. Il est également le père du cabernet sauvignon et du merlot.

JURANÇON

Les nombreux vins liquoreux du Sud-Ouest – jurançon, pacherenc du vic-bilh, gaillac, monbazillac – sont autant de solutions de rechange abordables au sauternes.

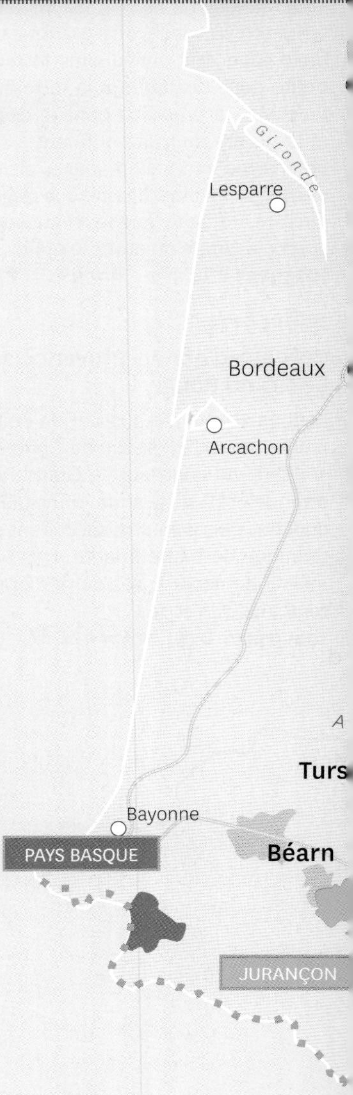

Gironde

Lesparre

Bordeaux

Arcachon

A

Turs

Bayonne

PAYS BASQUE

Béarn

JURANÇON

Les vins du Sud-Ouest n'ont jamais été aussi connus et appréciés. Ceux de Jurançon, de Gaillac, d'Irouléguy, de Fronton, de Marcillac et des Côtes du Marmandais piquent la curiosité des amateurs à la recherche de goûts différents. Et ceux de Cahors et de Madiran (dans une moindre mesure) sont enfin réhabilités, après un long passage du côté obscur de la force.

Le Sud-Ouest est aussi un immense jardin ampélographique dédié à des variétés anciennes, le plus souvent uniques à cette vaste région. On trouve bien quelques ceps de merlot, de cabernet et de sauvignon blanc dans certaines zones, mais ce sont surtout les cépages négrette, mauzac, duras, manseng, courbu, auxerrois, fer servadou, tannat, malbec et autre abouriou qui permettent au Sud-Ouest de se démarquer sur la scène internationale. Ça et le travail des vignerons, évidemment.

Limoges ◎

CAHORS

Les meilleurs vins rouges de Cahors peuvent vivre plusieurs années, mais il n'est plus nécessaire d'attendre une décennie avant de les boire. Plusieurs vignerons de cette appellation du Lot signent aujourd'hui de très bons vins, qui misent avant tout sur la fraîcheur et l'expression fruitée du cépage malbec.

Rosette

Dordogne

Bergerac

Côtes de Duras

CAHORS

Côtes du Marmandais

Lot

Aveyron

Marcillac

○ Rodez

Coteaux du Quercy

du Brulhois   Montauban ○

Albi ○

Gaillac

Fronton

Mont

Toulouse ◎

MADIRAN / CHERENC DU VIC-BILH

Garonne

MADIRAN

Même si quelques rares vins rouges rudes et abrasifs sévissent encore, la plupart des vignerons réussissent à maîtriser la force tannique du tannat pour en tirer des vins plus harmonieux.

CAHORS ET MADIRAN

LES DERNIERS MILLÉSIMES

2018

Les pluies diluviennes ont nui à la floraison et diminué les rendements ; le mildiou s'est installé dès le printemps. Le soleil a brillé jusqu'à l'automne et les nuits fraîches ont permis de ralentir la maturation des baies. Il faudra suivre de près les vins de Marcillac, de Jurançon, de Gaillac et de Fronton. La plupart des grandes cuvées de Cahors ne sont pas encore embouteillées, mais les quelques vins goûtés pendant l'été semblent très prometteurs.

2017

Un vrai désastre pour les vignerons du Sud-Ouest : les gelées d'avril ont amputé la récolte à hauteur de 25 % à 100 %, selon les secteurs. Une vague de chaleur pendant l'été a accéléré le mûrissement. Le peu de vin produit devrait être de très belle qualité.

2016

L'hiver dans le Sud-Ouest a été doux, mais très humide, tout comme le printemps. Ces conditions ont retardé la floraison et les vignerons ont dû composer avec des maladies, en plus d'averses de grêle. Quantités en baisse, malgré un été chaud et sec.

2015

À part quelques vignerons malchanceux, touchés par la grêle et les orages, un excellent millésime en perspective, qui devrait rivaliser avec 2014 pour les vins de Cahors et de Madiran.

2014

Contre toute attente, un excellent millésime qui a donné des vins de facture classique à Cahors et à Madiran. Une belle fin de saison aura permis de récupérer le retard occasionné par un été en dents de scie. Qualité exceptionnelle pour les liquoreux.

2013

Autre année de disette, avec un été parsemé de grêle, de problèmes de pourriture. Seul note positive : des vendanges sous le soleil.

2012

Du gel, de la grêle et un temps généralement froid et pluvieux. 2012 aura été l'année de toutes les intempéries dans le Sud-Ouest. La récolte fut petite, mais de qualité satisfaisante, grâce, entre autres, à de bonnes conditions météorologiques à compter du 15 septembre.

2011

Grande réussite pour les vins blancs ! Le meilleur millésime depuis 2005. Des vins rouges concentrés à Madiran et à Cahors, certains affichant un degré alcoolique relativement élevé.

CHÂTEAU LAFFITE-TESTON
Madiran 2016, Vieilles vignes

Les vins de la famille Laffitte font partie des classiques de Madiran, par leur antériorité autant que par leur style. Le 2016 s'inscrit dans la lignée des derniers millésimes: peu volubile au nez, porté par un tissu tannique à la fois velouté et bien dense. Le fruit joue en filigrane, sous des accents de cacao, de chocolat noir et de mine de crayon. À boire entre 2020 et 2024.

747816   24,10 $ ★★★ ②

DOMAINE BERTHOUMIEU
Madiran 2015, Charles de Batz

Didier Barré est l'un des vinificateurs les plus talentueux de Madiran et la cuvée Charles de Batz, issue de terroirs en coteaux dans la commune de Viéla, en fait encore la preuve cette année. Aucune rudesse ni dureté tannique, la force naturelle du tannat est présente, mais elle est gardée en brides et la trame étonne par son fini caressant. Les saveurs sombres évoquent les bleuets séchés, l'anis, la cerise noire acidulée, les épices; l'équilibre est impeccable et portera le vin sur de longues années. À revoir vers 2025.

715516   28,45 $ ★★★★ ③ ♥

DOMAINE BERTHOUMIEU
Madiran 2015, Constance

Amateur de vin corsé, ne vous fiez pas à son prix: ce vin, c'est du sérieux! Le tannat sous un jour dense, compact et trapu; noir comme de l'encre et déployant en bouche une volée de tanins fermes. Imposant sans être brutal, il témoignait encore d'une grande jeunesse en août 2019 et il n'a pas fini de se développer. À boire entre 2020 et 2024.

10778975   18,40 $ ★★★ ½ ② ♥

CAMIN LARREDYA
Jurançon Sec 2018, La Part Davant

Jean-Marc Grussaute pratique la biodynamie sur les vignes familiales, la plupart plantées par son père au début des années 1970. L'ensemble du Sud-Ouest a connu un été chaud en 2018, mais les terroirs de Jurançon (situé tout au pied des Pyrénées) ont bénéficié de nuits fraîches. Le fait que Grussaute bloque les transformations malolactiques et qu'il emploie une importante proportion de petit manseng (35%) dans l'assemblage ont sans doute joué pour beaucoup dans la balance. Car, s'il est un monument de générosité, par le déploiement de ses saveurs autant que par son onctuosité, La Part Davant 2018 en est aussi un d'équilibre. Le vin est plein, immense en bouche, mais il a la structure et l'acidité pour encadrer et soutenir le tout. Il me rappelle à plusieurs égards la sublime Cuvée Marie que Charles Hours avait produite en 2003. Atypique, mais grand. J'en laisserai moi-même vieillir quelques bouteilles en cave jusqu'en 2028.

12233434   32$ ☆☆☆☆→☆ ③ ♥ 🗩

CAUSSE MARINES
Gaillac blanc 2017, Les Greilles

Cette cuvée vendue à la SAQ depuis maintenant 20 ans est le fruit d'un assemblage de verdanelle, d'ondenc, de chenin et de petit manseng. Des vinifications avec les levures indigènes et un apport limité en soufre (25 mg de SO_2 total, ce qui est infime) donnent à ce blanc un profil nature, les défauts en moins. Le fruit s'exprime avec beaucoup d'éclat, leste et volubile; la texture est nourrie, presque tannique, et le vin distille une grande fraîcheur, malgré une acidité relativement faible. Si vous pensez encore que tous les vins blancs se ressemblent, vous aurez là matière à réflexion.

860387   25,50$ ☆☆☆☆ ② ♥ 🗩

CAUSSE MARINES
Zacm'Orange 2018, Vin de France

Virginie Magnien et Patrice Lescarret tirent le meilleur du terroir de la commune de Vieux pour produire un blanc fort en caractère. Pour la banalité et le petit blanc passe-partout, il faudra chercher à une autre adresse. Le mauzac se déploie dans toute sa splendeur, après une macération pelliculaire de trois semaines. Au risque de me répéter, je ne suis pas une inconditionnelle de vin orange; je l'aime quand il est bon. Point. Et celui-ci est délicieux. Un blanc coloré, large en bouche et doté d'une charge tannique qui fait contrepoids à la générosité du millésime; les saveurs sont pleines, généreuses et culminent en une longue finale complexe. À savourer à table, sans faute.

14033727   34,50$ ☆☆☆☆ ② 🗩

En primeur

CHÂTEAU TOUR DES GENDRES
Bergerac sec 2017, Cuvée des Conti

Le semillon compte pour 50% de l'assemblage de ce vin blanc sec, complété de sauvignon et d'une pointe de muscadelle. Le 2017, même s'il m'a paru un peu plus chaud que d'habitude, conserve une agréable tenue qui le garde de la lourdeur et de la mollesse. Un bon blanc à servir avec les fromages.

858324   17,40$ ☆☆☆ ②

LURTON, FRANÇOIS
Sauvignon blanc 2018, Les Fumées blanches, Côtes de Gascogne

Le sauvignon blanc du Bordelais François Lurton demeure une valeur sûre. Les agrumes sont présents, mais sont rejoints par des notes de poire et de fleurs ; la texture est souple et la longueur tout à fait correcte. Un rapport qualité-prix très avantageux pour l'amateur de sauvignon blanc.

643700   14,15$ ☆☆☆ ① ♥

OSMIN, LIONEL
Jurançon sec 2017, Cami Salié

Ce vin blanc sec révèle la richesse des gros et petit manseng, deux cépages autochtones trop peu connus. Pas de parfums boisés, mais un élevage sur lies fines qui nourrit sa texture. À découvrir pour sa qualité et pour son originalité.

13402316   26$ ☆☆☆ ②

PYRÈNE
Beau manseng 2018, Côtes de Gascogne

Ce vin de gros manseng s'avère une fois de plus très recommandable en 2018. Sec, vif et pimpant, il offre aussi une très belle tenue en bouche et un spectre de saveurs nettement plus vaste que la moyenne des blancs de ce prix. Impeccable!

13188778   14,80$ ☆☆☆ ½ ① ♥

VIGNERONS DU BRULHOIS
Sauvignon & Gros Manseng 2018, Côtes de Gascogne, Carrelot des Amants

Ce vin blanc taillé pour l'apéro, les piques-niques et les soirs de semaine est élaboré par une cave coopérative, qui regroupe une quarantaine de vignerons au nord-ouest de Toulouse. Sec, vif et aromatique comme le commande le cépage sauvignon blanc, sans jamais verser dans l'excès. Une valeur sûre pour l'amateur de blanc sec et nerveux.

11675871   10,45$ ☆☆☆ ① ♥

BALDÈS, JEAN-LUC
Cahors 2014, Petit Clos

Le vignoble de la famille Baldès est maintenant certifié Haute Valeur Environnementale (voir lexique). Leur Petit Clos est issu de malbec et de 15% de merlot, cultivés sur les sols de calcaires et d'argiles rouges de la seconde terrasse du domaine. Le grain tannique serré et vigoureux du 2014 procure une agréable sensation en bouche. Les arômes sont élégants, sans trace de bois, et *flirtent* avec les fruits noirs, les épices et la terre, avec une délicate pointe fumée. Très bien ficelé dans un style classique.

10778967   21,35$ ★★★★ ②

CHÂTEAU HAUTE-SERRE
Cahors 2016, Georges Vigouroux

Vue le prix et l'appellation, je m'étonne du caractère déjà ouvert et évolué de ce 2016. Le nez présente des notes de champignons séchés et de feuille morte, qui se mêlent aux accents épicés du chêne; les tanins sont fondus et la bouche tourne court, tant en texture qu'en finale. À 25$, je reste sur ma soif.

947184   25,25$ ★★ ½ ②

COSSE-MAISONNEUVE
Cahors 2016, La Fage

Le cru La Fage est issu de vignes de malbec âgées d'une trentaine d'années, situées sur les troisièmes terrasses du Lot. Mathieu Cosse le présente comme le «premier cru» du domaine. C'est vrai qu'il n'a pas l'intensité aromatique ni la stature des Laquets, mais il transcende tout de même une bonne partie de l'offre de cahors sur le marché. Solide, sans être inutilement concentré, porté par des tanins d'une rare qualité et doté d'une intensité contenue. Déjà séduisant, il gagnera encore en nuances d'ici 2026.

10783491   28,25$ ★★★★ ② ♥ 🗨

COSSE-MAISONNEUVE
Cahors 2016, Le Combal

Le Combal est purement délicieux en 2016. Nettement plus ouvert et accessible que le 2015 goûté en août 2018, il décline en bouche un tapis de saveurs très expressives de mûres, de noyau de cerise, de sapinage et de violette. Plein, très complet et étonnamment long, vu son prix, il s'avère aussi rassasiant par sa mâche que par son caractère désaltérant. Brillant!

10675001   20,65$ ★★★★ ② ♥ 🗨

COSSE-MAISONNEUVE
Cahors 2016, Les Laquets

Catherine Maisonneuve est une excellente viticultrice ; rigoureuse, précise et consciencieuse. Mathieu Cosse est l'un des vinificateurs français les plus brillants de sa génération. Les vins qu'ils signent ensemble depuis 1999 me donnent chaque année l'impression d'être toujours un peu plus achevés. À force, on se rapproche de la perfection. La parcelle Les Laquets est située en haut de La Fage. La couleur sombre et le nez compact et sur la réserve du 2016 annoncent un vin très concentré, qu'il faudra avoir la patience d'attendre. L'attaque est dense, les tanins fins, tissés très très serrés ; les arômes ne se révèlent qu'après une heure d'aération, concentrés, contenus et soulignés d'une exquise sensation de salinité qui, comme aime le rappeler Mathieu Cosse avec son accent du Sud-Ouest, est «la marque des grands terroirs». Oubliez-le en cave jusqu'en 2026-2029.

10328587   43$ ★★★★→? ④ 🍷

JOUVES, FABIEN
Cahors 2018, Haute Côt(e) de Fruit

CAHORS

HAUTE CÔT(E) DE FRUIT
Malbec

FABIEN JOUVES
VIGNERON

Fabien Jouves veille sur les vieux plants de malbec de sa famille, sur le plateau calcaire des causses du Lot, depuis 2006. Formé en œnologie à Bordeaux, il sort vite du cadre conventionnel pour convertir le vignoble familial à la biodynamie. Aujourd'hui, sa gamme se décline en deux catégories : les «vins de terroir» et les «vins de soif». Celui-ci, vous l'aurez peut-être deviné à son nom et à son étiquette, appartient à la seconde catégorie. Un cahors tendance nature, qui présente certes des parfums de réduction au nez, mais qui déborde de fruit en bouche. Assez charnu pour être typé de son cépage et de son appellation, animé d'un léger reste de gaz qui ajoute à la fraîcheur ressentie et doté d'une finale assez longue. Encore meilleur s'il est servi autour de 15 °C et aéré pendant une heure en carafe.

14071934   21,35$ ★★★ ½ ② 🍷 △

ANDRÉ DE MONPEZAT
Cahors 2017, Famille de Monpezat

Cette marque de Cahors appartient aussi, comme Château St-Didier-Parnac, à la maison Rigal, elle-même propriété du groupe Jeanjean. Un bon rouge de tous les jours, dont la charge tannique naturelle n'est pas un obstacle à la fraîcheur. Simple, mais bien fait.

221218   13,45$ ★★★ ②

CHÂTEAU DU CÈDRE
Cahors 2015, Chatons du Cèdre

Depuis 1987, la réputation enviable des frères Verhaeghe s'appuie sur des vins de facture moderne, à la fois séveux, solides et harmonieux. Le «petit» Cahors offert au répertoire général de la SAQ est depuis longtemps une valeur sûre pour l'amateur de rouge corsé. Et ce très bon 2015 n'y fait pas exception. Une très bonne note dans sa catégorie.

560722   13,85$ ★★★ ② ♥

CHÂTEAU EUGÉNIE
Cahors 2016, Tradition

Profondément enracinée dans les terroirs du Causse, la famille Couture signe cette cuvée d'entrée de gamme, composée de malbec et de merlot (20 %) et élevée en fûts de chêne. En 2016, une mauvaise floraison a donné des rendements naturellement plus faibles à Cahors. Or, plutôt qu'une concentration supplémentaire, ce vin me semble un cran moins complet, avec une bouche plus linéaire et un peu moins de chair autour de l'os que l'an dernier. L'élevage lui confère des notes torréfiées qui se fondent assez bien au fruit. À boire au courant de la prochaine année.

721282   16$ ★★★ ①

CHÂTEAU ST-DIDIER-PARNAC
Cahors 2018

Propriété de la maison Rigal, une division du groupe Advini (Jeanjean), ce domaine de 70 hectares s'étend sur les deuxième et troisième terrasses de Cahors. On y a produit un très bon 2018, encore bourré de fruit et relevé des saveurs florales distinctives du malbec. Rien de complexe, mais une matière fruitée charnue et rassasiante. Très bel exemple du visage moderne de l'appellation.

303529   15,95$ ★★★ ½ ② ♥

CLOS LA COUTALE
Cahors 2017, Clos la Coutale

De tous les vins de Cahors à prix abordable offerts à la SAQ, celui de ce domaine familial d'une cinquantaine d'hectares est encore une fois le plus complet cette année. Les vignes, situées dans la partie occidentale de l'appellation, ont donné un 2017 plein et savoureux, gorgé de saveurs de fruits noirs qui évoquent la mûre et les bleuets, mais aussi d'épices douces et de violette. Croquant, gourmand, juste assez charnu et hyper rassasiant pour à peine 15$. Faites-en provision pour vos repas des fêtes.

857177   15,30$ ★★★★ ② ♥

VIGOUROUX, GEORGES
Malbec 2016, Occitanie – Comté Tolosan

Cette cuvée autrefois vendue sous appellation Cahors est maintenant un vin de pays du Comté Tolosan. Une expression variétale, mais aussi un peu rudimentaire du cépage malbec, dans laquelle on souhaiterait trouver plus de mâche et de fruit.

13360056   14,50$ ★★ ①

CARRELOT DES AMANTS
Brulhois 2016

À peine moins abordable que le très bon blanc de la même cave vendu à la SAQ, ce vin composé de tannat, de cabernet franc et de merlot présente une structure bien solide, qui devrait plaire à l'amateur de rouge charnu.

508879   12,70$ ★★ ½ ①

CAUSSE MARINES
Gaillac 2018, Peyrouzelles

Virginie Maignien et Patrice Lescarret vinifient sans ajout de levures ni de soufre; cette cuvée est mise en bouteille sans collage ni filtration. Bien que sa couleur pourpre puisse faire craindre le contraire, le Peyrouzelles ne s'impose jamais par sa force, mais plutôt par l'éclat de son fruit, ce qui n'exclut pas une mâche gourmande et consistante. Arrivée prévue en décembre, juste à temps pour apporter un peu de fraîcheur dans les repas du temps des fêtes.

709931   24,45$ ★★★★ ② ♥ 💬

ÉLIAN DA ROS
Côtes du Marmandais 2015, Chante Coucou

Élian Da Ros a rejoint le domaine familial de Cocumont après un passage en Alsace, au domaine Zind-Humbrecht. Quelques années lui ont suffi pour insuffler un dynamisme sans précédent aux Côtes du Marmandais. En goûtant son Chante Coucou 2015, je ne pouvais m'empêcher de penser à certains vins de Bordeaux, élaborés dans une approche plus minimaliste, plus nature. Le nez est pur, les tanins sont pleins, charnus et croquants (le fait que le vin ne soit ni clarifié ni filtré y est sans doute pour quelque chose) et la bouche offre un équilibre très classique. Une belle bouteille à laisser dormir en cave jusqu'en 2025.

12723142   36,50$ ★★★→★ ③

ÉLIAN DA ROS
Côtes du Marmandais 2017, Le vin est une Fête

Oh oui, le vin est une fête. Et ce 2017 nous le rappelle, même s'il est un peu moins ballons-et-feu-d'artifice que par le passé. Une interprétation originale et rafraîchissante des cépages merlot et cabernet franc, auxquels s'ajoute 20% d'abouriou, un cépage local. Du fruit, de la tenue et un profil digeste.

11793211   23,05$ ★★★ ½ ②

GROSBOIS, NICOLAS
Gaillac 2017, La Cuisine de ma Mère en vacances à Gaillac 2017

En 2016, privé de 80 % de sa récolte par une série d'intempéries, Nicolas Grosbois, vigneron dans la Loire, est allé s'approvisionner en raisins biologiques à Gaillac. La cuvée «édition spéciale» qu'il a créée cette année-là a connu un si grand succès qu'elle est de retour en approvisionnement continu à la SAQ. Une attaque en bouche fraîche, une trame tannique souple, fondue et de bons goûts de fruits rouges, de fleurs et d'herbes, taillés sur mesure pour accompagner du poulet grillé. Servir autour de 15 °C.

13349800   19,80 $ ★★★ ½ ② 🗨

LA COLOMBIÈRE
Fronton 2018, Les Frontons Flingueurs

Diane et Philippe Cauvin conduisent leur vignoble en biodynamie et défendent les vertus encore trop méconnues du cépage négrette. La bouteille dégustée en août 2019 présentait un reste important de gaz à l'ouverture. Une fois cela passé, au terme d'une très longue aération, le vin explosait de saveurs et s'avérait très séduisant en bouche avec ses tanins mûrs et charnus. Sortez la carafe, armez-vous de patience et vous vous régalerez.

14228516   22,05 $ ★★★→? ② 🗨 ⬙

En primeur

OSMIN, LIONEL
Bergerac 2016

Lionel Osmin s'approvisionne chez une poignée de viticulteurs et vignerons du Sud-Ouest pour produire les vins de cette marque éponyme. Il tire des raisins de merlot et de cabernet, cultivés dans le secteur de Bergerac, un très bon vin rouge dont l'étoffe tannique doublée de rondeur fruitée n'est pas sans rappeler certains rouges de la rive droite de Bordeaux. Un vin très polyvalent à table, à boire jusqu'en 2023.

12687364   18,80 $ ★★★ ②

OSMIN, LIONEL
Marcillac 2018, Fer de soif

Lionel Osmin n'a pas seulement revampé l'étiquette de son Marcillac, il a aussi changé radicalement son style. L'altitude du terroir de Marcillac a sans doute été un atout pendant la vague de chaleur de l'été 2018. Le fer (mansoi ou braucol) se montre ici sous un jour gourmand: tout en souplesse et débordant de fruit, mais avec plein de vitalité et suffisamment de chair pour donner du plaisir à table. Prix très attrayant.

11154558   18 $ ★★★ ½ ① ♥

ITALIE

||||||||||||||||||||||||||||||||||||||||||||||||||||||||||||||||||||||||||||||||||||||||||||||||||||

Entre la fraîcheur des montagnes au nord et les régions chaudes et arides au sud, en passant par les Apennins au centre, le pays regroupe une multitude de sols et de climats, et bénéficie également d'une immense diversité biologique, avec près de 400 cépages indigènes! Depuis le début des années 1980, l'Italie a vécu les années les plus fertiles de sa longue histoire viticole. Après des décennies de viticulture *all'improvviso*, le pays est entré dans la modernité, aussi bien en matière d'ampélographie que d'agriculture et d'œnologie. Cette grande révolution donne aujourd'hui de très beaux fruits.

Les chianti, barolo et barbaresco n'ont jamais été aussi bons et de partout surgissent des vins délicieux, d'appellations et de cépages obscurs dont on ignorait jusqu'alors l'existence. Et avec les projets de délimitation et de classification de terroirs qui se poursuivent en ce moment dans les appellations Barolo, Barbaresco, Montalcino et maintenant Chianti Classico et Vino Nobile di Montepulciano, parions que l'avenir sera tout aussi captivant.

Bien sûr, tout n'est pas parfait. Le manque de constance et d'hétérogénéité qualitative au sein d'une même appellation est l'un des défis auxquels les consommateurs doivent faire face lorsque vient le moment d'acheter un vin italien. Prenez les vins de Soave, par exemple. De vraies montagnes russes! Un monde de différences sépare les petits blancs industriels vifs et dilués des meilleurs blancs, fins et minéraux, élaborés par des vignerons sérieux. Pourtant, le meilleur et le pire portent tous deux le nom Soave. Comment s'y retrouver?

C'est là tout l'intérêt de ce livre: vous guider et épargner au passage vos portefeuilles... et vos papilles. Heureusement, les pages suivantes foisonnent de bonnes bouteilles, vendues à des prix souvent avantageux. La route des vins italiens est hyper riche. Partez à sa découverte.

||||||||||||||||||||||||||||||||||||||||||||||||||||||||||||||||||||||||||||||||||||||||||||||||||||

PIÉMONT

La profondeur des vins de Barolo et Barbaresco réside, entre autres, dans les coteaux escarpés et vallonnés, qui fournissent au vignoble une multitude de microclimats. Mais les locaux vous diront que le mystère du vin est dans la terre d'Alba, également mère de la fameuse truffe blanche.

TOSCANE

La Toscane est le royaume du sangiovese. Des plus légers (chianti classico, chianti colli senesi, etc.) aux plus costauds et boisés (chianti classico riserva, brunello di Montalcino), tous font de merveilleux compagnons de table.

SARDAIGNE

La Sardaigne était sous la juridiction du royaume d'Aragon pendant près de quatre siècles (1323 à 1720). Les cépages de l'île sont donc en majorité originaires d'Espagne.

SICILE

Bien qu'elle soit avant tout connue pour ses vins corsés et chaleureux, la Sicile produit aussi d'excellents rouges souples et délicats – ceux de Cerasuolo di Vittoria et de l'Etna, par exemple – ainsi que très bons vins blancs.

SUISSE
AUTRICHE
Lac Léman
Trentin-Haut-Adige
Frioul-Vénétie Julienne
Val-d'Aoste
SLOVÉNIE
CROATIE
PIÉMONT
Vénétie
Vérone
Venise
FRANCE
Parme
Émilie-Romagne
Ligurie
Bologne
SAINT-MARIN
Florence
Marches
TOSCANE
Ombrie
Corse (FRANCE)
ROME
Abruzzes
Latium
Molise
Pouilles
Naples
Basilicate
Campanie
SARDAIGNE
Golfe de Tarente
MER TYRRHÉNIENNE
Calabre
MER IONIENNE
SICILE
TUNISIE

Italie Piémont

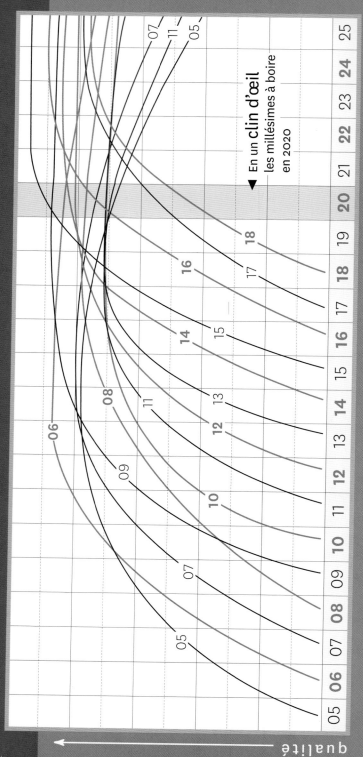

qualité

En un **clin d'œil**
les millésimes à boire
en 2020

LES DERNIERS MILLÉSIMES

2018

On peut s'attendre à de bons vins classiques à Barolo et à Barbaresco. Quantité et qualité top en Vénétie, surtout pour les blancs. En Toscane, les brunellos et les meilleurs vins de Chianti Classico promettent d'être solides et auront besoin de temps pour « se faire ». Retour à un équilibre plus classique dans les Abruzzes.

2017

Récolte hyper précoce dans le Piémont ; faible production, belle qualité. L'un des pires millésimes de mémoire d'homme pour la Vénétie et le Frioul, qui ont connu un été très pluvieux. Tout aussi difficile en Toscane, où la canicule a été suivie d'une vague de froid et de pluie. Dans les Marches et les Abruzzes, la sécheresse a donné des rouges aux tanins durs et des blancs plutôt lourds.

2016

Qualité aussi satisfaisante que la quantité dans le Piémont ; potentiellement un très bon millésime pour toute la région. En Vénétie, une vague de chaleur a donné de gros rouges puissants et des blancs parfois un peu mous. Top qualité aussi en Toscane, tant au centre que sur la côte ; les chiantis et les brunellos devraient bien vieillir. Les Marches et les Abruzzes ont été moins choyés, le froid et la pluie ayant donné des résultats hétérogènes. Un printemps froid a retardé la floraison en Campanie et dans le Basilicate, mais un été chaud a sauvé la donne.

2015

Grande année pour les vins rouges du Piémont. Les barolos et barbarescos devraient vivre longtemps. En attendant, on pourra boire les dolcettos et barberas, eux aussi, très bien réussis. Qualité en hausse pour l'amarone après le désastreux millésime 2014. En Toscane, le printemps pluvieux a permis à la vigne de faire ses réserves avant un été chaud et sec. La qualité s'annonce excellente pour les vins de Chianti et de Montalcino. Tout comme pour les vins rouges des Marches, des Abruzzes et des régions du sud du pays.

2014

Un été humide et très frais, froid dans certains secteurs du nord de l'Italie. Un millésime à oublier pour l'amarone. Dans le Piémont, les variétés tardives comme le nebbiolo pourraient donner des vins d'un équilibre classique. Récolte assez abondante en Toscane, mais qualité incertaine. Dans les Abruzzes, les vignobles d'altitude ont connu un meilleur sort, tout comme les vins blancs des Marches.

Italie Toscane

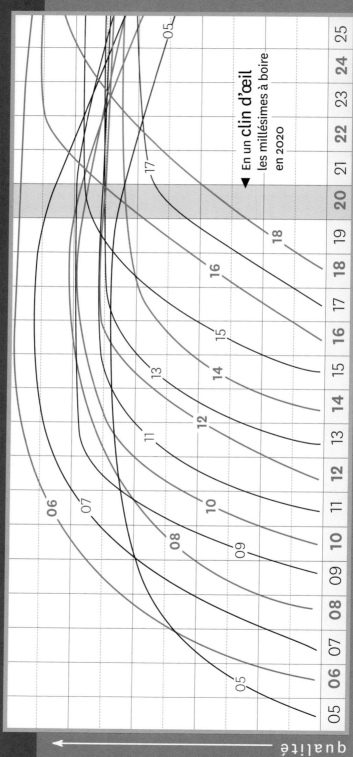

qualité

En un **clin d'œil**
les millésimes à boire
en 2020

2013

Floraison et récolte tardives dans le Piémont; peu de vins de longue garde. Très bonne année pour les vins de Soave. En Toscane, un mois de septembre ensoleillé a permis de sauver la récolte. Peu de grandes réussites, mais quelques bonnes bouteilles de consommation rapide.

2012

Une petite récolte et des vins de très bonne qualité dans le Piémont. Sécheresse et canicule en Vénétie et en Toscane. Quelques Valpolicella accusent une certaine lourdeur et un excès d'alcool. En Toscane, un mois de septembre plus frais a néanmoins permis de maintenir un équilibre classique. Les cépages du Sud – l'aglianico en particulier – ont mieux supporté les excès de température.

2011

Un millésime de chaleur dans le Piémont et en Toscane a donné des vins parfois capiteux. Qualité variable, surtout en Toscane où certains vins de sangiovese ont souffert d'un stress hydrique, occasionnant des saveurs végétales. La réputation du producteur fait toute la différence. Grande année pour l'amarone.

2010

Récolte déficitaire et qualité hétérogène dans le Piémont; la signature du producteur sera un critère de choix. Même scénario en Toscane – y compris Bolgheri – où des problèmes de pourriture ont causé des soucis à plusieurs. La région de Montalcino semble avoir profité de conditions plus propices. En Vénétie, les vins rouges de Valpolicella joueront – à défaut de puissance – la carte de la légèreté et de l'équilibre; les bons amarones seront rares.

2009

Dans l'ensemble, bon millésime dans tout le nord du pays. Été très chaud dans le Piémont et récolte très satisfaisante de nebbiolo ayant donné beaucoup de bons vins. Grand succès annoncé dans le Valpolicella. Très belle fin de saison en Toscane; qualité générale prometteuse.

2008

Un été chaud et sec dans le Piémont; des barolos et des barbarescos apparemment de fort belle qualité. Chaleur et sécheresse en Toscane ont aussi conduit à un troisième succès d'affilée, après 2007 et 2006. En Vénétie, des conditions idéales pour le valpolicella et l'amarone.

2007

Grand succès dans le Piémont; une récolte de vins structurés, déficitaire d'environ 25% (grêle à Barolo). Dolcetto et barbera ont aussi donné des vins très satisfaisants. Excellent millésime en Toscane, que plusieurs comparent à 2004 et à 2001. Grand succès aussi à Bolgheri, où le cabernet sauvignon semble avoir eu le meilleur sur le merlot. Bonne qualité en Vénétie, surtout chez les producteurs patients qui ont attendu le beau temps.

FONTANAFREDDA

Barolo 2014

Dans un millésime difficile qui a malgré tout bien réussi au nebbiolo, le barolo «de base» de Fontanafredda est moins complexe que certains nebbiolos (Alba ou Langhe) sur le marché, mais disponible en importante quantité, dans l'ensemble du réseau SAQ. Le vin est maintenant bien ouvert. Je dirais même que ses meilleures années sont déjà derrière lui.

20214   29,85$ ★★ ½ ①

GRASSO, SILVIO

Barolo 2013

La famille Grasso produit du vin depuis 1927, mais elle n'a commencé à embouteiller qu'au milieu des années 1980, au moment où Alessio Federico a succédé à son père, Silvio. Issu d'une parcelle plantée il y a une trentaine d'années dans la commune de La Morra, ce barolo a toujours une forme droite, presque stricte, mais il commençait à s'ouvrir lorsque goûté de nouveau en juillet 2019. Des accents fumés rappellent les champignons porcini séchés; corps et volume en milieu de bouche et longue finale umami. Un pur bonheur à table!

12287782   48,75$ ★★★★ ②

PODERI COLLA

Barolo 2013, Bussia Dardi Le Rose

Même s'il était un cran plus ouvert lorsque goûté en septembre 2019, le Bussia est encore loin d'avoir atteint son apogée. Déjà savoureux et profond, avec ses tanins caractéristiques du nebbiolo, fins, granuleux et délicatement astringents. À cela s'ajoutent des accents de terre et de cerise acidulée, qui se livrent avec retenue. Son intensité contenue, son équilibre d'ensemble et sa finale complexe sont gages d'un bel avenir. À laisser reposer jusqu'en 2023-2025.

10816775   59,75$ ★★★★ ②

PRINCIPIANO FERDINANDO
Barolo 2015, Del Comune di Serralunga d'Alba

Cette cuvée est composée des jeunes vignes du domaine, à Serralunga d'Alba. Une interprétation mûre, étonnamment accessible du vin de Barolo. Bouche ample, quasi sucrée tant le fruit est concentré et généreux ; plutôt rassasiant par sa mâche dodue et sa finale compacte. Rien de grand, mais un bon barolo qu'on pourra boire au cours des quatre à six prochaines années.

11387301   46,75$ ★★★→? ③

PRODUTTORI DEL BARBARESCO
Barbaresco 2015

Cette cave fondée en 1958 est l'une des coopératives les plus dynamiques d'Italie et demeure une excellente adresse où trouver des vins piémontais de facture classique, à prix abordables. Le barbaresco «tout court» du domaine est un archétype de son appellation. Un an plus tard, le 2015 est toujours dans une grande forme. Beaucoup de fruit à l'ouverture, de la jeunesse, tant en saveurs qu'en texture. Le vin était cependant à son meilleur le lendemain : plus près de la terre, avec des parfums de sous-bois, d'herbes séchées et de bolets. Un rapport qualité-prix-plaisir hors pair.

12558909   41,10$ ★★★★ ②

TERRE DEL BAROLO
Barolo 2013

Ensemble, les membres de cette cave coopérative fondée en 1958 à Castiglione Falletto cultivent la vigne sur plus de 650 hectares, à travers les 11 communes de l'appellation Barolo. Disponible pour la première fois à la SAQ et vendu sous la barre des 30 $, ce 2013 est sobre, mais fidèle à ses origines. L'attaque en bouche est plutôt souple, mais la finale est serrée, très typée du nebbiolo. Joli registre aromatique, entre la rose, la terre et les cerises séchées. À boire d'ici 2023.

14027061   29,95$ ★★★ ②

FONTANAFREDDA

Langhe Nebbiolo 2017

Nez attrayant de cerise, d'herbes et de terre humide. Assez gourmand en bouche aussi, avec un grain rond et mûr, bien serré en finale. Simple, mais honnête et très bien fait.

13553392   18,60$ ★★★ ②

RATTI, RENATO

Langhe Nebbiolo 2016, Ochetti

Vigneron autodidacte, historien local et auteur de la *Carta del Barolo* (1976), Renato Ratti fut l'un des grands promoteurs des vins piémontais. Depuis son décès en 1988, son fils Pietro s'occupe du domaine de La Morra et continue de façonner les vins selon la «recette familiale». En 2016, il signe un nebbiolo de facture résolument moderne par sa matière fruitée croquante et généreuse, qui enrobe les angles tanniques caractéristiques du cépage. À boire au cours des deux ou trois prochaines années pour profiter pleinement de ses bons goûts de cerise noire.

13337083   25,65$ ★★★ ½ ②

SANDRONE, LUCIANO

Nebbiolo d'Alba 2017, Valmaggiore

Le vignoble de Valmaggiore (66 hectares – pente de 65%, en amphithéâtre) est situé dans l'un des rares secteurs de Roero (plutôt réputé pour ses blancs) propices à la culture de nebbiolo, grâce à des sols sableux très filtrants. Ce nebbiolo, qui complète ses «malos» en fûts de chêne de 500 litres, où il est ensuite élevé pendant 12 mois, est tout le contraire du rouge d'apéro. Cela dit, le 2017 m'étonne par son caractère accessible, malgré son très jeune âge. Les tanins sont fermes et bien sentis en fin de bouche, mais l'attaque est ample, pleine et généreuse, sans dureté. Déjà savoureux, il sera à son meilleur vers 2023-2025.

12042582   41,50$ ★★★→★ ③

TRAVAGLINI
Gattinara 2015

Cette cave fondée dans les années 1920 est un pilier de Gattinara, une appellation du nord du Piémont. L'arrière-petite-fille du fondateur, Cinzia Travaglini, signe un très bon nebbiolo qui puise dans les sols volcaniques de la région, une sève singulière. La couleur est pâle, les tanins sont fermes et le fruit joue en retrait, sans que le vin ne paraisse sec ou décharné. À apprécier à table, avec un braisé d'automne.

10839694   30,75$ ★★★ ②

VAJRA, G.D.
Langhe Nebbiolo 2017

Nez affriolant de fruits rouges acidulés, de réglisse, de cerise confite et de fleurs séchées. Beaucoup de fraîcheur et une mâche tannique bien serrée, qui se déploie alors que le vin s'ouvre dans le verre, des saveurs de thé, de tabac et d'herbes séchées. Les habitués y retrouveront le même profil que par le passé, mais en plus concentré. Remercions la nature généreuse de 2017…

13432671   30,25$ ★★★★ ② ♥

BORGOGNO
Langhe Rosso 2017, Pinin

En 2008, l'homme d'affaire Oscar Farinetti (propriétaire des supermarchés de luxe Eataly) s'est offert Fontanafredda et Borgogno. Cet assemblage de dolcetto (70%) et de freisa donne un vin de couleur pâle, aux reflets orangés, dont le nez gorgé de fruit contraste avec sa bouche stricte, presque dépourvue de fruit. Droit, léger et vigoureux. À boire à table, avec un risotto aux champignons.

14102403   19,95$ ★★★ ②

FONTANAFREDDA
Barbera d'Alba 2017, Raimonda

Plutôt que d'avoir souffert des excès de chaleur de l'été 2017, cette barbera semble en avoir bénéficié. Sans dire que le vin est radicalement différent du 2016, celui-ci arbore une chair fruitée pleine et gourmande qui saura plaire, mais son grain tannique serré encadre et harmonise le tout.

11905606   15,85$ ★★★ ① ♥

GRASSO, SILVIO
Dolcetto 2016, Langhe

S'il se montre sous un jour un peu animal à l'ouverture, ce dolcetto commenté l'an dernier dans *Le guide du vin* n'avait rien perdu de sa «buvabilité» et de sa franchise en août 2019. Un peu plus sévère, un peu moins affriolant, mais tout aussi frais en bouche, avec une attaque vigoureuse. L'idéal serait de l'ouvrir en milieu d'après-midi et de l'aérer une ou deux heures en carafe, pour mieux l'apprécier au souper.

12062081   20,45$ ★★★★ ③ ♥ ⚗

SANDRONE, LUCIANO
Barbera d'Alba 2017

Même si son nez est très charmeur avec ses arômes de fruits noirs et de romarin, le plaisir de ce vin en est un de texture. Les transformations malolactiques et l'élevage en barriques de 500 litres ont permis aux tanins nerveux de la barbera de s'assouplir en un tissu ample, suave et velouté. Les arômes fruités se fondent aux notes d'épices, de cèdre et de café, et persistent en finale. Encore jeune, il gagnera en nuances d'ici 2024.

13622263   38,25$ ★★★→★ ③

SANDRONE, LUCIANO
Dolcetto d'Alba 2017

Les dolcetto et barbera de la famille Sandrone sont toujours un cran plus solides que la moyenne ; passablement extraits, parfois sévères en jeunesse. En 2017, on trouve le style habituel, mais la générosité du millésime apporte une abondance de fruit qui fait contrepoids à la charpente tannique. Plein et structuré, avec un bon équilibre entre les éléments. À boire sans se presser d'ici 2025.

10456440   25,35$ ★★★ ½ ②

8 022534 517757

VAJRA, G.D.
Barbera d'Alba 2017

Le domaine de la famille Vajra s'est développé lentement, mais sûrement, augmentant sa production au fil des ans, sans jamais sacrifier la qualité. La gamme de vins dégustés cette année est impeccable. Cette barbera séduit d'entrée de jeu par sa texture veloutée, par sa densité et par une certaine chaleur ressentie (15,5 % d'alcool) ; une acidité vive fait contrepoids, sans toutefois faire corps, pour le moment. Tout y est et le vin est déjà savoureux, mais quelques années de repos aideront les éléments à se fondre ensemble. À revoir vers 2022-2024.

13112167   29$ ★★★→★ ③

8 026720 113228

VAJRA, G.D.
Dolcetto 2017

On reconnaît d'abord les cuvées de la famille Vaira à leurs jolies étiquettes, dessinées pour la plupart par Gianni Gallo, un artiste des Langhe dans la région du Piémont, mais on les apprécie (et on y revient) surtout pour la qualité des vins et pour leur caractère authentique. Leur dolcetto 2017 est gourmand, bourré de fruit et plus concentré que d'habitude, mais on a réussi à préserver l'acidité naturelle du dolcetto et l'équilibre du vin est impeccable. Beaucoup de plaisir dans le verre !

13553413   24,45$ ★★★★ ② ♥

8 026720 114225

VAJRA, G.D.
Langhe Rosso 2017

S'il est un peu moins complexe et structuré que le dolcetto, le Rosso compense par son énergie et sa vitalité. Déjà ouvert et accessible, animé d'un léger reste de gaz et de bons goûts de petits fruits rouges. Longueur digne de mention pour l'appellation. Si frais et affriolant qu'on pourra même le boire à l'apéro, avec une assiette de charcuteries ou des *antipasti* italiens.

12464953   23,20$ ★★★★ ② ♥

8 026720 115321

BERA

Arcese 2017, Vina da Tavola

Certains vins requièrent plus d'effort et de réflexion que d'autres. Souvent, ces efforts sont
récompensés. J'ai bien dû passer quelques
jours avant de comprendre celui-ci. Plutôt qu'un
vin de terroir, on a ici un vin d'auteur, à aborder
avec les papilles et l'esprit ouverts. Les cépages
arneis, cortese, sauvignon blanc, favorita et
vermentino sont complantés, récoltés ensemble, puis égrappés, pressés et fermentés
ensemble, sans ajout de soufre ni de levure.
Le résultat dans le verre est unique… «Électrisant, comme un *party*
dans la bouche», a écrit Marie-Michèle. Hyper expressif, parfumé, avec
une tenue qui s'apparente à celle d'un rouge léger et une présence importante de gaz carbonique. Prévoyez une longue aération en carafe ou,
encore mieux, offrez-vous le luxe du temps et buvez
sur quelques jours.

14039301   29,40$ ☆☆☆☆ ② ⏃

BIDOLI

Friulano 2017, Friuli Grave

L'appellation Friuli Grave repose essentiellement sur des terroirs de plaine
et donne rarement de grands vins blancs. Celui-ci n'a rien de complexe,
mais à prix doux, il offre toute la fraîcheur et la légèreté recherchées dans
un blanc du nord de l'Italie, avec une pointe minérale,
en prime.

13890439   16,35$ ☆☆☆ ① ♥   En primeur

RIVERA, ARNALDO

Nascetta del Comune di Novello 2017, Langhe

Les vins hauts de gamme de Terre del Barolo sont commercialisés sous
l'étiquette Arnaldo Rivera, nom du fondateur de cette importante cave
piémontaise. Ce vin blanc mise sur l'originalité du nascetta, un cépage
piémontais qui était en voie de disparition au milieu des années 1900,
mais qui connaît un certain regain d'intérêt grâce aux efforts de
quelques vignerons, comme Elvio Cogno. Celui-ci provient de la commune de Novello, notamment d'une parcelle plantée en 1963 sur le cru
Ravera. L'élevage sur lies a été conduit en cuves inox, pour préserver
l'intégrité du fruit. Un blanc singulier, aux parfums soutenus de cire
d'abeille, de pomme et de fleurs. Le fruit s'exprime davantage en bouche :
mûr, frais et élégant. Tenue digne de mention et
amertume noble qui tirent les arômes en finale.
Très belle découverte!

14027079   29$ ☆☆☆☆ ② ♥

RUSSIZ SUPERIORE
Col Disôre 2015, Bianco, Collio, Marco Felluga

Le Col Disôre est le porte-drapeau de la famille Felluga. Un vin blanc ambitieux, issu d'un assemblage de pinot blanc, de friulano, de sauvignon blanc et de ribolla gialla, dont une petite proportion est cueillie en surmaturité. Le goût dans le verre est à des lieues des blancs frais et cristallins qui ont la cote en ce moment, mais le vin n'en est pas moins agréable. Un blanc tout droit sorti d'une autre époque, auquel le bois confère des parfums de caramel au beurre, de sucre brun, de banane flambée, ainsi qu'une importante vinosité. Mon conseil serait de le laisser mûrir en cave jusqu'en 2025, le temps que le terroir reprenne ses droits.

En primeur

14171724 55$ ☆☆☆→☆ ③

RUSSIZ SUPERIORE
Friulano 2017, Marco Felluga, Collio

Aujourd'hui âgé de 92 ans, Marco Felluga a contribué sans relâche à l'essor et à la reconnaissance du vignoble de Collio. Ce friulano, produit par son fils Roberto, est à la hauteur de la réputation du domaine. Un vin blanc mûr qu'on appréciera pour sa texture et sa tenue en bouche, plus que pour ses arômes. Le caractère parfois végétal du friulano transparaît d'ailleurs à peine dans ce 2017, sinon une légère pointe de sauge et de thé vert en finale. Un vin de terroir, assurément, qui gagnera à être aéré une heure avant le service. Excellent!

14171732 37,50$ ☆☆☆☆ ② ⌂

VAJRA, GD
Langhe bianco 2016, Dragon, Luigi Baudana

La famille Vaira a racheté le domaine de Luigi Baudana en 2009. Cette cuvée, comme le mentionne la contre-étiquette, rend hommage à Gianni Gallo, l'artiste piémontais derrière les jolies étiquettes de la maison Vajra, dont celle-ci. Le profil aromatique des cépages chardonnay, sauvignon blanc, riesling renano et nascetta, semble s'effacer au profit du terroir. Sec et nerveux, avec une pointe de gaz; délicatement parfumé, assez gras et souligné d'une fine amertume qui fait saliver et qui donne envie d'un autre verre. Servir frais, mais pas froid, autour de 12 °C.

11952066 22,50$ ☆☆☆☆ ② ♥

AMBO NERO

Pinot noir 2018, Provincia di Pavia

Sauf erreur, c'était la première fois que je goûtais ce pinot noir de Lombardie. Une heureuse surprise puisque les pinots de qualité à moins de 15$ se font rares. Les parfums fruités sont très frais, la bouche est tendue, les tanins sont bien vigoureux et mettent en relief les goûts de cerise noire. À ce prix, on achète sans hésiter.

13487161   14,95$ ★★★ ① ♥

FORADORI

Teroldego 2016, Vigneti delle Dolomiti

FORADORI

Elisabetta Foradori est à l'origine de la renaissance du cépage teroldego, dans les collines du Trentin. Le vignoble est conduit selon les principes de la biodynamie depuis 2002. Son teroldego 2016, décoré d'une Grappe d'or l'an dernier, traversait une phase un peu ingrate lorsque goûté de nouveau en août 2019. Au point de paraître un peu sévère. Les saveurs sont compactes et profondes, mais elles se dessinent avec retenue, portées en bouche par des tanins tout aussi denses, qui ne semblent pas près de se délier. Au quatrième jour, le fruit commençait à peine à se montrer le bout du nez... Complexe et taillé pour une longue garde. Soyez patient !

13568560   32,50$ ★★★★ ③

MACULAN

Breganze 2017, Pinot nero

C'est sans doute une vue de l'esprit, mais ce pinot noir me donne l'impression d'un cabernet franc en 2017, avec ses accents subtils, mais présents, de poivron rouge grillé. Le fruit se manifeste davantage en bouche, avec des notes de fraise compotée et de cerise fraîche, sur un fond de fumée et de terreau. Les tanins sont soyeux, tissés serrés. Singulier, mais agréable.

11580987   19,70$ ★★★ ②

MACULAN
Brentino 2016, Rosso Veneto

J'avais perdu de vue le Brentino de la famille Maculan depuis quelques millésimes et j'ai retrouvé dans ce 2016 la même élégance classique et les saveurs sobres, mais précises, qui ont fait le succès de cet assemblage de merlot et de cabernet sauvignon. Les tanins sont polis et soyeux et les saveurs concentrées de poivrons rouges grillés et de terre humide, soulignées d'une pointe saline, donnent envie de passer à table pour savourer une viande de chasse (ou des aubergines grillées, assaisonnées d'épices à bifteck de Montréal, pour les végétariens).

10705021   19,65$ ★★★★ ② ♥

MEZZACORONA
Pinot noir 2016, Vigneti delle Dolomiti

La force de Mezzacorona réside dans la production de bons vins rouges et blancs abordables, comme ce pinot noir. Avant tout une expression simple, facile et fruitée du cépage bourguignon; couleur pâle, parfums de fraise cuite et légers accents d'oxydation. L'amateur de rouge léger y trouvera son compte pour pas cher.

10780311   14,55$ ★★★ ②

MEZZACORONA
Teroldego Rotaliano Reserva 2015

Ce teroldego a été élevé pendant 12 mois en fûts de chêne de l'Allier et du Tronçais, dans le centre de la France. L'élevage nourrit la matière en bouche, particulièrement mûre en 2015, mais il couvre aussi le fruit de parfums vanillés. En goûtant ce Reserva, je ne pouvais m'empêcher de regretter le simple teroldego (moins cher), autrefois disponible à la SAQ...

964593   17,70$ ★★ ½ ②

ANSELMI
San Vincenzo 2018, Veneto

Roberto Anselmi a abandonné l'appellation Soave en 2000. L'ensemble de sa production, y compris le Foscarino, est désormais commercialisée sous la dénomination Veneto. La cuvée San Vincenzo s'éloigne chaque année un peu plus du profil d'un soave, au profit d'un style plus international. Le 2018 embaume le pamplemousse et le buis, rappelant la présence de sauvignon blanc dans l'assemblage. Les goûts d'agrumes l'emportent aussi en bouche, mais le vin est somme toute harmonieux et il fait preuve d'une tenue appréciable pour le prix.

585422   16,85$ ☆☆☆ ① ♥

CAMERANI, MARINELLA
Soave 2017, Adalia, Singan Cantare

Marinella Camerani est surtout connue pour ses superbes valpolicella, amarone et soave, vendus sous l'étiquette Corte Sant'Alda. Adalia est le nom du nouveau vignoble de 5 hectares qu'elle gère avec sa fille aînée, de l'autre côté de la vallée. Les vignes d'Adalia sont conduites en pergola et les rendements sont un peu plus élevés, ce qui leur permet de mettre en marché des vins plus accessibles. Délicat au nez, mais hyper vibrant en bouche, le 2017 est l'exemple même du soave léger et minéral dont on ne cesse d'avoir soif. Pas spécialement complexe, mais salin, digeste et couronné d'une amertume fine. Une étiquette à retenir!

13986008   23,50$ ☆☆☆☆ ② ♥

CAMPAGNOLA
Chardonnay 2018, Veneto

Difficile de trouver sur le marché un chardonnay plus accessible, tant par son style que par son prix. Du gras, une chair fruitée mûre, pas de bois et un bel équilibre. Cette année encore, c'est une valeur sûre.

12382851   12,95$ ☆☆☆ ① ♥

CA' RUGATE
Soave Classico 2017, San Michele

Sans être le plus complexe des vins de Soave sur le marché, ce 2017 offre une texture assez nourrie en bouche, du fruit, et des parfums d'amande fraîche. Il s'avère satisfaisant, dans sa catégorie.

14112901   18,25$ ☆☆☆ ①

FILIPPI

Soave 2017, Castelcerino

Ce vin blanc issu de vignes de 80 ans, conduites en pergola et en agriculture biologique, sur les sols volcaniques de Castelcerino, est non filtré et vinifié avec un minimum de soufre. Le 2017 goûte la poire hyper mûre, le miel de trèfle et la cire d'abeille. Il repose sur une texture riche, à laquelle une pointe de gaz apporte une certaine légèreté et un profil presque aérien. Du volume, de la matière, peut-être un peu moins de définition aromatique pour le moment, mais beaucoup de plaisir dans le verre… et à table!

12129119   24,25$ ☆☆☆☆ ② 💬

INAMA

Soave Classico 2018

Le soave d'entrée de gamme de la famille Inama est modeste, mais constant. Des arômes de citron et de lime, soutenus par une acidité vive, avec des accents verts, qui rappellent la menthe et les amandes fraîches. Sec et désaltérant.

908004   20,20$ ☆☆☆ ①

PERLAGE

Pinot grigio delle Venezie 2018, Terra Viva

Les amateurs de pinot grigio voudront retenir ce vin bio, relativement nouveau sur le marché. Sans révolutionner le genre, il se distingue, dans un océan de pinot grigio minces et insipides, par ses saveurs nettes et délicates de fruits blancs, d'herbes et d'écorce d'agrumes. Frais, léger, «sans prise de tête», comme disent les Français. Parfait pour les apéros qui débutent en après-midi.

13710811   15,90$ ☆☆☆ ① ♥ 💬

PRÀ

Soave Classico 2018, Otto

La famille Prà fait partie d'un noyau de vignerons dédiés à l'élaboration de vins sérieux dans l'appellation Soave. Les vignes qui composent leurs cuvées d'entrée de gamme à la SAQ ont entre 30 et 60 ans, et sont cultivées à une moyenne de 200 m d'altitude, sur les sols volcaniques de Monteforte d'Alpone. Le nez du 2018 est plutôt discret, mais la bouche est pimpante de jeunesse et de fraîcheur. Le vin présente un reste de gaz qui n'affecte en rien sa qualité. Si toutefois cela vous gêne, vous n'avez qu'à le verser en carafe et à le remuer énergiquement pendant une ou deux minutes. Une valeur sûre dont on devrait faire provision pour la saison des huîtres.

11587134   19,80$ ☆☆☆ ½ ② ♥

CAMPAGNOLA

Valpolicella Classico 2018, Le Bine

L'entreprise de la famille Campagnola produit annuellement cinq millions de bouteilles d'une qualité constante. Des notes de menthe et de sauge ajoutent une touche de fraîcheur au fruit généreux de leur valpolicella classico. Charnu, nerveux, parfait pour une pizza aux champignons.

13425930 17,75$ ★★★ ②

CESARI, GERARDO

Corvina Veronese 2015

La corvina en mode sérieux et ambitieux, concentrée par une légère déshydratation des raisins et bien servie par un élevage en fûts de chêne. L'attaque est pleine et savoureuse, le vin tapisse la bouche d'une matière ronde (6,1 g/l), onctueuse et riche en goûts fruités, sans lourdeur. À table, misez sur des plats riches, comme un jarret d'agneau aux oignons caramélisés.

12469316 31,75$ ★★★ ②

MASI

Brolo Campofiorin Oro 2015, Rosso Verona

Mariage de corvina, de rondinella et d'oseleta (un cépage réhabilité dans les années 1970 et popularisé par Masi), mis à déshydrater comme les raisins de l'amarone, mais moins longtemps, puis élevés en fûts de chêne. On a manifestement pris soin de ne pas avoir la main trop forte lors de cette dernière étape, puisque la trame aromatique de ce 2015 est très distinguée, ponctuée de cuir et de graines de fenouil, sur un fond généreux de fruits noirs. Un cru velouté en attaque, charnu en milieu de bouche et un peu anguleux en finale, en raison d'une acidité prononcée, qui devrait se fondre d'ici un an ou deux. Belle réussite dans un style classique.

11836364 25,95$ ★★★ ½ ②

PRÀ

Valpolicella 2017, Morandina

Si vous êtes séduit par la sobriété et la finesse des soave de Prà, vous apprécierez tout autant leur délicieux rouge de la Valpolicella. Un an plus tard, ce 2017 commenté dans la dernière édition du *Guide* n'a toujours rien perdu de son éclat. Une interprétation très digeste de cette spécialité véronaise, misant à fond sur la jeunesse du fruit ; frais, croquant et tout simplement délicieux. Léger en texture et en alcool (12,5 %) et pourtant si riche en nuances de poivre, d'épices douces, de pivoine et de petits fruits acidulés. Preuve qu'on n'a pas besoin d'en faire trop, pour faire mieux. Un nouvel arrivage est prévu cet automne.

12131964   23,45$ ★★★★ ② ♥ 🗨

SANTI

Valpolicella Superiore 2015, Ventale

J'ai rarement été impressionnée par les vins de cette maison, mais celui-ci ne manque pas de me charmer par son style classique, par ses parfums et par sa texture fine mais compacte en finale. Très expressif et couronné d'une agréable amertume qui accentue la perception de minéralité.

13942902   24$ ★★★ ½ ② ♥

SPERI

Valpolicella Classico 2018

Le vignoble de ce domaine familial est certifié biologique depuis 2015. Leur 2018 offre une version pleine et concentrée du terroir de Valpolicella, avec une attaque en bouche succulente de framboise et de fruits noirs, entrecoupés de notes de poivre, d'anis et de fleurs. L'acidité et la structure tannique permettent au vin de conserver un bon équilibre. Déjà savoureux, quoique très jeune. Il pourrait révéler encore d'agréables surprises d'ici 2023.

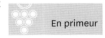

En primeur

14199938   20,95$ ★★★ ½ ② ♥ 🗨

CESARI, GERARDO
Valpolicella Ripasso Superiore 2016, Bosan

Encore assez jeune. Le fruit est exubérant, mêlant les cerises séchées et la confiture de cerise, à des fruits rouges frais et acidulés. Un grain tannique quelque peu nerveux l'empêche de verser dans la lourdeur, comme tant de ripasso à saveur commerciale sur le marché. Finale épicée, longueur appréciable. À boire jusqu'en 2023.

11355886   32,35$ ★★★ ②

MASI
Amarone della Valpolicella Classico 2013, Costasera

Pour élaborer l'amarone, on étale les grappes fraîchement cueillies des raisins corvina, rondinella et molinara sur de larges treillis, qu'on empile ensuite dans une grande pièce aérée afin que les baies se dessèchent graduellement et perdent jusqu'à 40% de leur poids. Par définition, l'amarone abordable ne peut pas et ne devrait pas exister. J'en suis un peu plus convaincue chaque année, lorsque je déguste les quelques spécimens vendus sous la barre des 40$ à la SAQ. Bien que modeste, le Costasera de Masi mérite une mention spéciale pour sa constance et son profil toujours harmonieux. Des effluves de fruits frais et de fruits confits, un grain tannique mûr et soyeux, doté d'une certaine vigueur, et surtout, surtout, aucune lourdeur ni maquillage vanillé. En toute justice, un très bon amarone d'entrée de gamme.

317057   41,85$ ★★★ ②

NICOLIS
Valpolicella Ripasso Classico Superiore 2016, Seccal

Le nez, entre la prune et le pruneau séché, annonce un ripasso déjà ouvert. En bouche, on trouve les mêmes goûts de pruneau, ponctués de notes fumées qui rappellent les champignons séchés. Ses tanins assez fermes sont accentués par une acidité vive, ce qui n'est pas un défaut puisque ça lui donne du mordant. Bon maintenant et pour au moins les trois ou quatre prochaines années.

11027807   25,25$ ★★★ ②

SPERI

Amarone della Valpolicella Classico 2015, Vigneto Monte Sant'Urbano

La famille Speri a converti la totalité de son vignoble à l'agriculture biologique il y a quelques années. Cet amarone, que je goûtais pour la première fois cet été, est issu d'une seule parcelle située à 300 m d'altitude et orientée vers le nord. Ces deux détails conjugués expliquent peut-être en partie la vigueur et le tonus de ce 2015. Au nez, une légère acidité volatile rehausse les parfums de fruits confits. La bouche est pleine, gorgée de saveurs et encadrée d'une charpente tannique solide, qui ajoute à sa prestance. Encore plein de jeunesse et de vigueur. On peut le laisser reposer jusqu'à la prochaine décennie.

 En primeur

74 $ ★★★★→? ③ 💬

TEDESCHI

Amarone della Valpolicella 2015, Marne 180

Les amarone 2015 commencent à peine à faire leur entrée sur le marché, mais déjà, on annonce un excellent millésime de garde. Celui de Tedeschi déroule en bouche des goûts de crème de cassis, de kirsch et de menthol, qui rappellent un peu le sirop contre la toux. Riche, capiteux, soutenu par des tanins gommeux; beaucoup de volume et une sucrosité perceptible. Aucun doute, il a besoin de temps.

8 019171 000070

522763   41,60 $ ★★★→? ③

TEDESCHI

Valpolicella Ripasso Superiore 2016, Capitel San Rocco

J'ai peu d'affinités avec le style ripasso, un procédé qui consiste à faire refermenter le valpolicella sur des lies d'amarone. Chaque année par contre, je retrouve avec plaisir celui de Tedeschi. Le 2016 embaume la confiture de fruits noirs et le cuir. La bouche est riche et regorge de saveurs intenses de menthe, de kirsch et de cassis, empruntant aussi à ce dernier ce caractère acidulé qui pince les joues et qui fait saliver. Finale compacte et rassasiante. À boire sans se presser au cours des cinq à sept prochaines années.

8 019171 000056

972216   21 $ ★★★★ ② ♥

BORGO SCOPETO
Chianti Classico 2016

Un bon chianti d'envergure moyenne, dans lequel le sangiovese s'exprime avec retenue et une certaine fermeté. Les tanins sont serrés et le fruit est présent sur un fond tomaté, avec des accents de cuir et de fleurs séchées. Pas spécialement long, mais réussi dans l'ensemble.

13460647   18,70$ ★★★ ② ♥

CARPINETA FONTALPINO
Chianti Classico 2016

En plus d'un délicieux vin produit dans les Colli Senesi, Gioia et Filippo Cresti signent un chianti classico on ne peut plus séduisant avec son nez de cerise noire. En bouche, un tissu tannique de très belle qualité, une attaque mûre, mais aussi une touche acidulée qui titille le creux des joues et qui ouvre la porte à de beaux accords à table. Déjà très agréable et je ne serais pas surprise qu'il continue de se bonifier jusqu'en 2023.

10969747   25,95$ ★★★→★ ② ♥ 🍷

MAZZEI
Chianti Classico 2016, Fonterutoli

Le chianti classico «tout court» de Mazzei profite d'un élevage de 12 mois en fûts de chêne français de 225 litres, neufs à 40%. Il n'est donc pas étonnant de trouver dans ce vin encore jeune des parfums boisés qui évoquent la torréfaction et le tabac. Un sangiovese musclé, plein et chaleureux, très bien exécuté dans un style moderne. À boire idéalement entre 2020 et 2024.

856484   23,95$ ★★★ ½ ②

RICASOLI
Chianti Classico 2017, Brolio

Ce vin produit à très grand volume (800 000 bouteilles par an) est un exemple modeste, mais constant, de chianti classico. Bouquet discret, bouche mûre, compacte, riche en goûts de fruits et d'épices. Correct, mais il manque un peu de longueur et de chair pour valoir pleinement son prix cette année.

3962   23,55$ ★★ ½ ②

SAN FELICE
Chianti Classico 2017

Bien qu'il soit issu d'un millésime difficile en Toscane, où la canicule a été suivie d'une vague de froid et de pluie, ce 2017 n'en demeure pas moins un bel exemple de chianti de forme classique. Peut-être pas le plus généreux des dernières années, mais digeste et tout à fait agréable à table avec des pâtes aux tomates.

245241   19,15$ ★★★ ①

TENUTA DI RENIERI
Chianti Classico 2015

Attention de ne pas confondre avec Rinieri «tout court», l'autre propriété de la famille Bacci, située à Montalcino. Les vignobles de la Tenuta di Rinieri sont situés dans la commune de Castelnuovo Berardenga, tout au sud de la zone Chianti Classico. On y a produit un 2015 particulièrement concentré, fruit d'un millésime de très belle qualité, mais de faibles rendements. Un nez frais et délicat de fleurs et d'herbes annonce un vin élégant en bouche, posé sur une trame veloutée, qui porte les saveurs tout en longueur. Savoureux et harmonieux.

13387136   22,80$ ★★★★ ② ♥

VOLPAIA
Chianti Classico 2016

Chaque année j'essaie de contenir mon enthousiasme en dégustant les vins de la famille Mascheroni Stanti, en vain. Impossible de résister à son nez compact, très typé du sangiovese, avec des odeurs de tannerie et de cerise noire, ni à sa bouche vibrante, pleine et élégante, qui égrène la cerise confite, la rose séchée et le fenouil. Beaucoup de relief, juste ce qu'il faut d'angles tanniques pour maintenir la tension en bouche et une longue finale vaporeuse. Une superbe expression du terroir de Radda in Chianti.

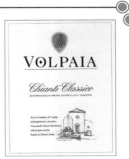

10858262   27,75$ ★★★★ ½ ② ♥

BORGO SCOPETO

Chianti Classico Riserva 2015, Vigna Misciano

Ce domaine situé tout au sud de l'appellation Chianti Classico appartient à Tenuta Caparzo (à Montalcino). Bon chianti riserva de facture conventionnelle. Le fruit joue en sourdine, les tanins sont droits et compacts, mais assez soyeux. Tenue appréciable, à défaut de longueur.

10560351 28,95$ ★★★ ②

BRANCAIA

Chianti Classico Riserva 2014

Ce vin est l'archétype du chianti moderne, au bon sens du terme. On note un début d'évolution au nez, mais la bouche ne montre aucun signe de fatigue. La droiture du sangiovese est enrobée d'une chair fruitée mûre et des notes fumées rappellent les bolets séchés. Très bon chianti riserva déjà agréable à boire, mais qui tiendra la route sans problème jusqu'en 2024.

10431091 37,50$ ★★★ ½ ② ▼

CASTELLO DI QUERCETO

Chianti Classico Riserva 2015

La famille François signe un très bon rouge de facture classique dans la commune de Greve in Chianti. Même s'il affiche la fermeté caractéristique du millésime, ce 2015 n'accuse aucune lourdeur ni excès de maturité. Au contraire, le vin se distingue plutôt par sa vitalité et par ses tanins encore nerveux et pleins de jeunesse. Peu de fruit, mais un registre de saveurs complexes de cuir, de sapinage, de mine de crayon et d'herbes séchées. Séveux, solide et bâti pour tenir la route jusqu'en 2025, au moins.

13466176 30,25$ ★★★ →★ ③

MAZZEI
Chianti Classico Riserva 2016, Ser Lapo

Un riserva vendu sous la barre des 25$ devrait commander peu d'attentes. Pourtant, sans avoir la complexité des meilleurs vins de l'appellation sur le marché, ce 2016 ne manque pas d'étoffe. La bouche est tissée de tanins serrés et vigoureux, assez caractéristiques du sangiovese, et déploie des saveurs précises de fruits noirs et de cuir, auxquelles une pointe de menthe apporte une agréable fraîcheur aromatique. Assez représentatif de la qualité générale du millésime 2016 en Toscane.

13485959   22,95$ ★★★ ½ ② ♥

RICASOLI
Chianti Classico Riserva 2016, Rocca Guicciarda

La vaste propriété (1400 hectares) des barons Ricasoli est le berceau historique du chianti. Le domaine a été repris par Francesco Ricasoli en 1993 après une vingtaine d'années de production industrielle sous l'empire Seagram. Très toscan, très typé sangiovese par ses odeurs de cuir et par sa structure classique, moins affriolante que celle des cuvées modernes, mais qui procure du plaisir à table. Longueur et envergure moyennes. À boire entre 2020 et 2023.

10253440   24,35$ ★★★ ②

SAN FELICE
Chianti Classico Riserva 2015, Il Grigio da San Felice

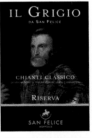

Si vous aimez le profil classique du sangiovese de Toscane, vous ne serez certainement pas déçu par la densité et la plénitude de celui-ci. D'autant plus que le 2015 semble avoir profité des largesses d'un été chaud, sans verser dans les excès capiteux. Un vin très digeste, juste assez corsé et long en bouche. L'exemple même du rouge qui prend toute sa valeur à table.

703363   26,85$ ★★★★ ② ♥

BANFI

Brunello di Montalcino 2013

Banfi est sans conteste un géant de Montalcino, ne serait-ce que par la taille de son vignoble, qui couvre 100 hectares, tout au sud de l'appellation. Le 2013, élaboré par le regretté Rudi Burrati, était encore dans une grande forme lorsque goûté l'automne dernier. Une matière fruitée intense et concentrée, gorgée de goûts de cerises acidulées, sur fond de cuir et de fleurs séchées. Une fermeté tannique, sans dureté et une longue finale éthérée. On pourra envisager de le boire entre 2024 et 2026.

10268596 54,75$ ★★★→★ ③

BARBI, FATTORIA DEI

Brunello di Montalcino 2013

Dans le même esprit que le vin commenté précédemment, ce 2013 semble sorti d'une autre époque avec ses senteurs de sous-bois, de terre humide et de tannerie. Les tanins sont fondus par cinq ans d'élevage, mais encore nerveux et vigoureux. Un très bon vin doté de cet équilibre classique des meilleurs vins d'Italie et qui a tout le tonus pour vivre plusieurs années. À boire entre 2020 et 2023.

11213343 48,60$ ★★★ ½ ②

CAPARZO

Brunello di Montalcino 2014

Toujours un peu plus souple et accessible en jeunesse que d'autres vins de l'appellation, le brunello de Caparzo est à l'image d'un millésime ardu à Montalcino en 2014. Les parfums de cuir et de fruits séchés côtoient la cerise confite et la confiture de bleuet. Le vin offre une concentration appréciable, avec des tanins gommeux et une finale fumée. Satisfaisant, dans le contexte du millésime.

10270178 49,75$ ★★★ ②

CAPARZO

Brunello di Montalcino Riserva 2013

Ce Riserva fait preuve d'une concentration plutôt impressionnante pour un 2013. On note une certaine rondeur en attaque et en milieu de bouche, mais le vin s'impose surtout par la densité et la fermeté de sa charge tannique qui en mène large et qui laisse en finale une sensation générale un peu austère, avec des tanins durs et asséchants. Quelques années de repos en cave lui feront le plus grand bien.

859892 87,25$ ★★★→? ③

LE RAGNAIE
Brunello di Montalcino 2013

Le brunello «tout court» de Riccardo Campinoti traduit à merveille l'esprit du millésime 2013 et il plaira à coup sûr à l'amateur de vin plus en retenue et en finesse, qu'en puissance. Issu en bonne partie de la parcelle de vieilles vignes de Le Ragnaie, le vin est très pur, à la fois riche en saveurs, vibrant de fraîcheur et débordant d'énergie. Tout y est, surtout le plaisir! Déjà excellent et promis à un bel avenir.

13852202   93,75$ ★★★★ ③ ▼ Ⓢ ▮

LE RAGNAIE
Brunello di Montalcino 2013, Fornace

L'altitude (400 m) conjuguée à la nature du millésime 2013 donne un vin hautement digeste. La texture est soyeuse, quoique des angles tanniques apportent beaucoup de relief en bouche, mettant en lumière ses notes d'herbes, d'orange sanguine et de cerise, qui rappellent un negroni. Du caractère, de la tenue et une longue finale vaporeuse. À boire entre 2022 et 2024.

13852211   139,75$ ★★★★ ½ ③ ▼ Ⓢ ▮

LE RAGNAIE
Brunello di Montalcino 2013, V.V.

La cuvée V.V. (pour Vigna Vecchia), provient d'un vignoble planté en 1968, à une altitude de près de 600 m. Une couleur sombre, des saveurs profondes entre la cerise, les épices et les accents d'herbes séchées, qui lui donnent des airs d'amaro. Du relief, des tanins dentelles et une excellente longueur, sans la surconcentration qui afflige tant de cuvées modernes de l'appellation. Belle bouteille à laisser dormir en cave jusqu'en 2023-2025.

13859640   145,75$ ★★★★ ½ ③ ▮

TENUTA DI SESTA
Brunello di Montalcino Riserva 2012, Duelecci Ovest

La propriété de Giovanni Ciacci, elle aussi située dans la partie sud de Montalcino, est reconnue à juste titre pour ses vins de facture classique. Malgré les excès de chaleur et la sécheresse de l'été 2012, il a produit, aidé par ses enfants, Andrea et Francesca, un Riserva d'une élégance, d'une jeunesse et d'une envergure remarquables. Une superbe qualité de tanins, du volume, du fruit, un caractère presque croquant, une mâche compacte et une longue finale fumée, ponctuée de notes sanguines. À découvrir!

14074879   94,50$ ★★★★ ③

ARGIANO
Rosso di Montalcino 2016

Ce domaine situé juste à côté de Banfi a produit un 2016 mûr, qui tapisse la langue d'une texture veloutée, dont il émane une certaine fraîcheur, grâce à des tanins serrés et granuleux. Bien tourné dans un style moderne et fruité.

10252869   26,70$ ★★★ ②

CAPARZO
Rosso di Montalcino 2017

Une expression franche, fruitée et bien mûre du sangiovese; texture souple, tanins charnus et une finale harmonieuse. Tout à fait conforme à ce que l'on peut attendre d'un bon rosso di montalcino et vendu à prix juste.

713354   18,90$ ★★★ ②

CARPINETA FONTALPINO
Chianti Colli Senesi 2018

Ce chianti produit par la famille Cresti dans les collines de Sienne, en dehors de la zone du Chianti Classico, est particulièrement savoureux en 2018. Déjà hyper attrayant avec son nez de bleuets sauvages, le vin exerce aussi son charme en bouche, où il déploie une texture à la fois pleine et soyeuse, relevée d'un éventail complexe de saveurs, entre la mine de crayon, la cerise, le poivre et la feuille de tabac. Finale vaporeuse et étonnamment longue. Si tous les 2018 sont à ce point réussis, l'amateur de sangiovese devrait se régaler dans les prochaines années…

10854085   21,40$ ★★★★ ② ♥ 💬

CASANOVA DI NERI
Rosso di Montalcino 2016

Giacomo Neri commercialise son rosso à prix ambitieux, surfant sur la popularité des brunello autant que sur sa popularité à l'international. Cela dit, le vin est impeccable, il n'y a pas de doute. Un fruit net, de la vigueur, des tanins de qualité; le tout dans de bonnes proportions. Excellent, même si je ne peux m'empêcher de penser qu'on trouve, à prix moindre, des vins aussi fins du côté de Chianti Classico.

10335226   30,25$ ★★★★ ②

COL D'ORCIA
Rosso di Montalcino 2016

Un nez complexe, superposition de cerise rouge, de cuir et de menthol, annonce un rosso sérieux et solide. La bouche s'articule autour d'un cœur tannique ferme, presque austère, sans toutefois être rustique. Beaucoup de mâche et de poigne dans ce 2016 qui reflète assez bien la nature du millésime. À apprécier à table, sans faute, de préférence avec une viande saignante, question d'assouplir ses tanins. On pourra le boire maintenant ou au cours des cinq prochaines années.

13927964 23,95$ ★★★ ½ ②

LE RAGNAIE
Troncone 2016, Toscana

La propriété très respectée de la famille Campinoti produit aussi un «super-rosso-di-montalcino». Le Troncone est issu de raisins cultivés dans la partie supérieure du vignoble de Le Ragnaie, juste en haut de l'altitude limite de 600 m qu'impose le gouvernement pour revendiquer les appellations Brunello et Rosso di Montalcino. Le nez du 2016 donne vite le ton avec ses parfums de cuir, mêlés de cerise et de menthe : on a affaire à un vin sérieux dans la plus pure tradition toscane. Solide, mais tout en fraîcheur et en longueur. Un rouge de gastronomie, parfait pour accompagner un osso bucco. Quel plaisir!

13432515 20,60$ ★★★★ ② ♥

RICASOLI
Chianti 2018

En complément à une gamme complète de vins de facture classique, produits dans la zone Classico, l'entreprise des Barons Ricasoli commercialise ce très bon sangiovese, en mode vin de soif. Du fruit à profusion et des saveurs nettes, une agréable souplesse et une impression générale croquante et rafraîchissante. Une très bonne note dans la catégorie des chianti «tout court».

13188858 15,70$ ★★★ ② ♥

SAN VALENTINO
Sangiovese Superiore 2017, Scabi, Romagna Sangiovese

Même s'il sort un peu du cadre habituel en 2017, par sa concentration et ses parfums de cacao, le Scabi est toujours aussi savoureux et agréable à boire. Plein et bourré de fruit mûr en bouche, charnu, tissé de tanins granuleux et ponctué de notes épicées qui rappellent la cannelle en fin de bouche. Un bon rouge pour les pasta al ragù. Servir autour de 16 °C.

11019831 18,40$ ★★★ ½ ② ♥

ALTESINO
Rosso Toscana 2017

Les années passent et ce vin de sangiovese (80%) garde la même signature aromatique, toujours dominée par des parfums de cassis. La bouche est simple, mais nette, joliment fruitée et assise sur des tanins droits. Un bon rouge à servir avec des pâtes aux saucisses italiennes et aux rapinis.

10969763   19,40$ ★★★ ②

CARPINETA FONTALPINO
Do Ut Des 2016, Toscana

Ce supertoscan de Gioia et Filippo Cresti repose sur un assemblage de sangiovese, de merlot et de cabernet. Habillé d'une étiquette à son image, un vin d'une grande élégance, drapé de tanins soyeux qui se glissent en bouche comme une caresse. Des parfums de cerise et de prune; un mariage harmonieux d'acidité, de structure tannique, de vigueur et de fruit. Déjà savoureux, mais très jeune encore; il devrait gagner en définition et en complexité d'ici 2023-2025.

11309054   42,25$ ★★★→★ ③ 🗨

IL PALAGIO
Message in a Bottle 2015, Toscana

Sting a acquis une propriété viticole à Figline e Incisa Valdarno, au sud-est de Florence. Cette cuvée est un clin d'œil à l'immense succès du groupe The Police, dont il était le chanteur-vedette. Un vin de facture moderne, bien en chair et en fruit, composé de sangiovese, de merlot et de syrah. Rien de remarquable, mais techniquement au point et vendu à une prix tout à fait honnête.

13547419   22,45$ ★★★ ②

LA MASSA
Toscana 2016

Le Napolitain Giampaolo Motta est installé en Toscane, dans la commune de Panzano, depuis 1992. Son vin courant est profilé dans le style moderne qui a fait la réputation de La Massa. Les saveurs de cerise noire et de confiture de bleuets se mêlent à des notes d'épices et de vanille, enveloppées dans des tanins sphériques. Intense et flatteur, à défaut de longueur et de profondeur.

10517759   28,45$ ★★★ ②

MONTESECONDO
Sangiovese 2018, Toscana

Silvio et Catalina Messana se sont installés sur la propriété familiale de Toscane en 2000, après un crochet de quelques années à New York. Silvio n'a pas tardé à convertir les vignobles plantés par son père dans les années 1970 à l'agriculture biologique. Son sangiovese est cultivé à une altitude de 300 m dans la commune de San Casciano in Val di Pesa, en banlieue de Florence, puis vinifié sans ajout de levure ni contact avec le bois et embouteillé sans filtration. Un vin de fruit et de plaisir, qui ne manque pourtant pas de matière ni de relief en bouche. Frais, croquant, très net et tout à fait dans l'esprit du vin nature.

13897574   24,45$ ★★★★ ② ♥ 💬

SASSOREGALE
Maremma Toscana 2017

Ce domaine d'une trentaine d'hectares situé dans la région côtière de Maremma, appartient au groupe Santa Margherita. Une interprétation méditerranéenne du sangiovese, avant tout rond et fruité, mais avec des accents amers et un minimum de poigne.

13690127   15,60$ ★★ ½ ①

SETTE PONTI
Crognolo 2016, Toscana

À l'est de la zone du Chianti Classico, la famille Moretti Cuseri a produit en 2016 un sangiovese mûr et de bonne concentration, qu'un élevage de 14 mois en fûts de chêne français agrémente de notes d'épices et de vanille, en plus de polir ses tanins, qui forment un tissu suave et velouté. Une expression moderne et très séduisante du sangiovese.

11915038   30,10$ ★★★ ②

VOLPAIA
Citto 2016, Toscana

Pour les soirs de semaine, un bon rouge composé essentiellement de sangiovese, avec une pointe de cabernet sauvignon, cultivés en bio sur les propriétés familiales du Chianti Classico et de Maremma, et fermentés en cuves inox pour préserver la pureté du fruit. Un vin tonique et fringant, aux senteurs d'herbes et aux saveurs juteuses de fruits rouges, dont l'acidité vous met en appétit.

En primeur

14044653   17,65$ ★★★ ½ ① ♥ 💬

AMPELEIA
Unlitro 2018, Costa Toscana

Ce vin vendu en format d'un litre, d'où le nom, s'inspire davantage de la Méditerranée que des collines du Chianti, du moins par sa composition (grenache, carignan et alicante bouschet). Le 2018 était encore dans sa prime jeunesse lorsque goûté en juillet 2019. À mi-chemin entre un vin et un jus de fruit, la sucrosité en moins, avec un nez hyper affriolant, qui évoque le gamay. L'attaque en bouche est fruitée, nerveuse, animée d'un reste de gaz. Se dessinent ensuite des notes animales plutôt *funky* qui persistent en finale et qui donnent au vin une allure rustique, mais sympathique. À boire dans la prochaine année.

14110500   26,20$ ★★★ ½ ②

ARGENTIERA
Bolgheri 2016, Poggio ai Ginepri 2016

Cet assemblage de cabernet, de merlot, de syrah et de petit verdot porte les traits d'un été chaud en Toscane. Plus solaire et gourmand que le 2015 par son profil de saveurs bien méditerranéennes, entre l'anis, le chocolat noir, la confiture de framboise et la garrigue, le fruit est encadré de tanins dodus et le vin conserve un bon équilibre d'ensemble. Très rassasiant, très réussi et accessible.

11161299   23,10$ ★★★★ ② ♥

BRANCAIA
Cabernet sauvignon 2016, Rosso Toscana

Sauf erreur, c'est la première fois que je goûtais le cabernet de Brancaia. Bien que profilé dans le style moderne habituel des crus du domaine, le vin présente aussi la droiture et l'étoffe caractéristiques du cabernet sauvignon et décline en bouche un éventail de fruits noirs, d'épices et de sapinage. Prix tout à fait honnête pour un rouge structuré. À apprécier dès maintenant avec un steak ou faire dormir en cave jusqu'en 2024.

13497298   31,50$ ★★★ ½ ②

BRANCAIA
Ilatraia 2014, Rosso Toscana

Intense, compact et bien concentré, ce 2014 s'inscrit dans l'esprit de modernité auquel nous ont habitués Barbara Widmer et son équipe, mais ne verse pas dans l'excès et demeure tout à fait digeste. Un supertoscan portant la signature aromatique des petit verdot, cabernet sauvignon et cabernet franc; droit, solide, plein en milieu de bouche et offrant une excellente longueur. Savoureux et promis à un bel avenir. Mettez-en quelques bouteilles en cave et commencez à les ouvrir vers 2024.

10483317   73,75$ ★★★★ ③

GRATTAMACCO
Bolgheri Superiore 2014

Ce domaine créé en 1977 est une figure pionnière de Bolgheri. La famille Tipa Bertarelli a racheté la propriété en 2002. Ils conduisent les vignes en bio et en tirent

un vin fort en caractère. Peut-être l'un des vins de Bolgheri les plus distingués que j'ai eu l'occasion de goûter cette année. Le cabernet sauvignon (65 %) domine, mais la signature est clairement italienne. Une pointe d'acidité volatile rehausse le fruit et les odeurs de cuir. La bouche est droite, dépourvue de cette sensation de sucrosité qu'accusent tant de rouges de la côte toscane, ses angles tanniques mettent en relief un large spectre de saveurs profondes. Intensité contenue, longueur et plénitude.

13860202   100 $ ★★★★ ½ ③ ▼ 🍷

MONTETI
Caburnio 2014, Toscana

Mi-atlantique, mi-méditerranéen, par son assemblage de cabernet sauvignon, d'alicante bouschet et de merlot, ce rouge est élevé pendant 12 mois en fûts de chêne français, sans que cela ne masque le fruit. Encore jeune et plein de vie et de fougue en août 2019, le vin laissait en bouche une sensation de salinité plutôt rare dans les rouges de toscane. Charnu et croquant, avec une finale savoureuse aux goûts de fruits noirs et de tabac qui plaira à l'amateur de supertoscan. Excellent rapport qualité-prix!

11305580   22,75 $ ★★★★ ② ♥

SAPAIO
Bolgheri 2016, Volpolo

Les millésimes se succèdent et je retrouve toujours avec le même plaisir cet assemblage bordelais, produit sur la côte toscane, à Bolgheri. Le 2016 a le même profil à la fois strict et généreux, imposant par sa charpente très droite et clairement marqué par l'empreinte aromatique du cabernet sauvignon. Savoureux et encore plein de jeunesse lorsque goûté de nouveau en août 2019, il devrait dormir en cave jusqu'en 2023. D'ici là, une heure en carafe lui fera du bien. Excellent rapport qualité-prix.

12488605   29,10 $ ★★★★ ② ♥△

SATTA, MICHELE
Bolgheri 2016

Une interprétation fruitée et solaire des cépages cabernet sauvignon, sangiovese, merlot, teroldego et syrah. Riche en goûts de cerise confite, de framboise et d'anis; souple et doté d'une agréable rondeur, sans toutefois manquer de vigueur. On voudra le boire dès maintenant et jusqu'en 2024.

10843466   25,55 $ ★★★ ②

ILLUMINATI

Montepulciano d'Abruzzo 2017, Riparosso

Le cépage montepulciano – à ne pas confondre avec la commune de Toscane qui porte le même nom et où on produit le vin Nobile di Montepulciano, issu principalement de sangiovese – est cultivé un peu partout dans le centre de l'Italie. Le vin d'entrée de gamme de chez Illuminati est un modèle de constance. À moins de 15$, l'amateur de rouge charnu devrait faire provision du 2017. De la mâche, du fruit noir et de bons goûts d'épices.

10669787   13,50$ ★★★ ½ ① ♥

MASCIARELLI

Montepulciano d'Abruzzo 2016

Le «petit» rouge de la famille Masciarelli est toujours aussi agréable par la générosité de sa chair fruitée, accentuée de tanins granuleux qui garantissent son tonus en bouche. Bien fait et fidèle à ses origines.

10863774   16,30$ ★★★ ②

MASCIARELLI

Montepulciano d'Abruzzo 2016, Gianni Masciarelli

Gianni Masciarelli, disparu prématurément il y a une dizaine d'années, était l'un des hommes forts du vignoble des Abruzzes. Cette cuvée éponyme est à la hauteur de sa stature et de sa prestance. Un rouge droit, qui ne s'impose pas tant par sa puissance que par son intensité contenue et par son grain tannique mûr et tissé serré. À boire sans se presser au courant des cinq prochaines années.

13526298   19,65$ ★★★ ½ ②

MASCIARELLI

Montepulciano d'Abruzzo 2016, Marina Cvetic

Maintenant épaulée de ses enfants, Marina Cvetic maintient bien haut la réputation du domaine et signe, entre autres, cet excellent vin que son défunt époux lui avait dédié. Alors que tant de vins de l'appellation sombrent dans la rondeur et les excès boisés, celui-ci se dessine en bouche avec fraîcheur et élégance. Même en 2016, un millésime marqué par un été froid et pluvieux, le vin offre un joli fruit et une mâche tannique plutôt rassasiante, bien servie par l'élevage en fûts de chêne. À boire d'ici 2025.

10863766   30,75$ ★★★ ½ ②△

PODERE CASTORANI
Montepulciano d'Abruzzo 2015, Cadetto

En 2015, cette cuvée biologique du coureur automobile Jarno Trulli présente des notes de poivrons rouges et une fraîcheur aromatique plutôt distinctive. Souple et velouté en attaque, ferme et compact en fin de bouche. Un bon vin pour accompagner une bavette ou des brochettes de bœuf.

12494651   18,50$ ★★★ ②

UMANI RONCHI
Conero Riserva 2014, Cùmaro

Le cépage montepulciano est surtout connu pour donner des vins gorgés de soleil dans les Abruzzes, aussi la source de vins rouges très étoffés de l'appellation Rosso Conero, dans les Marches. Ce vin délicieux provient d'un vignoble à faibles rendements, situé à une altitude d'environ 150 à 200 m. Les saveurs de mûre et de prune sont portées par des tanins fermes. Des notes de cuir, de fumée et de feuilles mortes donnent au vin un profil aromatique qui rappelle l'automne. Déjà très agréable à boire, il restera à son apogée jusqu'en 2025.

710632   30,75$ ★★★★ ② ♥

UMANI RONCHI
Montepulciano d'Abruzzo 2017, Podere

Bien qu'il soit arrondi par un léger reste de sucre (5,7 g/l), ce rouge vendu à prix très attrayant ne pèche pas par lourdeur. Avec son attaque en bouche perlante, son fruit expressif et sa vitalité, il affiche plutôt des allures de vin de soif. Très bon vin pour les soirs de semaine.

14044670   10,65$ ★★★ ① ♥

ZACCAGNINI
Montepulciano d'Abruzzo 2017, Cuvée dell'Abate

Retour au profil habituel, après un 2016 qui m'avait semblé mieux équilibré, moins convenu. Le 2017 dégage des odeurs de café moka et s'impose d'entrée de jeu par sa texture ronde, marquée par un reste de sucre (6,8 g/l, selon SAQ.com). Question de goût, mais je ne comprends pas l'intérêt du bois ici.

908954   19,30$ ★★ ½ ②

BERSELLI & SOLFERINO
Salento Primitivo 2017, Signature Collection

La vue des 6,1 g/l de sucre me faisait craindre un vin lourd, mais l'équilibre est au rendez-vous et le vin est plutôt bien tourné. Le fruit est à l'avant-plan, joufflu, gourmand et ponctué de notes boisées, sans excès, et le tout est encadré de tanins assez fermes pour garantir un certain tonus.

13487188   19,95$ ★★★ ②

BOCCANTINO
Susumaniello 2016, Salento

Le susumaniello, un cépage rare des Pouilles, serait le fruit d'un croisement entre le garganega (grecanico) et le uva sacra, un raisin de table de la région. Comme c'est le premier spécimen que je goûte, mes références sont limitées, pour ne pas dire nulles, mais j'avoue ne pas être emballée par ce vin modérément tannique et arrondi par un reste perceptible de sucre (11 g/l). Une curiosité, sans plus.

14027319   16$ ★★ ½ ②

MESA
Carignano del Sulcis 2017, Buio, Sardaigne

Ce domaine fondé en 2004 par le célèbre publicitaire Gavino Sanna (on lui doit entre autres les campagnes de Barilla et de Fiat) a été racheté par le groupe Santa Margherita en 2017. J'ignore si cela s'explique par la proximité de la mer, mais il y a dans ce 2017 un caractère salin, voire salé, très distinctif. Le Buio offre bien sûr un éventail complet de saveurs fruitées, mais il y a aussi en finale des notes d'anis, d'herbes et d'olive noire qui le rendent très original.

13903671   26,40$ ★★★ ½ ②

PERRINI
Negroamaro 2018, Puglia

Mila et Vito Francesco Perrini ont repris le flambeau de leurs parents sur cette propriété d'une cinquantaine d'hectares, à la pointe sud de l'Italie, dans la péninsule de Salento, et ils ont converti le vignoble à l'agriculture biologique dès 1993. Leur negroamaro respire la pureté et la fraîcheur. J'ai d'ailleurs rarement goûté un vin issu de ce cépage qui soit aussi gourmand et pourtant si léger. Une explosion de saveurs en bouche; fruits noirs, épices, fleurs fraîches et fleurs séchées. Beaucoup de relief et de plaisir dans ce vin de soif, façon apulienne.

13913378   22,30$ ★★★★ ② ♥ 🍷

PUNICA

Montessu 2016, Isola dei Nuraghi, Sardaigne

Ce domaine est né d'un partenariat entre la coopérative sarde Santadi, la Tenuta San Guido (Sassicaia) et de Giacomo Tachis, œnologue toscan de renom. Le Montessu repose essentiellement sur le carignan (60%), comme la plupart des rouges de l'appellation Isola dei Nuraghi. Rond et tendre, mais posé sur des tanins charnus, dans lesquels on a presque l'impression de croquer, tant le grain est mûr et généreux. Pour mieux apprécier ses nuances aromatiques, servez-le autour de 16 °C, sans quoi, il paraîtra un peu lourd.

11098322 30,50$ ★★★ ½ ②

RIVERA

Castel del Monte Riserva 2013, Il Falcone

La cuvée Il Falcone est le porte-drapeau de l'appellation Castel del Monte, à l'est de la ville de Bari, au cœur des Pouilles. À juste titre, puisque cet assemblage de nero di troia et de montepulciano est toujours savoureux. Marco et Sebastiano Corato, troisième génération de la famille Corato, sont maintenant en charge du domaine et signent un 2013 pur et élégant, dont la profondeur ne fait aucun doute. Les tanins sont polis par les années, le milieu de bouche est ample et la finale égrène les saveurs animales, organiques, fruitées et fumées. Comment ne pas se régaler. À moins de 25$, amateur de vins de terroir, faites-en provision.

10675466 23,70$ ★★★★ ② ♥

TAURINO COSIMO

Notarpanaro 2010, Negroamaro Salento

J'ai toujours eu un faible pour cet assemblage de negroamaro et de malvasia nera et le 2010 n'y fait pas exception. Les parfums s'éloignent du registre fruité, entre le poivre, le cuir, les champignons et les herbes séchées. La bouche est digeste, assise sur des tanins fins, juste assez granuleux pour donner du mouvement et du tonus. Finale vaporeuse et distinguée. À boire au courant de la prochaine année.

709451 20,85$ ★★★ ½ ②

VIGLIONE

Primitivo 2017, Maioliche, Puglia

Une expression simple, mais tout à fait sincère du cépage primitivo. Tout y est: les saveurs de framboise mûre et croquante, la chair gourmande, les tanins nerveux et ce petit côté acidulé qui pince le creux des joues. Une proposition honnête à 15$.

12991104 15,90$ ★★★ ②

CUSUMANO
Angimbé 2018, Sicilia

Ce vin blanc d'insolia et de chardonnay rappelle les vins blancs de viognier produits dans le nord de la vallée du Rhône, tant par son profil aromatique que par son volume en bouche et par sa faible acidité. Le vin ne manque pas de vitalité pour autant et s'avère très satisfaisant pour le prix.

11097101   13,45$ ☆☆☆ ① ♥

CUSUMANO
Shamaris 2018, Tenuta Monte Pietroso, Sicilia

Une pointe végétale et des accents d'agrumes donnent à ce grillo des airs de sauvignon blanc. L'attaque en bouche vive évoque elle aussi le pamplemousse par son amertume ; du volume, une tenue moyenne et un certain équilibre. Pas très distinctif, mais un bon blanc de facture conventionnelle, bien tourné.

13314421   17,95$ ☆☆☆ ②

MARCO DE BARTOLI
Lucido 2018, Catarratto Terre Siciliane

Au nez, on croirait presque à un chenin blanc, avec ses parfums de fruits blancs qui rappellent la poire anjou. À l'ouverture, le vin présente un reste perceptible de gaz et une pointe de réduction, qu'une brève aération suffit à atténuer. Du reste, l'ensemble est frais, léger (11,5 % d'alcool) et aérien, offrant tout de même au passage une tenue et une longueur appréciables et un registre de saveurs complexes, pour un vin de ce prix.

12640603   21,15$ ☆☆☆☆ ② ♥

PLANETA
Alastro 2018, Sicilia – Menfi

Encore tout jeune et animé d'une bonne dose de gaz lorsque goûté en août 2019, ce grecanico (garganega à Soave), se dessine avec une fraîcheur et une légèreté dignes de mention. La contre-étiquette mentionne une petite proportion de sauvignon blanc dans l'assemblage, mais on ne le sent pas, du moins pas en arômes. Pas le plus complexe des blancs de Planeta, mais techniquement au point.

11034361   20$ ☆☆☆ ②

PLANETA
Carricante 2016, Eruzione 1614, Sicilia

Établie sur le flanc nord de l'Etna depuis 2008, la famille Planeta est maintenant active dans cinq secteurs de la Sicile. À la Feudo di Mezzo, l'œnologue d'origine hongroise, Patricia Tóth, élabore un très bon vin blanc issu de carricante, cultivé sur des sols volcaniques, à 700 m d'altitude, et de riesling, planté à plus de 800 m. À l'ouverture, on note une certaine réduction, mais les parfums se développent après une brève aération et le vin gagne en profondeur. Ce vin blanc se distingue avant tout par sa structure et par sa tension minérale. À aérer en carafe ou, encore mieux, à laisser reposer en cave jusqu'en 2025.

14037251   39,75$ ☆☆☆→☆ ③◭

PLANETA
La Segreta bianco 2018, Sicilia

Plus minéral – crayeux, à vrai dire – que fruité au nez. En bouche, un heureux mariage de gras et d'acidité, de fruits blancs, de fleurs et de citron. Simple, harmonieux et toujours très recommandable.

741264   15,60$ ☆☆☆ ½ ① ♥

RAPITALA
Alcamo Classico 2017, Vigna Casalj

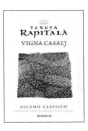

Cette cuvée met en lumière l'originalité du cépage indigène catarratto, qui donne un vin blanc particulièrement intéressant dans la région d'Alcamo, au nord-ouest de l'île. Sec, de bonne tenue, plus minéral que fruité. Un très bon blanc qu'on gagnera à servir, plutôt frais que froid : sortez la bouteille du frigo environ 30 minutes avant de passer à table.

13942911   24,15$ ☆☆☆ ½ ②

RAPITALA
Catarratto-Chardonnay 2017, Terre Siciliane

Une valeur sûre au rayon des blancs italiens. Peu d'acidité, mais un bon équilibre et une personnalité plus affirmée que la moyenne des vins blancs de cette gamme de prix.

613208   13,55$ ☆☆☆ ① ♥

TASCA D'ALMERITA
Regaleali bianco 2018, Sicilia

Ce classique à la SAQ se profile avec la sobriété habituelle. Encore jeune et nerveux, animé d'un léger reste de gaz carbonique. Fruité, sans être trop parfumé, et juste assez gras pour être servi à table.

715086   15,30$ ☆☆☆ ①

COS
Cerasuolo di Vittoria Classico 2016

Le cerasuolo di Vittoria de Giusto Occhipinti et ses associés est le plus cher sur le marché, mais il est aussi, et de loin, le plus achevé et le plus sérieux. La profondeur se mesure dès le premier nez et se confirme vite en bouche par son relief, ses saveurs vibrantes et nuancées, aussi terreuses que florales, fruitées, herbacées et aériennes. Ce 2016 transcende les autres rouges siciliens goûtés au courant de l'été. Une Grappe d'or bien méritée.

12484997   39 $ ★★★★ ½ ②

CUSUMANO
Benuara 2017, Sicilia

Un mariage réussi de syrah et de nero d'avola. Le style n'a rien de bien dépaysant, mais à moins de 17 $, l'amateur de rouge tendre et chaleureux, bourré de fruit et gorgé du soleil sicilien devrait en avoir pour son argent. Parfait pour accompagner les côtes levées ou du poulet au mole.

10539915   16,95 $ ★★★ ②

GULFI
Cerasuolo di Vittoria 2017

Matteo Catania, de retour dans sa Sicile natale après la Seconde Guerre mondiale, a racheté la propriété ancestrale de Chiaramonte Gulfi, au nord-est de la zone de Cerasuolo di Vittoria Classico, et il y a planté de la vigne. Une soixantaine d'années plus tard, son petit-fils Matteo produit un vin affriolant, gorgé de soleil et très typé de son appellation. L'attaque est nerveuse, fringante et juteuse ; le milieu de bouche plein et complet, la finale, quoique chaleureuse, est équilibrée par une acidité franche et des tanins encore pleins de vigueur. Finale savoureuse aux goûts de cerise fraîche. À boire d'ici 2024.

13477828   35 $ ★★★★ ②

GULFI
Nerojbleo 2016, Sicilia

Le vignoble de la famille Catania est planté à très haute densité (9000 plants par hectare), conduit en agriculture biologique, sans irrigation, et les raisins sont récoltés à la main. Ceux qui donnent naissance au Nerojbleo proviennent de sept vignobles situés aux pieds des monts Hybléens (Iblei, en italien). Quoique bien nourri par les rayons UV de la Sicile, ce nero d'avola conserve une vigueur et une délicate astringence qui le rendent très digeste. Saveurs compactes et profondes de cerise noire, de mine de crayon, de fines herbes séchées et d'écorce d'orange. Un vin purement délicieux qui donne envie de passer de longues heures à table.

13437391   27,45$ ★★★★ ½ ② ♥ 💬

PLANETA
Frappato 2017, Sicilia Vittoria

Un vigneron sicilien m'apprenait en cours d'année que, contrairement à l'idée répandue dans le milieu professionnel, le cépage frappato est naturellement plus riche en tanins que le nero d'avola. Ainsi, bien qu'on n'ait clairement pas cherché ici à extraire les tanins, ce 2017 présente une certaine fermeté en fin de bouche. Loin d'être un défaut, cette structure permet d'encadrer la matière fruitée généreuse, gorgée de bons goûts de fraise, et confère au vin un tonus essentiel à son équilibre.

12640611   21,95$ ★★★ ½ ②

PLANETA
Il Rosso 2017, Sicilia

Le Rosso de Planeta est produit dans la partie ouest de l'île, à la Cantina Dispensa. Du fruit, du soleil et une expression souple et coulante des cépages nero d'avola (50%), merlot, syrah et cabernet franc. Bon rouge de tous les jours.

898296   16,95$ ★★★ ②

TERRE CEVICO
Rosso BIOlogik, Terre Siciliane

Inutile de chercher l'année sur la bouteille: ce rosso est non millésimé. Mais à en juger par la fraîcheur aromatique du vin, les vendanges ne doivent pas remonter à trop loin. Simple, modérément charnu et assez gourmand pour plaire à l'amateur de rouge solaire.

13950996   15,60$ ★★ ½ ① 💬

ESPAGNE

GALICE

Rias Baixas

Ribeira Sacra

Bierzo

Valdeorras

Monterrei

CASTILLE ET LÉON

CATALOGN

Navarre

Rioja

Campo de Borja

Calatayud

Pene

○ SARAGOSSE

○ BA

Toro

Ribera del Duero

Rueda

Cariñena

ARAGON

M

⭐ MADRID

PORTUGAL

CASTILLE LA MANCHE

Valence

○ VALENCE

Jumilla

Yecla

Utiel Requena

Valdepeñas

Alicante

○ ALICANTE

MURCIE

SÉVILLE ○

Montilla Moriles

ANDALOUSIE

Xérèz

○ CADIX

⭐ GIBRALTAR

Détroit de Gibraltar

MER MÉDITERRANÉE

ÎLES CANARIES

À quelques centaines de kilomètres au large du Maroc et du Sahara Occidental, les Îles Canaries regroupent une foule de microclimats, propices à la viticulture. Pas étonnant que chaque île possède sa propre dénomination d'origine et qu'à elle seule, l'île de Tenerife en regroupe cinq, toutes pertinentes.

ÎLES CANARIES

La Palma

Lanzarote

Tenerife

Fuerteventura

La Gomera

El Hierro

Gran Canaria

La morosité économique des dernières années a forcé les vignerons espagnols à parcourir le monde à la recherche de nouveaux marchés. Ils en ont aussi profité pour prendre le pouls d'une nouvelle génération de buveurs et adapter leurs vins en conséquence. Résultat : de manière générale, on observe une diminution des goûts boisés et de l'alcool, au profit du fruit et de la fraîcheur.

On voit ressurgir une foule de vieux cépages qui avaient été délaissés pour du tempranillo et des variétés internationales. Plusieurs régions viticoles historiques sont aussi remises au goût du jour grâce à l'arrivée de jeunes vignerons qui se tournent vers l'agriculture biologique et repensent les vinifications. L'offre à la SAQ continue de se diversifier et les pages suivantes font état de plusieurs nouveaux vins de grande qualité.

‖‖‖

La garnacha fleurissait déjà dans la région d'Aragon depuis le XVIe siècle, bien avant d'être implantée en France, où on la connaît sous le nom de grenache. Aujourd'hui, elle couvre environ 7 % du vignoble national, derrière le tempranillo et le bobal. Elle est aussi abondamment cultivée en Australie depuis une centaine d'années, de même qu'en Californie et en Sardaigne, où elle est connue sous le nom de cannonau.

Tout comme sa voisine portugaise (Vinho Verde), l'appellation Rías Baixas, en Galice, est la source de vins blancs originaux et désaltérants, composé d'albariño.

Les vignobles d'Espagne sont souvent situés à des altitudes assez élevées. Les vignes de la Rioja et celles de la Ribera del Duero grimpent généralement jusqu'à 600 m et 800 m d'altitude, parfois plus. Le vignoble de la région de Malaga, en Andalousie, atteint pour le moment une altitude de 1400 m.

‖‖‖

LES DERNIERS MILLÉSIMES

2018

Dans la Rioja, des épisodes de pluie aux moments opportuns ont engendré de bons volumes. La qualité est aussi au rendez-vous et les degrés d'alcool sont en baisse.

2017

Même situé plus au sud, le nord de l'Espagne n'a pas été épargné par la vague de froid qui a frappé l'Europe. Ensemble, les gelées printanières et la sécheresse estivale ont amputé la récolte à hauteur de 17 % en Catalogne et de 25 % dans la Rioja et Ribera del Duero. La chaleur et la sécheresse ont engendré des raisins particulièrement concentrés. Méfiez-vous toutefois des vins lourds et déséquilibrés.

2016

Dans la Rioja, l'année a débuté avec un printemps compliqué, un été de grande chaleur et des vendanges sous la pluie. Difficile à ce stade précoce de prévoir comment les vins tiendront dans le temps.

2015

Du nord au sud et de l'est à l'ouest du pays, un printemps chaud et sec a permis une bonne floraison. Et juillet 2015 passera à l'histoire comme le mois le plus chaud depuis 1880. Bon millésime pour les régions du nord du pays, mais il faudra s'attendre à des vins concentrés et riches en alcool.

2014

Dans la Rioja, un retour à des formes et à des quantités normales, après deux années de petites récoltes. La saison végétative a été longue, mais des pluies pendant les vendanges ont compliqué la donne dans certains secteurs.

2013

Un gel tardif en début de saison a engendré une petite récolte, puis les vendanges ont été parsemées d'épisodes de grêle et de pluie. Au mieux, on peut espérer des vins plus frais et légers en alcool.

2012

Récolte exceptionnellement faible dans la Rioja. L'une des plus petites des deux dernières décennies. Heureusement, le peu qui a été produit promet d'être excellent.

ORDONEZ, JORGE
Sierras de Malaga 2015, Moscatel Old Vines, Botani

Je n'ai jamais eu d'atomes crochus avec les rouges de Jorge Ordoñez, mais j'ai eu un coup de cœur pour ce vin blanc sec de muscat d'Alexandrie, cultivé sans irrigation dans les hauteurs de Malaga, en Andalousie. Pour l'anecdote, la parcelle de vignes est si abrupte que pendant les vendanges, les raisins sont acheminés en bas du coteau par... des mulets! Dans le verre, le vin embaume le muscat, sans démesure, sans caricature. L'attaque est hyper fraîche et l'acidité laisse en bouche une sensation d'astringence semblable à celle d'une pomme verte. Les saveurs sont complexes et se déploient en une finale serrée, vibrante et tonique. Excellent!

13299953   25$ ☆☆☆☆ ② ♥

8 437007 216035

RODRIGUEZ, TELMO
Sierras De Malaga 2015, Mountain Blanco

Telmo Rodriguez et son associé, Pablo Eguzkiza, ont largement contribué à la renaissance des «vins de montagne» de la région de Malaga, en Andalousie. En plus de son Molino Real, un vin liquoreux aussi offert à la SAQ, il élabore ce vin blanc sec composé, lui aussi, à 100% de muscat d'Alexandrie, cultivé en altitude. S'il est un peu plus exubérant que le Botani, commenté précédemment, ce muscat est superbement équilibré. Une profusion de saveurs complexes, de la tenue et une finale relevée et rassasiante. Une porte ouverte à des accords mets-vins originaux.

14006121   25$ ☆☆☆☆ ② ♥

8 436037 402043

TAJINASTE
Valle de La Orotava 2018, Tradicional

Chacune des îles Canaries possède sa propre dénomination d'origine. L'île de Tenerife en regroupe cinq, dont la D.O. Vallée de La Orotava, où Agustín García Farrais produit un excellent rouge, issu de listan negro. Alors que plusieurs rouges de l'île accusent encore une certaine rusticité, pas toujours agréable, ceux de Tajinaste font preuve d'une qualité impeccable, sans sacrifier l'authenticité. Celui-ci commence son parcours en bouche en donnant l'impression d'un vin de soif (souple, juteux, bourré de fruit), puis les tanins se resserrent en un tissu compact, légèrement astringent, qui rappelle un peu les rouges du Piémont. En prime, un profil aromatique hyper singulier. À moins de 25$, c'est comme un aller-retour aux îles Canaries en classe (très) économique.

13619321   24,90$ ★★★★ ② ♥

8 437010 950001

PACO & LOLA
Rías Baixas 2018, Albariño

À Rías Baixas, les viticulteurs enrichissent traditionnellement leurs sols de coquilles d'huîtres, de palourdes ou de moules – une ressource abondante dans cette région côtière qui abrite le plus grand port de pêche d'Europe – afin d'en augmenter le pH. C'est peut-être l'une des raisons derrière le profil iodé et salin des vins de la région. Celui de cette cave coopérative formée en 2005 dans le secteur de Val do Salnés décline en bouche de bons goûts de nectarine, auquel il emprunte aussi une certaine amertume. Souple, salin et frais, comme un vent de bord de mer.

12475353   18,20$ ☆☆☆ ½ ② ♥

PACO & LOLA
Rías Baixas 2018, Lolo

Une bonne bouteille à avoir au frigo pour les apéros impromptus ou pour les repas des soirs de semaine. Léger et guilleret, sans être insipide ; de délicates notes de miel et de citron apportent un joli complément aux goûts de fruits tropicaux. Sa finale juste assez acidulée ouvre l'appétit et donne envie de calmars frits.

13089868   15,15$ ☆☆☆ ① ♥

PAZO DE SEÑORÁNS
Rías Baixas 2018

Le domaine fondé en 1989 par Marisol Bueno et son mari, Javier Mareque, est aujourd'hui entre les mains de leurs quatre enfants et demeure une référence de l'appellation. J'avais perdu de vue la cuvée «classique» du domaine depuis quelques millésimes. En goûtant cet excellent 2018 vers la fin de l'été 2019, j'ai tout de suite reconnu la signature Señoráns. Un albariño vineux, souligné par la salinité habituelle de l'appellation, qui exerce un charme immédiat avec sa chair fruitée bien mûre (surtout en 2018) et par l'exubérance contenue de ses parfums d'abricot. La qualité et la constance de ce vin sont d'autant plus remarquables qu'on en produit annuellement 300 000 bouteilles!

898411   24,50$ ☆☆☆ ½ ②

PAZO DE VILLAREI
Rías Baixas 2018

Un blanc vif et légèrement perlant qui arbore la salinité propre aux vins de cette région côtière. Le nez embaume la pêche, lui donnant d'abord une allure un peu linéaire, mais il exprime davantage de nuances avec l'aération. Juste ce qu'il faut de gras, des goûts d'amande fraîche et une pointe d'orange amère en finale, qui rappelle le Campari. Encore meilleur après 30 minutes en carafe.

14005873   19,20$ ☆☆☆ ① △

TERRAS GAUDA
Rías Baixas 2017, O Rosal

Dans le secteur de O Rosal, la zone la plus méridionale de l'appellation galicienne Rias-Baixas, située aux limites de la frontière avec le Portugal, ce domaine produit un 2017 droit et minéral, dont la texture vineuse s'articule autour d'une acidité vive et pénétrante. D'abord un peu timide, il lui faut quelques minutes dans le verre pour que le fruit se déploie, sans excès ni maquillage superflu. Les goûts fruités primaires s'accompagnent d'accents de noyau de pêche et de poivre blanc, ajoutant au vin un autre degré de complexité. Un bonheur avec des pétoncles poêlés.

10858351   25,80$ ☆☆☆☆ ② ▼

ZARATE
Rias Baixas – Val do Salnés 2018, Albariño, Eulogio Pomare

Cette *bodega* respectée de Val do Salnés, en Galice, est reconnue pour ses longs élevages sur lies. Ainsi, alors que tant de vins blancs de la région de Rías Baixas misent à fond sur les parfums de pêche du cépage albariño, en frôlant parfois la caricature, celui-ci n'est que texture et salinité. Issu de vignes de 35 ans, le vin se dessine avec retenue et élégance, mais déploie tout de même un large spectre de saveurs fruitées, herbacées, florales. Du caractère, de la longueur et une foule de beaux accords en perspective avec les fruits de mer.

13529202   23,20$ ☆☆☆☆ ② ♥

BONHOMME, NATHALIE
Rueda 2017, El Petit Bonhomme Blanco

Un nez très affriolant s'exprime par des arômes de fruits exotiques et d'écorce de citron. Cela dit, sous ses airs un peu faciles, ce vin ne manque pas de nuances ni de détails aromatiques et présente en finale une délicate amertume qui, en plus de mettre le fruit en valeur, laisse en bouche une délicieuse sensation de salinité.

12533541   15,50$ ☆☆☆ ½ ① ♥

BORSAO
Campo de Borja 2018, Macabeo-Chardonnay

Cette *bodega* de la région d'Aragon concentre avant tout sa production sur les vins rouges, mais elle est aussi la source d'un très bon vin blanc de tous les jours, auquel le cépage macabeu apporte une touche originale. Toujours le même bon vin blanc parfumé, aux jolies notes d'agrumes, avec ce qu'il faut de volume. Sec et équilibré.

10856161   12,70$ ☆☆☆ ① ♥

FRONTONIO
Macabeo 2017, Microcosmico, Valdejalon

Le *Master of Wine* Fernando Mora et ses associés ont développé tout récemment cette *bodega* dans la province d'Aragon, au nord-est de l'Espagne. Ils misent essentiellement sur de vieilles vignes de garnacha et de macabeo, cultivées sur des sols argilo-calcaires, en altitude ou orientées vers le nord, afin d'obtenir un maximum de fraîcheur. Et leur macabeo d'entrée de gamme me porte à croire qu'ils ont réussi le pari de la fraîcheur : rares sont les vins blancs espagnols de ce prix qui offrent une telle tension, doublée de structure et de volume. Sa finale minérale donne envie de palourdes et autres coquillages.

14083409   22,75$ ☆☆☆☆ ② ♥

HERMANOS LURTON
Rueda Verdejo 2018, La Perdiz

Le vigneron français François Lurton élabore ce verdejo dans la région de Castille et Léon, au nord de l'Espagne. On appréciera la vinosité, les accents de miel, de cire d'abeille et d'épices de ce 2018, qui s'éloigne du cocktail aromatique habituel tropical-herbacé-citronné. Plus de volume et de complexité que la moyenne de l'appellation à un prix très attrayant.

727198   15,85$ ☆☆☆ ½ ① ♥

MENADE
Rueda Verdejo 2018

Vu pour la première fois sur la contre-étiquette d'un vin: un logo «sans gluten». Après avoir levé les yeux au ciel – sachant que la teneur en gluten de la grande majorité des vins est de moins de 20 parties par million –, j'ai été saisie par l'exubérance des parfums tropicaux de ce verdejo. La bouche est souple et un peu simple, mais juteuse avec des goûts de pêche et de pamplemousse rose.

14004125   18,80$ ☆☆☆ ①

RODRIGUEZ, TELMO
Rueda 2018, Basa

Le cépage verdejo a quelques traits aromatiques en commun avec le sauvignon blanc. Le vin que produit Telmo Rodriguez sur les hauts plateaux de cette appellation de Castille et Léon présente les parfums caractéristiques de pamplemousse rose, auquel ce 2018 emprunte aussi une délicate amertume. La finale est minérale, ponctuée d'herbe fraîchement coupée, de citron et de fruits tropicaux.
Un classique de l'appellation, avec raison.

10264018   17,10$ ☆☆☆ ½ ① ♥

SUMARROCA
2CV 2018, Penedès

À un jet de pierre de Barcelone, la région de Penedès est connue pour sa production de cava, l'effervescent espagnol, mais certaines maisons, comme Sumarroca, élaborent aussi des vins «tranquilles», c'est-à-dire sans bulles.

À sa robe dorée, presque orangée, et à son nez de miel et de cire d'abeille, on devine qu'on a affaire à un blanc sérieux. Le vin tire sa couleur des baies foncées de xarel-lo rosado, une mutation naturelle du xarel-lo classique. Une macération pelliculaire de dix jours augmente la quantité d'extraits secs, donnant à ce vin une tenue remarquable pour moins de 20$. Hors norme, mais franchement savoureux. Et biologique, en plus!

En primeur

14160742   19,50$ ☆☆☆☆ ② ♥ 🍷

SUMARROCA
Tuvi (or not to be) 2018, Penedès

Un mariage inusité de gewurztraminer, de xarel-lo, de viognier et de riesling donne un vin tout léger, facile à boire et aromatique, comme le commandent certains cépages de l'assemblage, sans verser dans l'excès. Sec, délicatement acidulé et recommandable à ce prix.

13574687   15,35$ ☆☆☆ ① 🍷

CAN BLAU
Montsant 2018, Blau

L'appellation Montsant est située tout autour de la zone du Priorat et ses vins sont autant de solutions de rechange économiques aux crus de son illustre voisine. Les amateurs de rouges puissants seront servis par le 2018 de cette cave appartenant à la famille Juan Gil – aussi active dans Jumilla et dans Calatayud (Ateca). C'est peut-être l'effet millésime, mais le vin paraît un cran plus concentré cette année, avec des effluves de kirsch, de confiture de fruits et une attaque ronde, aux tanins gommeux. Plein et chaleureux. Beaucoup de matière et d'intensité pour moins de 20 $.

11962897   18,80$ ★★★ ②

EDETARIA
Terra Alta 2016, Garnatxa negra, Via Terra

Une curiosité catalane, composée à 100 % de garnacha peluda (aussi appelée grenache poilu ou lledoner pelut), une variété locale surtout présente dans le Roussillon, en France, qui doit son nom au duvet qui recouvre ses feuilles. La souplesse de sa texture est assez représentative de la garnacha; les parfums de fruits noirs se mêlent à des notes confites, qui évoquent les jujubes à la framboise. Finale chaleureuse, sans lourdeur.

13803021   18,55$ ★★★ ② ▼

ESPELT
Empordà 2018, Sauló

Cette jeune cave familiale fondée en 2000 par la famille Espelt gère 200 hectares de vignes, ce qui en fait le plus important vignoble d'Empordà, une appellation catalane située au bord de la mer Méditerranée. Je n'avais pas goûté la cuvée Sauló depuis deux ans et je l'ai retrouvée avec joie, par une journée fraîche du mois d'août 2019. Un rayon de soleil dans le verre et tout le plaisir d'un vin de soif, façon méditerranéenne. L'acidité et les tanins s'unissent pour encadrer le fruit, avant de le laisser se déployer en une fin de bouche juteuse qui appelle une autre gorgée. Et une autre. Et…

10856241   15,25$ ★★★★ ② ♥ 💬

JOAN D'ANGUERA
Montsant 2017, Altaroses

La cuvée Altaroses est de retour à la SAQ après plus d'une année d'absence. Une excellente nouvelle pour les fans de garnacha pure et vibrante, élaborée dans les règles de l'art, avec un minimum d'intervention au chai. Joan et Josep d'Anguera ont converti le vignoble à la biodynamie et ont choisi de miser à fond sur la garnatxa (nom catalan du grenache), lorsqu'ils ont pris la relève de leur père. Ce vin provient de jeunes vignes; il est vinifié avec les grappes entières, sans ajout de levures, élevé en fûts de chêne neutre et embouteillé sans clarification ni filtration (d'où sa robe un peu trouble), avec une faible dose de sulfites. L'attaque en bouche est à la fois souple et vigoureuse, ponctuée de notes animales; viennent ensuite des épices, des fleurs et des herbes, mis en lumière par une une amertume de qualité, laissant en finale une sensation fraîche et saline. Excellent!

12575223   24,50$ ★★★★ ②

TORRES
Mas La Plana 2012, Penedès

Au début des années 1960, de retour en Catalogne après des études à Dijon, Miguel Torres a introduit le cépage cabernet sauvignon sur les terres familiales. Le succès du vin qu'il a créé en 1970 ne s'est jamais démenti. Encore aujourd'hui, le Mas La Plana demeure le porte-drapeau de la grande entreprise de Villafranca de Penedès et ce 2012, avec sa signature très espagnole, évoque les cabernets d'une autre époque. Rien à voir avec les bombes fruitées du Nouveau Monde. Les tanins sont fermes, mais élégants, le grain est mûr et les arômes de cuir, de prune et de tabac se mêlent aux délicates notes boisées; très bonne longueur. Déjà ouvert, mais loin d'être essoufflé.

12663282   65$ ★★★★ ②

TORRES
Priorat 2014, Laudis

Cet assemblage de cariñena et de garnacha, élevé en fûts de chêne français, affiche un nez très expressif de confiture de cassis. La bouche est ronde et mûre, faisant bien sentir ses 14,5% d'alcool. Le vin demeure harmonieux et la fraîcheur de ses arômes fruités mérite une mention spéciale pour un 2014, déjà âgé de 5 ans. Rien de complexe, mais équilibré et bien fait dans un style classique.

13034496   24,75$ ★★★ ②

ALTOLANDON
Manchuela 2017, Garnacha, Mil Historias

Les vignes de Rosalía Molina et Manolo Garrote grimpent à plus de 1000 m d'altitude. Les vents forts qui soufflent sur leurs vignobles, situés tout au nord de l'appellation Manchuela, dans la région de Castille la Manche, limitent les maladies fongiques et facilitent le travail en agriculture biologique. Ce 2017 présente un équilibre très juste entre la densité tannique, la concentration fruitée, la chaleur alcoolique de la garnacha et la fraîcheur ressentie, au final. Fruits noirs frais, fruits confits, eau-de-vie, fleurs séchées et cacao se dessinent en bouche, avec une impression sous-jacente de salinité. Longueur impeccable pour le prix. Wow!

13794111   16,25$ ★★★★ ② ♥ 🗨

ARTADI
Navarra 2017, Garnacha, Artazuri

Chaque année, j'éprouve un réel plaisir à déguster ce vin. Si bien qu'au fil des millésimes, il est devenu mon vin passe-partout, celui que je recommande à mes amis pour des célébrations de toute sorte, des *partys* de bureau aux mariages. C'est que, ce genre de vin plaît quasi instantanément avec son attaque juteuse et coulante, tissée de tanins juste assez anguleux pour garantir la fraîcheur en bouche. Finale croquante et gourmande, ponctuée de notes poivrées. Miam!

10902841   16$ ★★★ ½ ② ♥

ATECA
Calatayud 2016, Atteca, Vieilles Vignes

À vue de nez, on ne reconnaîtra peut-être pas la provenance du vin, mais on devinera certainement qu'il a subi un élevage en fûts. Le naturel fruité de la garnacha parvient tout de même à s'exprimer, une fois passés les parfums omniprésents de moka, de café et de vanille. Une masse tannique importante et une chair dodue. L'amateur du genre en aura pour son argent.

10856873   22,70$ ★★★ ②

BORSAO
Campo de Borja 2017, Garnacha

Cette cuvée fait preuve d'une constance admirable depuis son arrivée à la SAQ, en 2004. Nez délicat de petits fruits des champs; souple, agréablement fruité et épicé, avec une finale chaleureuse. Une valeur sûre dans le registre du beaubon-pas-cher pour les soirs de semaine.

10324623   11,85$ ★★★ ① ♥

FOCO
Cariñena 2017

Il y a dans cette nouvelle cuvée à la SAQ une concentration et une épaisseur tannique supérieures à la moyenne des garnachas de Navarre ou de Campo de Borja. Du fruit à profusion d'abord, mais aussi un caractère presque austère en fin de bouche, en raison d'une acidité vive qui semble durcir les tanins. Bien, sans être une aubaine.

13803005   14 $ ★★ ½ ②

LADERAS DE MONTEJURRA
Navarra 2016, Emilio Valerio

Assemblage de garnacha, de tempranillo, de merlot et de cabernet sauvignon, vinifiés dans de gros foudres. Des parfums de réduction (qui s'estompent vite à l'aération) annoncent un vin encore vibrant de jeunesse. La mâche tannique est plutôt dense, avec une certaine astringence, mais le vin n'en est pas moins affriolant. Beaucoup de relief aromatique, entre le sapinage, la terre humide, les fines herbes, la prune et le noyau de cerise. Complexité et longueur étonnantes pour moins de 20 $.

En primeur

14182458   18,05 $ ★★★★ ② ♥ 🗨

MONASTERIO DE LAS VIÑAS
Cariñena Reserva 2014

Le Monasterio de las Viñas Reserva est l'une des nombreuses cuvées produites par la plus importante coopérative de la région de Cariñena, regroupant près de 700 familles de viticulteurs sur 4000 hectares de vignes. Difficile d'évaluer la proportion exacte de chacun des cépages qui composent cette cuvée Reserva: dans Cariñena, la plupart des vieux vignobles sont complantés, c'est-à-dire que les garnacha, cariñena et tempranillo sont plantés pêle-mêle et vendangés ensemble. Ce vin semble imperméable aux changements de mode. Les habitués y retrouveront la même patine tannique, les odeurs de tannerie, de fruits secs, de kirsch, de sous-bois... et ce petit caractère vieillot qui me le rend sympathique.

854422   15,40 $ ★★★ ②

BARON DE LEY
Rioja Reserva 2014

Pour accompagner un cari d'agneau parfumé, mais pas trop épicé, misez sur la trame tannique veloutée de ce 2014, assouplie par un élevage de 20 mois en fûts (neufs) de chêne américain et par un vieillissement additionnel de 24 mois en bouteille. L'empreinte boisée est présente, mais tout de même élégante. Bien tourné dans un style classique.

868729   22,50$ ★★★ ②

EL COTO DE RIOJA
Rioja Reserva 2014, Coto de Imaz

Un magnum de ce 2014 ouvert plus tôt en cours d'année m'avait laissé une impression plus ou moins favorable. Quelques mois de repos lui ont été favorables puisque les éléments paraissaient mieux intégrés en juillet 2019. Un vin charnu, bien boisé, mais encore jeune. Il pourrait se bonifier d'ici 2023.

10857569   22,55$ ★★★ ③

LOPEZ DE HEREDIA
Rioja Reserva 2006, Viña Tondonia

Cette vénérable maison de la Rioja Alta a bâti sa réputation avec des vins de facture traditionnelle, qui bénéficient d'une très longue période de vieillissement. Le plus récent millésime du Tondonia rouge en est un d'élégance et de retenue. Le nez oscille entre la menthe et les champignons, la prune et le tabac; le tout repose sur des tanins polis, mais encore bien présents. Ce vin maintenant ouvert est très polyvalent à table, mais sa complexité aromatique sera mieux servie par une cuisine sobre, comme une pièce de veau aux champignons.

11667901   55$ ★★★★ ②

MARQUES DE RISCAL
Rioja Reserva 2015

Cette *bodega* fondée en 1860 – célèbre, entre autres, pour son chai ultramoderne et spectaculaire, conçu par l'architecte canadien Frank Gehry – produit des vins de style classique, qui n'ont rien à voir avec les monstres de concentration, nés vers la fin des années 1990 dans la Rioja. L'usage du chêne américain se dénote à ses accents de coco et de bourbon, sans que ça ne couvre les parfums de mûre. Le grain est suave et velouté, le milieu de bouche dense et large, tandis qu'une amertume noble couronne la finale. Long, savoureux et abordable.

10270881   25$ ★★★★ ② ♥

MUGA
Rioja Gran Reserva 2011, Prado Enea

Les raisins qui composent le Prado Enea sont toujours parmi les derniers vendangés, ce qui se traduit ici par une maturité optimale. Le vin séjourne ensuite pendant 12 mois dans de grands foudres en chêne, avant d'être transféré dans des fûts de 225 litres, où il sera élevé pendant 36 mois, puis embouteillé, pour 36 mois de vieillissement additionnel. Cet excellent 2011 déjà bien à point, mais loin d'être fatigué, montre le côté tendre du tempranillo, qui glisse en bouche comme une caresse, soyeux, gracieux. Les nuances boisées se mêlent à la prune, au piment d'Espelette et aux parfums de sous-bois en une longue finale vaporeuse. À boire entre 2020 et 2024.

11169670   56$ ★★★★ ③

MUGA
Rioja Reserva 2014, Seleccion Especial

Cette cave de la Rioja Alta évolue dans un registre un peu à part : pas 100% moderniste, mais pas vraiment classique non plus. Cette année encore, je reste perplexe devant cette «sélection spéciale» élevée à 50% dans des fûts de chêne français neufs. Laissé à reposer dans la cave pendant 48 heures, sans autre protection que son bouchon de liège, ce 2014, d'abord un peu terne, avait beaucoup gagné en nuances. Les tanins étaient aussi plus lestes et l'impression générale, plus harmonieuse. Aucun doute, il devra dormir en cave encore quelques années.

12986612   41,50$ ★★★→? ③

MUGA
Rioja Reserva 2015

Dans l'une des récentes éditions de son guide annuel, le Britannique Hugh Johnson écrivait que la montée en popularité du chêne français – au détriment de l'américain – avait certes contribué à l'élégance des rouges de la Rioja, mais qu'elle entraînait aussi une certaine perte de typicité régionale. C'est ce qui me revenait en tête en goûtant ce Reserva. La maîtrise technique ne fait aucun doute, le vin est charnu, savoureux et plein en bouche, mais il lui manque un je-ne-sais-quoi qui le rende vraiment distinctif. L'amateur du genre voudra le boire entre 2022 et 2026.

855007   23,75$ ★★★ ②

VIÑA REAL
Rioja Crianza 2015

Plutôt simple aux premiers abords, mais souple, coulant, fruité et bien tourné. Ce 2015 a plus de corps et de matière qu'il n'y paraît. À 15$, en toute justice, c'est un bon achat.

12278261   15,80$ ★★★ ① ♥

BONHOMME, NATHALIE

Tempranillo 2015, El Grand Bonhomme, Cuvée Especial, Castilla y León

Palais délicat, s'abstenir. Si toutefois vous n'êtes pas trop sensible aux parfums torréfiés de la barrique et que vous aimez les rouges musclés et larges d'épaules, alors vous vous régalerez avec ce tempranillo élaboré par la Québécoise Nathalie Bonhomme. Beaucoup de matière, des tanins solides, presque durs et austères à l'ouverture, mais qui se délient après une longue aération. N'hésitez pas à l'ouvrir sur l'heure du midi pour mieux l'apprécier à table, le soir venu.

12475281   29,30$ ★★★ ③

FERNANDEZ, ALEJANDRO

Dehesa La Granja 2013, Castilla y León

La famille Fernández a aussi fait l'acquisition en 1998 d'un vaste domaine à Zamora, juste au sud de l'appellation Toro. En 2013, elle y a produit un bon tempranillo de facture classique, portant les traits aromatiques et l'onctuosité de l'élevage en fûts de chêne américain. Sous sa patine suave, les tanins sont encore bien fermes et serrés; le vin laisse en finale des parfums de cuir et de viande fumée à chaud, de cèdre et d'aneth. À laisser reposer encore jusqu'en 2022-2024.

928036   20,80$ ★★★→? ③

FERNANDEZ, ALEJANDRO

Ribera del Duero Crianza 2016, Condado de Haza

Les quatre filles d'Alejandro Hernandez prennent le relais de leur père, une figure légendaire de la renaissance de Ribera del Duero, aux commandes de Grupo Pesquera. À Condado de Haza, leur autre propriété du Duero, la famille produit un bon rouge de facture conventionnelle, bien espagnol par ses parfums boisés, sous lesquels se cache une matière fruitée assez substantielle. Les plus patients voudront le laisser reposer en cave jusqu'en 2022-2024.

978866   28,40$ ★★★→? ③

NAVARRO LÒPEZ

Valdepeñas Gran Reserva 2013, Laguna de la Nava

100% tempranillo, tout comme le Reserva de la même gamme. Le nez fleure lui aussi la framboise et le vin paraît encore très jeune pour un 2013. Aucune oxydation, mais de bons goûts de fruits rouges frais, des accents d'herbes, de cuir et de fleurs. À boire dans l'année.

902965   15,70$ ★★★ ③

NAVARRO LÒPEZ
Valdepeñas Reserva 2014, Tempranillo, Laguna de la Nava

Tant par son nez très expressif, entre le bonbon à la framboise, l'anis et les fleurs, que par sa bouche souple et coulante, ce vin me rappelle les tempranillos qu'on sert en fûts dans les *tavernas* de la Mancha. Modeste, mais bien fait. Prêt à boire.

902973   13,60$ ★★★ ① ♥

TORRES – CELESTE
Ribera del Duero Crianza 2016

La famille Torres a développé un vignoble à 900 m d'altitude dans Ribera del Duero, loin de son royaume catalan. La qualité de Celeste continue de progresser. Le vin d'entrée de gamme du domaine me paraît aussi plus habilement boisé que par le passé et s'inscrit dans la lignée de classicisme de la très vaste gamme Torres. Rien de spectaculaire, mais un bon rouge charnu, dont on appréciera les saveurs sobres à table. À boire entre 2020 et 2023.

11741285   20,95$ ★★★ ②

VILLACRECES
Ribera del Duero 2017, Pruno

On compte pas moins de 66 noms différents pour le tempranillo en Espagne. Et presque autant d'expressions, sinon plus. Celui-ci adopte un profil singulier en 2017, déployant à la fois des goûts de fruits secs et des nuances végétales et herbacées, qui laissent croire à une certaine sous-maturité. Le vin est tout de même agréable par sa vigueur tannique et son cadre serré, qui accentuent la fraîcheur ressentie. Un peu rustique, mais agréable à table avec des brochettes de bœuf saignantes.

11881940   22,25$ ★★★ ½ ② ♥

BONHOMME, NATHALIE
Jumilla 2018, El Petit Bonhomme

De tous les rouges de la Québécoise Nathalie Bonhomme goûtés au courant de l'année, cet assemblage de monastrell, de garnacha et de syrah est encore une fois celui qui m'a procuré le plus de plaisir. L'attaque en bouche est charnue et gourmande, laissant presque une sensation de sucrosité tant les tanins sont mûrs. Un très bon rouge substantiel pour les soirs de semaine.

12365541   15,85$ ★★★ ½ ② ♥

BONHOMME, NATHALIE
Valencia 2017, El Bonhomme

Nez invitant aux parfums fruités et épicés, sur un fond de cuir, qui traduit la place importante (50%) qu'occupe le mourvèdre dans l'assemblage. Le cabernet sauvignon apporte de la structure, mais ses tanins sont enrobés d'une chair dodue. Il y a aussi dans ce 2017 un petit côté juteux et croquant, entre la cerise et le cacao, qui font penser à un bon gâteau forêt-noire maison... Parfait pour se réchauffer par un soir d'hiver.

11157185   18,75$ ★★★ ②

ECOVITIS
Bobal-Cabernet sauvignon 2018, Fuenteseca, Utiel-Requena

La situation méridionale de l'appellation Utiel-Requena ne devrait pas faire douter de son potentiel viticole. Bien que très méditerranéen, ce rouge brille par son équilibre. Le cabernet sauvignon apporte une trame tannique franche et droite, qui fait écho au fruit juteux du bobal. Dans l'ensemble, à moins de 15$, c'est un bon vin de tous les jours.

14018308   14$ ★★★ ① ♥ ▨

JUAN GIL
Jumilla 2016, Monastrell, Silver Label

Bien qu'encore puissante, capiteuse et frôlant la sucrosité, cette cuvée dégage d'abord des odeurs de torréfaction, ensuite des parfums de confiture de petits fruits noirs. La texture porte aussi l'empreinte crémeuse d'un élevage de chêne. Techniquement correct et tout à fait recommandable si vous aimez les sensations fortes. Je continue toutefois de lui préférer la cuvée Vieilles Vignes vendue pour 7 $ de moins.

10758325   22,70 $ ★★★ ②

JUAN GIL
Jumilla 2017, Monastrell, Vieilles Vignes

Dans le même esprit que les derniers millésimes, cette cuvée issue de vignes âgées d'une quarantaine d'années, cultivées à 700 m d'altitude, saura combler l'amateur de rouge à la fois structuré, joufflu et riche en fruit. On parle ici de fruits confits plus que de fruits frais (15 % d'alcool), sans que ça ne soit un défaut. Tenue et longueur appréciables pour le prix.

10858086   15,50 $ ★★★ ½ ② ♥

JUAN GIL
Jumilla 2017, Pasico, Monastrell-Shiraz

Le charme de ce vin repose à la fois sur ses saveurs affriolantes de jujube à la framboise et sur son attaque en bouche pleine, gourmande et, d'une certaine manière, rafraîchissante. À ce prix, difficile de demander mieux.

12990152   12,55 $ ★★★ ½ ① ♥

PORTUGAL

VINHO VERDE

Au sud du fleuve Minho, qui constitue par ailleurs la frontière avec l'Espagne, la région du Vinho Verde est le royaume du vin blanc sec et désaltérant.

DOURO

Les vignes du Douro servent surtout à la production de vins rouges de table. Les zones d'altitude, les coteaux orientés vers le nord ou vers l'est, protégés du soleil brûlant de la fin de l'après-midi, donnent des vins charnus, mais aussi frais et digestes.

DÃO

Écrin de granit entouré de montagnes, la région du Dão peut produire des vins à la fois racés et élégants. Le cépage touriga nacional y donne des vins souvent plus tendres et nuancés que dans le Douro.

BAIRRADA

Au sud de Porto, la région de Bairrada met à profit le cépage baga. Longtemps considéré comme rustique, le baga donne aujourd'hui d'excellents vins, aussi originaux que savoureux.

LISBOA

Il faudra surveiller de près le vignoble de la région de Lisbonne, pour les vins blancs de l'appellation Bucelas et pour les rouges issus de castelão.

VINHO VERDE

DOURO

Porto

ESPAGNE

BAIRRADA

DÃO

PORTUGAL

LISBOA

Tage

ALENTEJO

Lisbonne

Evora

Setúbal

MER MÉDITERRANÉE

Détroit de Gibraltar

En plus de bénéficier de l'effet tempérant de l'océan Atlantique, sur la côte, et d'être baignés de soleil, à l'intérieur des terres, les vignobles abritent une cinquantaine de cépages autochtones qui assurent aux vignerons de tout le pays la singularité de leurs vins. Du Minho à l'Alentejo, en passant par le Douro, le Dão et Bairrada, le pays foisonne de vins de qualité souvent très distinctifs.

Les cépages vedettes comme le touriga nacional et l'alvarinho continuent d'accaparer l'attention, mais d'autres, moins connus, comme le bâga, l'alicante bouschet, le vital, l'encruzado et le castelão sont maintenant valorisés par une nouvelle génération de viticulteurs qui transforment l'image du vin portugais.

Le Portugal excelle aussi dans l'art de produire à faible coût des vins au caractère affirmé, qui expriment le goût de leur lieu d'origine. Vous trouverez, dans cette section, deux pleines pages de vins rouges du Douro vendus à moins de 15 $ à la SAQ.

LES DERNIERS MILLÉSIMES

2018
Début d'été 2018 atypique, avec le mois de juillet le plus frais depuis 2000. Les raisins ont vite rattrapé le retard dès les premiers jours d'août, grâce à une hausse subite des températures et la maturation s'est poursuivie tout au long de septembre. Les vins affichent des taux d'alcool un peu plus faibles, mais une bonne maturité phénolique.

2017
Chaleur et sécheresse dans le Douro et une récolte très précoce, qui a débuté vers la troisième semaine d'août. Rendements inférieurs à la normale, mais qualité élevée chez ceux qui ont bien trié. Les vins seront colorés et concentrés.

2016
Une année compliquée dans le Douro, où les raisins ont mis plus de temps avant d'atteindre la pleine maturité phénolique. Les vignerons qui ont eu la patience, les moyens et le temps d'étaler les vendanges sur plusieurs semaines ont réussi à produire de très bons vins, rouges comme blancs.

2015
Année de rêve! D'abord, un été chaud et sec, puis des nuits fraîches en septembre et quelques gouttes de pluie juste à temps pour la vendange ont donné des vins intenses et parfumés, mais équilibrés.

CABRAL
Douro blanc 2017, Reserva

Viosinho, arinto, rabigato et gouveio donnent un vin blanc techniquement au point, parfumé à souhait, avec un minimum de texture. À moins de 15$, recommandable, sans être une aubaine.

12757692   13,95$ ☆☆ ½ ①

CORTES DE CIMA
Chaminé blanc 2018, Vinho Regional Alentejano

Un blanc de facture un peu plus internationale – comme beaucoup de vins de l'Alentejo d'ailleurs – par son assemblage de verdelho, d'alvarinho, de sauvignon blanc et de viognier. N'empêche, cette année encore, la qualité est au rendez-vous et le vin offre une matière et une palette aromatique on ne peut plus satisfaisantes pour le prix.

11156238   12,80$ ☆☆☆ ① ♥

FONSECA
Albis 2017, Península de Setúbal

Un vin très parfumé, mais bien sec, comme d'habitude. Une bonne proportion de muscat dans l'assemblage apporte de jolies notes de fruits tropicaux, tandis que l'arinto lui donne du nerf et du corps. Simple, mais de belle qualité.

319905   11,60$ ☆☆ ½ ①

NIEPOORT
Douro Branco 2018, Diálogo

Les vignes de rabigato, códega do Larinho, gouveio, doña branca, viosinho, bical et autres, qui composent le Diálogo blanc, sont cultivées entre 350 et 500 m d'altitude et vinifiées sans bois, afin de préserver la pureté aromatique des cépages locaux et sans transformation malolactique, pour conserver un maximum de fraîcheur. Dès le premier nez, on sait qu'on est loin d'un blanc à saveur de jus de fruits. On appréciera plutôt sa texture, sa tenue en bouche et le caractère singulier de ses notes minérales, plutôt rares dans cette gamme de prix. Un vin fort en caractère que vous aurez vite fait d'adopter.

13074375   16$ ☆☆☆☆ ② ♥

QUINTA DE LA ROSA
Douro Branco 2018

En 2018, Jorge Moreira signe aussi un blanc sérieux, mettant en relief les parfums des cépages blancs classiques du Douro, nourris par un élevage en fûts de chêne neutre. Les parfums de miel et de cire d'abeille l'emportent sur le fruit, ce qui n'est pas un défaut, et la texture est suffisamment riche pour tenir tête à une sauce crémeuse ou à des fromages bien gras. Surtout, servez-le frais, mais pas froid.

13566214   19,95$ ☆☆☆ ½ ② ♥

QUINTA DE PELLADA
Dão Branco 2017, Reserva

Alvaro Castro et sa fille Maria vinifient les fruits de leur propriété familiale sans trop d'interventions et continuent de produire certains des meilleurs vins du Dão. L'encruzado (60%) a non seulement survécu à la longue vague de chaleur et de sécheresse de l'été 2017, on dirait qu'il en a bénéficié. Un peu timides à l'ouverture, les parfums se déploient davantage en bouche ; la texture est ample et large, mais aussi étonnamment tendue et vibrante, avec une certaine « verticalité », pour reprendre l'expression vigneronne. Longue finale distinguée. Beaucoup de plaisir dans le verre.

11895364   25,65$ ☆☆☆☆ ② ♥

QUINTA NOVA DE NOSSA SENHORA DO CARMO
Douro blanc 2018, Pomares

Cette *quinta* merveilleusement située appartient au groupe Amorim, le *leader* mondial de la production de bouchon de liège. Goûté dans la vallée du Douro en juin 2019, ce 2018 était un pur régal de jeunesse et de fruit, mais il déployait aussi en bouche de fines notes végétales, qui lui donnaient un supplément de caractère et de complexité. L'élevage sur lies (en inox) apporte juste ce qu'il faut de gras et rend le vin étonnamment rassasiant pour le prix. Finale saline désaltérante.

13571064   17,35$ ☆☆☆☆ ② ♥

ANSELMO MENDES
Vinho Verde 2016, Pardusco

Envie de sortir des sentiers battus ou de donner un peu de fil à retordre à vos amis lors d'une session de dégustation à l'aveugle? Essayez ce vin rouge produit dans la région du Vinho Verde. Si la lecture de son encépagement (alvarelhão 40%, pedral, borraçal, et vinhão ne vous sort pas de votre zone de confort, son nez *funky* et son attaque perlante le feront. La couleur est foncée, mais la robe translucide annonce un vin guilleret qui ne pèse pas lourd en bouche; les saveurs sont aussi très originales, mariant les épices douces aux cerises noires, sur un fond de terre, de fumée et de sous-bois. À table, ce genre de vin se prête tout autant aux sardines grillées qu'à une porchetta maison. À découvrir.

13169577   17,30$ ★★★ ½ ① ♥

ANSELMO MENDES
Vinho Verde Alvarinho 2018, Monção e Melgaço, Muros Antigos

Le fleuve Minho trace la frontière entre l'Espagne et le Portugal. Au sud du Minho, le cépage alvarinho donne naissance aux meilleurs vins de Vinho Verde, dans les sols pauvres de granite des communes de Monção et Melgaço. En 2018, cette cuvée d'Anselmo Mendes étonne par sa retenue. Alors que tant d'alvariños espagnols jouent à fond la carte de l'exubérance aromatique, celui-ci se laisse découvrir petit à petit et il gagne nettement à être aéré. Digeste, minéral et rafraîchissant comme une brise marine.

11612555   22,50$ ☆☆☆☆ ② ♥

ANSELMO MENDES
Vinho Verde Loureiro 2018, Muros Antigos

Belle occasion pour découvrir le loureiro, qui évolue dans l'ombre de l'alvarinho, cépage-vedette du Vinho Verde. Moins parfumé, mais non moins séduisant par sa retenue, ses saveurs discrètes de citron et de poivre blanc, ainsi que par son amertume fine, qui laisse en finale une agréable sensation de salinité. Frais comme un air de printemps... ou d'automne, c'est selon.

12455088   16,80$ ☆☆☆ ½ ②

ASTRONAUTA
Vinho Verde 2018, Arinto

L'œnologue Anibal José-Coutinho élabore du vin dans plusieurs régions portugaises sous la marque Astronauta. Le cépage arinto, surtout cultivé dans l'appellation Bucelas, tout près de Lisbonne, confère à ce vinho verde une originalité peu commune pour un vin de ce prix. Rien à voir avec les vins vifs et perlants, souvent associés à l'appellation. Plutôt un blanc frais et désaltérant, mais assez substantiel pour accompagner un plat de poisson.

13491161   17,85$ ☆☆☆ ½ ② ♥

AVELEDA, QUINTA DA
Vinho Verde 2018

Tout snobisme mis de côté, avouons que ce petit vin blanc perlant, porte-étendard planétaire du Vinho Verde, se boit drôlement bien par une chaude journée d'été ou à d'autres moments de l'année, avec une entrée de calmars frits. Assemblage de loureiro et d'alvarinho, le 2018 est léger (10 % d'alcool), avec des saveurs nettes de fleur d'oranger et de zeste de lime. D'autant plus recommandable que la bouteille est maintenant coiffée d'une capsule à vis. Idéal pour les piques-niques.

5322   10,95$ ☆☆ ½ ① ♥

RAMOS, JOÃO PORTUGAL
Vinho Verde Loureiro 2018

João Portugal Ramos a contribué, à titre d'œnologue, au succès de domaines réputés comme Quinta do Carmo avant de fonder sa marque éponyme, dans l'Alentejo. Ramos produit aussi du vin dans le Douro (Duorum) et dans le Vinho Verde, où il signe un très bon blanc de loureiro, dont les goûts acidulés vont du pamplemousse blanc au raisin vert. Frais et léger, mais il fait aussi preuve d'une tenue et d'une concentration étonnantes de saveurs pour le prix. Vous pouvez acheter les yeux fermés.

13114322   13,95$ ☆☆☆ ½ ① ♥

ALVES DE SOUSA
Douro 2017, Caldas

Les raisins qui composent le rouge en-trée de gamme de la famille Alves de Sousa proviennent d'une *quinta* histo-rique, située sur la rive droite du fleuve Douro. Une proportion importante de touriga nacional explique peut-être l'exubérance fruitée de ce 2017. Ça et le jeune âge du vin, évidemment. Aucun maquillage; de la fraîcheur, du fruit noir et des épices; un léger reste de gaz accentue la vitalité. Impeccable!

10865227   15$ ★★★★ ② ♥

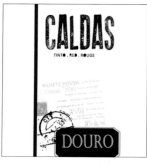

CAP WINE
Douro 2016, Barco Negro

En 2016, le Québécois André Tremblay et ses associés ont produit un vin frais et tout en nuances, composé de touriga nacional et de tempranillo, appelé tinta roriz dans le Douro. Le fruit est mûr, mais l'attaque en bouche est nerveuse, encadrée de tanins suaves qui laissent une im-pression générale bien séduisante. Finale florale aux accents de violette. Belle réussite!

10841188   14,70$ ★★★ ½ ② ♥

CASA FERREIRINHA
Douro 2017, Esteva

Beaucoup de fruit, de la souplesse en attaque, mais une mâche plus solide que la moyenne des vins de cette gamme de prix. Nez de confiture de bleuets, bouche droite et franche, ponctuée d'une délicate amertume, qui sera un atout à table.

13882541   12$ ★★★ ②

CASA FERREIRINHA
Douro 2017, Papa Figos

Sogrape (propriétaire de Casa Ferreirinha) produit un rouge affriolant et juteux, mais dont l'assise tannique est assez ferme pour satisfaire l'ama-teur de rouge portugais et donner du plaisir à table, avec un steak de veau ou un gratin d'auber-gines grillées. Prix juste.

13385325   17$ ★★★ ②

DUORUM
Douro 2017, Tons de Duorum

Touriga Franca, touriga nacional et tinta roriz (tempranillo). Le nom de la cuvée est drôlement évocateur, puisqu'elle déploie en bouche une tonne de vitalité et de fruits noirs croquants, sur une trame à la fois leste et juste assez charnue. Finale savoureuse aux goûts d'épices et de noyau de cerises.

12759840   13,80$ ★★★ ½ ② ♥

FARIA, VICENTE
Douro 2017, Animus

Jeune et bourré de fruit, arrondi d'un léger reste de sucre (5,6 g/l) qui pourrait le rendre un peu racoleur, si ce n'était de la fougue et de la structure naturelles des cépages du Douro. Un vin simple et polyvalent, qui accompagnera bien la cuisine du quotidien.

11133239   12,55$ ★★★ ① ♥

QUINTA DO CRASTO
Douro 2017, Flor de Crasto

Le domaine de la famille Roquette fait partie des adresses réputées du Douro et on comprend vite pourquoi en goûtant le « petit vin » de la maison. Un nez très frais évoque la menthe et l'anis, un grain tannique un brin anguleux donne une allure fringante et vigoureuse, mais la finale se termine en une texture suave, séduisante et drôlement longue. Difficile de demander mieux à si petit prix.

10838579   13,75$ ★★★★ ② ♥

SOGRAPE
Douro 2017, Vila Regia

Chaque nouveau millésime de ce vin confirme la rigueur et le sérieux de la famille Guedes, à tous les échelons de leur production, du grand Barca Velha au simple Vila Regia. Des parfums discrets de petits fruits noirs frais annoncent ici un bon vin souple, net et droit au but. Pas d'assaisonnement aux copeaux de bois ; pas d'extraction inutile. Juste une belle chair fruitée mûre et croquante. L'exemple du bon rouge de table, à boire avec la cuisine de tous les jours.

464388   9$ ★★★ ① ♥

ALVES DE SOUSA
Douro 2016, Vale da Raposa Reserva

Les vignes qui composent ce 2016 maintenant ouvert et prêt à boire sont situées dans la région du Baixo Corgo, à une altitude de 350 m. Le touriga nacional, qui représente 40% de l'assemblage, contribue pour beaucoup à son exubérance aromatique, tandis que le touriga franca apporte la vigueur nécessaire à son équilibre. On a eu la sagesse de ne pas trop extraire et de miser plutôt sur la qualité des tanins; très joli fruit et palette aromatique riche en nuances. Bravo!

11073758   19$ ★★★★ ② ♥

CAP WINE
Douro 2013, Pilheiros

Ce douro 2013, déjà commenté il y a deux ans dans le *Guide*, mais toujours disponible à la SAQ, est maintenant ouvert et prêt à boire. Le vin repose sur des tanins veloutés et polis par les années et propose une interprétation élégante des cépages touriga franca, touriga nacional et tinta roriz, dans la sous-région du Cima Corgo. À 20$, on achète sans hésiter.

11062531   20$ ★★★ ½ ②

CASA FERREIRINHA
Douro 2016, Vinha Grande

Propriété du géant Sogrape depuis 1987, la maison de Porto Ferreira produit aussi une série d'admirables vins de table dans le Douro sous l'étiquette Casa Ferreirinha. La constance du Vinha Grande est admirable. La qualité se maintient et le vin semble imperméable aux tendances (pas toujours heureuses) qui ont gagné le Douro depuis le début des années 2000. Une chair fruitée veloutée qui enrobe l'ossature tannique propre aux rouges de la région. Ou, si vous préférez, une main de fer dans un gant de velours.

865329   18$ ★★★ ½ ②

DUORUM
Douro 2016

Chaque année, je retrouve dans les vins de João Portugal Ramos et de José Soares Franco la même signature de suavité et d'élégance. J'ai surtout un faible pour la qualité des tanins et pour cette fibre soyeuse qui tapisse le palais comme une caresse, mais je me régale autant de sa finale riche en nuances organiques (la terre), fruitées et épicées. À moins de 20$, ce vin est une autre preuve que le Douro est une source infinie d'aubaines pour l'amateur de rouge charnu. À boire entre 2020 et 2025.

11510102   18,90$ ★★★★ ② ♥

QUINTA DE LA ROSA
Douro 2017

La qualité des vins de Quinta de la Rosa ne cesse de progresser sous la gouverne de l'œnologue-consultant Jorge Moreira. Même s'il est le fruit d'un été de chaleur et de sécheresse dans la vallée – avec une récolte très précoce, qui a débuté au mois d'août –, ce 2017 n'accuse aucune lourdeur. Un excellent rouge plein, solide et bien en chair qui fera votre bonheur tout au long de l'année avec une pièce de viande saignante, mais qui pourra aussi vieillir en cave jusqu'en 2023.

928473   22,55$ ★★★★ ② ♥

QUINTA DE LA ROSA
Douro 2017, Dourosa

Dans un style différent du 2016 commenté l'an dernier, le Douro 2017 est plus solide, plus ferme et peut-être un peu moins riche en nuances, mais il conserve une saine fraîcheur grâce, entre autres, à sa densité tannique et à ses parfums de menthe séchée.

12640232   20,40$ ★★★ ½ ②

RAMOS PINTO
Douro 2017, Duas Quintas

Ce classique du Douro résulte d'un assemblage tout aussi classique de cépages locaux (touriga nacional, touriga franca, tinta roriz, tinta da barca, tinta barroca, sousão, tinto cão et tinta amarela), cultivés et vinifiés ensemble. Le nez du 2017 embaume les petits fruits noirs frais. La bouche est polie, travaillée en souplesse et en retenue, plutôt qu'en exubérance. Relief, tenue et longue finale florale et épicée.

10237458   18;80$ ★★★★ ② ♥

CASA FERREIRINHA

Douro 2016, Quinta da Leda

Le vignoble de la Quinta de Leda, aux confins du Douro Superior, est la principale source de fruits des récents millésimes du Barca Velha, le grand rouge qui a lancé la révolution du vin de table du Douro. Comme d'habitude, le 2016 témoigne d'une grande élégance dans la concentration et la puissance. Beaucoup de relief aromatique, une patine tannique classique, moins pleine et joufflue que les douros modernes. Bonne longueur, usage modéré et intelligent de la barrique. Déjà savoureux, mais il aura besoin d'encore plusieurs années pour se révéler pleinement.

13253285 69,25$ ★★★★ →? ③

NIEPOORT

Douro 2017, Redoma

Alors que la majorité des grandes maisons portugaises misent toujours à fond sur la puissance et la concentration pour leur cuvées haut de gamme, Niepoort poursuit sur la voie de l'élégance et de la « buvabilité ». En 2017, la différence était flagrante. Le Redoma se distingue même à vue d'œil, affichant une couleur translucide plutôt qu'opaque. Et l'équilibre général du vin n'a pas souffert des excès d'un été hors norme, décrit comme l'une des années les plus chaudes et arides qu'ait connu le Douro depuis 1931. Les senteurs évoquent les fruits noirs frais, mais pas confits, la bouche est gracieuse, tissée de tanins fins comme de la dentelle et dotée d'une longueur remarquable. Superbe !

11634375 49,50$ ★★★★ ½ ②

NIEPOORT

Douro 2017, Vertente

La fraîcheur du Vertente, s'explique en partie par l'origine des raisins, qui proviennent de la Quinta de Nápoles – vignoble orienté vers le nord – et d'une sélection de vieilles vignes, dans la vallée de Pinhão. Le vin est ensuite élevé pendant 22 mois en fûts de chêne français, sans porter l'empreinte aromatique du bois. Le nez embaume le fruit noir mûr et pourtant frais ; la patine tannique est satinée, le grain est compact, mais poli, sans aucune dureté. Si vous résistez à la tentation de le boire jeune, vous pourrez le garder en cave jusqu'en 2027. Arrivée prévue au courant de l'automne 2019.

10371665 26,15$ ★★★★ ½ ② ♥

PASSAGEM
Douro 2016, Reserve

Passagem est né d'un partenariat entre la famille Bergqvist, propriétaire de Quinta de la Rosa et leur œnologue, Jorge Moreira, aussi propriétaire de Poeira. Les raisins proviennent de la Quinta de Bandeiras, une vaste propriété du Douro Supérieur, située en face de Vale Meão. Alors que les rouges de La Rosa se signalent par leur minéralité fine, celui de Passagem s'impose par sa puissance naturelle, que Moreira parvient tout de même à tenir en bride. En 2016, millésime aidant, il a produit un vin aux tanins fermes, mais polis par l'élevage en fûts de chêne français. Pas spécialement complexe, mais sa finale fruitée et florale exerce un certain attrait. À boire entre 2020 et 2024.

12185698   28,85$ ★★★ ②

QUINTA DAS CARVALHAS
Douro 2014, Touriga Nacional

La réputation des vins du Douro repose, en partie, sur une longue tradition d'assemblage. On dit des cépages utilisés pour l'élaboration des portos qu'ils sont complémentaires. L'un apporte la structure, l'autre les parfums, l'autre le fruit, etc. C'est pourquoi depuis des siècles ces cépages étaient plantés pêle-mêle, dans un même vignoble, puis récoltés et vinifiés ensemble. Or, avec la montée en popularité du touriga nacional, on a vu naître un certain nombre de cuvées monocépages. J'en ai goûté plusieurs. Aucune qui m'ait donné raison de croire que cette tendance avait un quelconque avenir. Prenez ce vin, par exemple. Le nez est séduisant, l'attaque en bouche est fruitée, presque juteuse, puis le vin se resserre dans une finale étriquée et osseuse, qui laisse la bouche sèche.

11343682   23,55$ ★★ ½ ②

ADEGA MÃE
Pinot noir 2016, Lisboa

Très joli nez de pinot noir. La bouche est riche en goûts de fruits noirs, le grain tannique est bien mûr, tandis qu'une certaine amertume, à laquelle s'ajoutent des accents d'herbes, laisse en finale une sensation étonnamment fraîche, vue la latitude.

13568455   23,30$ ★★★ ②

CORTES DE CIMA
Chaminé 2017, Vinho Regional Alentejano

Tout comme le blanc de la gamme Chaminé, ce rouge mise sur un assemblage (tempranillo et syrah) plus international que vraiment portugais. Un vin de belle qualité, juteux, sans manquer de tenue et ponctué de bons goûts de viande fumée et de confiture de framboise. Servir frais, autour de 15 °C.

10403410   13,80$ ★★★ ① ♥

CORTES DE CIMA
Cortes de Cima 2015, Vinho Regional Alentejano

Les Danois Carrie et Hans Kristian Jørgensen se sont établis dans la région de l'Alentejo, dans la partie sud du Portugal, en 1988. La cuvée étendard du domaine est composée d'aragonez (tempranillo), de syrah, de touriga nacional et de petit verdot. Un très bon rouge solaire, sans être lourd, joliment fruité, souple et accessible, à défaut de longueur. Déjà ouvert et prêt à boire.

10944380   18,90$ ★★★ ②

QUINTA DA PELLADA
Dão 2015, Reserva

Álvaro Castro a hérité de cette propriété historique du Dão, dont les origines remontent au XIIIe siècle. Sur les sols de granit de la région du Dão, sa fille Maria et lui produisent cet excellent vin rouge composé aux deux tiers de touriga nacional. Là-bas, le cépage vedette portugais bénéficie autant de la fraîcheur de l'océan Atlantique que de celle des montagnes et donne des vins à la fois élégants et nuancés. Le 2015 laisse d'emblée une impression élégante avec son grain tannique soyeux, qui tapisse la langue d'une matière délicate, relevée de fruits noirs et de fleurs séchées. Pas très expressif pour l'heure, mais il n'en procure pas moins de plaisir. On pourra le laisser dormir en cave encore une ou deux années.

11902106   28,90$ ★★★ →★ ③

QUINTA DE SERRADINHA
Vinho Mesa Tinto 2012

Ce rouge biologique composé à 50% de bâga est produit par António Marques da Cruz, à une centaine de kilomètres au nord de Lisbonne. Un an plus tard, ce 2012 commenté dans la dernière édition du *Guide* est parfaitement ouvert; les notes de réduction font place à des notes de griotte et d'herbes séchées, qui lui donnent, au nez, des airs de rouge piémontais. La bouche est juteuse, à mi-chemin entre le fruit et le végétal, avec une pointe d'acidité volatile qui rehausse le fruit; la finale se décline en une succession d'arômes complexes, quasi éthérée tant elle est aérienne, sans toutefois manquer de tenue. Léger, aérien, mais savoureux, avec juste assez de mâche tannique. Un rouge portugais de grande soif!

13286861   25,55$ ★★★★ ② ♥ 💬

QUINTA DO BOIÇÃO
Reserva 2017, Lisboa

Composé à parts égales de syrah et de castelão. Le premier est étranger et dit « noble », le second est on ne peut plus local et a longtemps été considéré comme un cépage roturier. Un mariage inusité, mais réussi, qui séduira à coup sûr l'amateur de rouge gourmand et charnu. À table, avec des côtes levées ou du porc effiloché, vous aurez un mariage parfait.

14112708   18,05$ ★★★ ②

VADIO WINES
Bairrada 2015

Luis Patrão, a démarré ce projet dans sa région natale en 2005, alors qu'il était œnologue chez Herdade do Esporão, dans l'Alentejo. Le domaine qu'il gère aujourd'hui avec son père Dinis et sa conjointe brésilienne, Eduarda Dias, est un pilier de la renaissance de Bairrada. Sous un nez réduit et des allures quelque peu austères se cachent un délicieux rouge qui porte le caractère affirmé du cépage bâga et offre en bouche une abondance de fruit et de vitalité. L'aération en fait ici toute la différence, puisque le vin ne s'est vraiment révélé que le lendemain de son ouverture. On pouvait alors apprécier sa souplesse, doublée d'une trame tannique juste assez anguleuse pour garantir la vitalité et le relief en bouche. Ouvrez-le vers midi, laissez-le reposer en carafe tout l'après-midi et servez-le avec une salade de canard confit pour souper. Vous vous régalerez!

13620840   22,70$ ★★★★ ② ♥ ⌂

ALBANIE

NAOUSSA

Drama

MACÉDOINE

THRACE

◎ Thessalonique

Pangée

ÉPIRE

Epanomi

Krania

Rapsani

MER ÉGÉE

THESSALIE

ÎLES
IONIENNES

Nemea

ATTIQUE

☆ Athènes

Samo

Markopoulo

MER
IONIENNE

Mantinia

PÉLOPONNÈSE

SANTORIN

RH

MER
DE CRÈTE

PÉLOPONNÈSE

Avec ses 22 000 hectares
en production, la
péninsule du Péloponnèse
abrite près du tiers du
vignoble national. Ses
trois appellations les plus
importantes sont Mantinia,
Nemea et Patra.

CRÈTE

Il y a à peine dix ans, personne n'aurait pu prévoir que les vins grecs connaîtraient une croissance si rapide sur le marché québécois. D'autant plus que leur popularité ne se limite pas qu'à la restauration montréalaise et à une clientèle nichée, mais bien à la clientèle générale de la SAQ. Et le Québec n'est pas une exception. Le succès des vins grecs s'étend à l'échelle planétaire.

Millénaires, mais longtemps méconnus, les vins du Péloponnèse, de Santorin, de l'Attique et de la Macédoine sont maintenant bien en vue sur les cartes des meilleurs restaurants du monde. Avec raison, puisqu'ils sont autant de promesses d'aventures pour le consommateur en quête de saveurs et de sensations nouvelles. La Grèce est gardienne d'un des plus riches patrimoines ampélographiques de la planète et elle mise résolument sur ses variétés régionales. Cette seule raison devrait suffire à vous convaincre d'abandonner vos préjugés – s'il vous en reste – à l'endroit des vins grecs, mais sachez qu'en plus, ils offrent un rapport qualité-prix-plaisir presque inégalable. Allez, tous ensemble : *yamas!*

TURQUIE

NAOUSSA

Sur le flanc sud-est du mont Vermio, le cépage xinomavro est, de manière imagée, le nebbiolo de la Grèce. Colonne vertébrale des crus de l'appellation Naoussa, il donne des vins souvent stricts, dotés d'une agréable fermeté tannique et aptes à vieillir longuement.

SANTORIN

L'île volcanique de Santorin abrite l'un des vignobles les plus anciens et les plus individuels de la planète. On y pratiquait la viticulture dès le XVIIe siècle av. J.-C. L'assyrtiko – cépage blanc local – y conserve une acidité digne de mention, malgré un climat très chaud.

ARGYROS
Atlantis 2018

La cuvée Atlantis a connu une hausse de près de 4$ depuis l'an dernier... Le vin est bon, heureusement! La rondeur et le caractère fruité de l'athiri et de l'aidani complètent à merveille la vivacité de l'assyrtiko dans ce vin blanc juteux, guilleret et gorgé de soleil. En prime, le profil salin, évocateur de bord de mer, propre aux vins de cette île des Cyclades, même les plus modestes.

11097477   22,05$ ☆☆☆ ½ ②

KIR-YIANNI
Assyrtiko 2017, Vin de Haute Altitude, Florina

Le cépage assyrtiko est mieux connu pour les vins blancs structurés et hyper salins auxquels il donne naissance, sur l'île de Santorin, son berceau. Cependant, sa capacité à conserver un bon taux d'acidité sous des climats chauds a incité des producteurs à l'implanter sur le continent. Il semble d'ailleurs avoir trouvé une belle terre d'adoption au nord-ouest de la Grèce, dans la vaste région de la Macédoine, où il grimpe à une altitude de 700 m, sur les sables de l'appellation Florina. Même issu de vignes relativement jeunes (6 à 8 ans), il donne ici un vin blanc de très bonne tenue, vibrant de fraîcheur, avec une amertume qui fait saliver. Très réussi!

13990592   18$ ☆☆☆☆ ② ♥

MONEMVASIA WINERY
Kydonitsa 2016, Laconia

Le vignoble grec compte 77 cépages indigènes, répertoriés dans *Wine Grapes*, de José Vouillamoz, Julia Harding et Jancis Robinson. Dans cet immense ouvrage de référence, véritable bible des cépages, on peut lire que le cépage kydonitsa était pratiquement en voie d'extinction, avant d'être repéré dans de vieux vignobles et replanté par Yiannis Vatistas et George Tsibidis, dans leur domaine de Laconie, situé à la pointe sud-est de la péninsule du Péloponnèse. À l'ouverture, le vin présente un nez réduit, peu attrayant d'emblée, mais dont les relents sulfureux finissent par s'estomper avec une longue aération. La bouche est satisfaisante, portée par une jolie texture et relevée d'arômes de citron et d'odeurs végétales qui rappellent la salicorne et autres herbes des prés salés. Très beaux accords gastronomiques en perspective.

13638249   19$ ☆☆☆ ½ ② ♥

PAPAGIANNAKOS
Savatiano 2018, IGP Markopoulo

Vassilis Papagiannakos a depuis longtemps prouvé qu'avec une viticulture soignée, des rendements restreints et des vinifications sérieuses, même des cépages roturiers comme le savatiano pouvaient donner de bons vins. Voilà maintenant huit ans que je déguste chaque année, plusieurs fois par année, le savatiano de ce producteur réputé de l'Attique. J'en bois aussi très souvent. C'est un peu, d'ailleurs, mon blanc minéral «tout usage». Sauf qu'en 2018, la qualité monte d'un cran. Beaucoup de tenue, des extraits secs, de la salinité et une finale qui égrène les parfums d'herbes fraîches, de citron, d'iode, de poivre blanc... Si bon qu'on en boirait sans soif. À ce prix, achetez-en à la caisse pour toute occasion.

11097451   16,55$ ☆☆☆☆ ½ ② ♥

SCLAVOS
Alchymiste 2018, Vin de Grèce

Evriadias «Vladis» Sclavos est un pionnier de l'agriculture biodynamique en Grèce et il privilégie les cépages locaux aux variétés internationales. L'originalité de cette cuvée produite sur l'île de Céphalonie, repose d'ailleurs sur un assemblage de vostilidi, de moschatela, de tsaousi et de zakynthino. Peut-être était-il encore secoué par le transport lorsque je l'ai goûté en août 2019, mais il m'a paru un brin triste. Encore très jeune, très discret, même après une journée d'ouverture. Il offre de subtiles nuances de fruits jaunes et un volume en bouche plus qu'appréciable pour le prix, mais les habitués de ce vin n'y trouveront peut-être pas la minéralité, la salinité des derniers millésimes. Quelques mois de repos en bouteille lui seront-ils bénéfiques?

13503766   18,65$ ☆☆☆→? ③

TETRAMYTHOS
Roditis 2018, Patras

Le roditis s'enracine dans des sols calcaires, sur les flancs du mont Helmos, à mi-chemin entre Patras et Corinthe. Panayiotis Papagiannopoulos le conduit en agriculture biologique et il signe un bon vin blanc, qui m'a paru un peu plus simple dans sa mouture 2018. Encore très jeune lorsque goûté en juillet 2019, il présentait, des odeurs fermentaires. Le vin laisse la même impression en bouche: sec, frais, léger et peu parfumé, sans la sensation de salinité des meilleures années. Tout cela étant, ça reste un bon achat pour l'amateur de blanc délicat.

12484575   15,95$ ☆☆☆ ① 🍃

GEROVASSILIOU
Blanc 2018, Epanomi

Sans faire de vague, Evangelos Gerovassiliou maintient le cap sur la qualité et signe chaque année un excellent vin blanc aromatique, composé d'assyrtiko et de malagousia. Parfumé, mais jamais pommadé, ses saveurs sont précises, élégantes, riches en nuances. En bouche, l'amertume joue un rôle clé, en mettant le fruit en relief, tout en accentuant la perception de minéralité et en ajoutant à sa longueur. Savoureux en jeunesse et apte à vieillir. Une valeur sûre à la SAQ.

10249061   19,95$ ☆☆☆☆ ② ♥

KIR-YIANNI
Paranga 2018, Macedonia

Un mariage de roditis (80%) et de malagousia. Simple, mais frais et léger, avec des goûts de pêche, une agréable amertume et des notes florales qui rappellent le viognier. Texture vineuse, mais aucune lourdeur. À boire avec une cuisine indienne bien relevée.

13190190   13,90$ ☆☆☆ ① ♥

SPIROPOULOS
Mantinia 2017

Apostolos Spiropoulos est de ces producteurs qui ne craignent pas de pousser la maturité du moschofilero jusqu'à ce que les baies prennent une teinte rougeâtre. Ainsi, même s'il n'a pas l'élégance ni la complexité de celui de Tselepos, commenté plus loin, son vin de Mantinia décline en bouche des arômes originaux de fleurs et d'épices.

13190982   17,25$ ☆☆☆ ① 🍷

THYMIOPOULOS
Atma 2017, Epitrapezios Oinos

En plus de ses rouges maintenant très connus des Québécois, Thymiopoulos élabore un blanc singulier, fruit d'un assemblage de xinomavro – un cépage noir vinifié en blanc – et de malagousia, des appellations Naoussa et Amyndeon. Le xinomavro apporte de la tension, la malagousia du gras et des notes de fleurs. Le vin est sec et rappelle de nouveau de bons viogniers du nord du Rhône par sa texture grasse et ses arômes, mais les éléments semblent un peu dissociés, pour le moment. Laissons-le reposer quelques mois.

13476201   16,95$ ☆☆☆ ②

TSELEPOS
Mantinia 2018

Yannis Tselepos a fait ses études d'œnologie à Dijon et a travaillé pendant quelques années en Bourgogne avant de fonder son propre domaine, sur la péninsule du Péloponnèse, où il s'est depuis imposé en maître du cépage moschofilero. On comprend vite pourquoi en goûtant ce 2018. Parfumé comme le commande le moschofilero, mais avec retenue et finesse, le vin fait preuve d'élégance. Sa finale saline le rend particulièrement savoureux.

11097485   18,65$ ☆☆☆☆ ② ♥

ZOINOS
Zitsa 2017, DR Debina,
Respect Orange Wine

Amateur de raretés, vous serez servi par ce vin composé de debina, un cépage rarissime du nord-ouest de la Grèce, dont on a laissé la peau au contact du moût de raisin, permettant ainsi d'extraire plus de matière phénolique. Résultat, un vin orange par sa couleur et par son style: presque tannique, peu acide, drôlement original. Le 2017 poursuit dans la même veine que l'excellent 2016 commenté dans la dernière édition du *Guide*. Bien que délicat en saveur, il a une réelle présence en bouche et s'avère très rassasiant. À servir avec une assiette de charcuteries, comme du salami au fenouil.

13593280   25,55$ ☆☆☆☆ ② ♥

KIR-YIANNI
Naoussa 2015, Cuvée Villages

Alors que la cuvée Jeunes Vignes de Thymiopoulos – vendue sensiblement au même prix – flirte avec un style plus «nature», ce tout nouveau
vin de Kir-Yianni à la SAQ mise plutôt sur le style classique de Naoussa.
Un nez quasi piémontais, un fruité contenu et une trame tannique droite
et légèrement astringente qui peut sembler austère aux premiers
abords, mais qui s'avère très agréable à table, avec une viande saignante. Ne lui manquait qu'un peu de longueur
pour mériter quatre étoiles.

13990613   18$ ★★★ ½ ② ♥

KIR-YIANNI
Naoussa 2015, Ramnista, Single Vineyard

Après avoir fait de J. Boutari & Sons l'une
des entreprises viticoles les plus prospères
du pays, Yiannis Boutari, a tout quitté pour
développer sa propre affaire dans le village
de Yannakohori, il y a une vingtaine d'années. Son domaine est aujourd'hui entre les mains de ses fils Stellios et Mihalis. Le cépage xinomavro évoque les vins de nebbiolo à plusieurs égards et le 2015 qu'ils
ont produit en est un très bel exemple. Des arômes de cerise séchée et
de prunes fraîches, des tanins fermes qui lui donnent une allure plutôt
austère à l'ouverture, mais qui semblent s'affiner
après une longue aération. Un vin long et profond
à apprécier à table, avec un carré d'agneau.

12784703   26,25$ ★★★★ ② ▼

KIR-YIANNI
Paranga 2016, Macédoine

La famille Boutari produit aussi un bon rouge d'entrée de gamme composé de xinomavro, de merlot et de syrah. Très attrayant par sa bouche
nerveuse et ses arômes de fruits, de poivre et d'herbes, soulignés d'une
agréable sensation de fraîcheur. Simple, mais tout
à fait recommandable à 15$.

11097418   15,25$ ★★★ ②

THYMIOPOULOS
Naoussa 2015

L'an dernier dans les pages du *Guide,* j'avais émis des réserves par rapport au sucre résiduel que présentait ce vin en 2015. Douze mois plus tard, il paraît mieux équilibré, comme si les 5 g/l de sucre s'étaient fondus à l'ensemble. Le vin est encore bien rond, mais en harmonie avec les tanins et l'acidité. Bonne longueur et finale animale qui évoque le cuir.

13288218   24,45$ ★★★ ②

THYMIOPOULOS
Naoussa 2017, Jeunes Vignes

Apostolos Thymiopoulos fait partie de la génération qui, depuis le milieu des années 2000, a rendu son lustre au vignoble endormi de Naoussa. En 2017, le caractère fruité de sa cuvée Jeunes Vignes est rehaussé d'une pointe d'acidité volatile, ce qui, loin d'être un défaut, donne au vin une dimension supplémentaire.

Du reste, le vin affiche toujours une couleur pâle et séduit par son attaque en bouche juteuse autant que par sa fin de bouche serrée et vigoureuse. Un bon rouge à apprécier autant à l'apéro qu'à table et à servir frais, autour de 14 °C.

12212220   18,30$ ★★★ ½ ② ♥

TSANTALI
Rapsani 2015, Reserve

La cuvée Réserve est issue d'un assemblage (xinomavro, krassato et stavroto) semblable à celui du «petit» Rapsani, aussi disponible à la SAQ, mais élevé pendant 12 mois en fûts et 12 mois en cave. Le résultat est correct, mais ne surprend guère. La Grèce offre, à prix égal, sinon moindre, des vins nettement plus excitants.

741579   19,10$ ★★ ½ ②

◎ DÜSSELDORF

◎ COLOGNE

◎ BONN

AHR

Mittelrhein

◎ FRANCFORT-SUR-LE-MAIN

Rheingau

Franconie

MOSELLE

RHEINHESSEN

NAHE

PALATINAT

Baden

SUISSE

MOSELLE

Le vignoble de la Moselle est la région de prédilection pour l'amateur de riesling germanique classique. En général, les vins sont légers, assez aromatiques et plus délicats que ceux des régions voisines.

RHEINHESSEN

Longtemps connu pour sa production de Liebfraumilch bas de gamme, le plus vaste vignoble du pays connaît une renaissance depuis les années 1990. On y trouve de très bons blancs abordables, souvent issus de l'agriculture biologique.

PALATINAT

La région du Palatinat (Pfalz en allemand) est bordée au nord par le Rheinhessen et par l'Alsace, au sud. Si la partie centrale est surtout connue pour ses rieslings amples et mûrs, souvent vinifiés en sec (trocken), le sud de la vallée donne aussi de bons pinots noirs.

Peu de pays se résument à un seul cépage. Pourtant, même si l'Allemagne produit aussi des pinots noirs (spätburgunder) de calibre international et de très bons pinots blancs (weissburgunder), le riesling demeure le pilier de la viticulture germanique. De la Moselle au Palatinat, de la Nahe jusqu'au Rheingau, tout tourne inévitablement autour de cette variété. Et on ne s'en plaindra pas!

Et, contrairement à la croyance populaire, les rieslings allemands ne sont pas tous sucrés. En vérité, depuis une bonne trentaine d'années, les Allemands se tournent plutôt vers les vins secs. Si bien que la survie des rieslings demi-secs tels qu'on les connaît repose maintenant en partie sur la demande étrangère…

Au même titre que les vins de la Bourgogne, les meilleurs rieslings allemands comptent parmi les plus grands vins de terroir sur la planète. Nuancés, complexes, minéraux et aptes au vieillissement. Ne reste qu'à souhaiter que la sélection à la SAQ continue de s'élargir pour que les amateurs québécois puissent enfin saisir le charme exquis de ces vins.

LES DERNIERS MILLÉSIMES

2018
Des conditions semblables à 2003 dans la Moselle; les vins seront également puissants, mais avec de meilleurs taux d'acidité. L'acidification a été autorisée dans Rheingau, Rheinhessen, Palatinat et Nahe, qui devraient eux aussi produire des blancs puissants.

2017
Une année de défis. En plus d'avoir souffert du temps froid d'avril, comme une bonne partie de la France et du nord de l'Italie, plusieurs régions viticoles allemandes ont connu un septembre pluvieux. La Moselle fait figure d'exception: les vins sont vifs et structurés; on a même pu produire des vendanges tardives (BA et TBA).

2016
À l'échelle nationale, des conditions météorologiques médiocres (pluie, grêle), ont sévi pendant le printemps et une bonne partie de l'été. Quantité et qualité en baisse un peu partout, sauf dans la Moselle, où le temps clément de la fin de septembre et du mois d'octobre a permis de produire de bons kabinett et spätlese. Il faudra cependant oublier les auslese.

2015
Une vendange presque idéale: été chaud et sec, septembre humide et octobre sous le soleil. Excellente récolte pour les spätlese et auslese dans la Moselle. Millésime atypique pour le Palatinat; excellent pour le Rheingau, tant en sec qu'en liquoreux.

AM STEIN
Riesling 2017, Stettener Stein GG, Franken

La mention Grosses Gewächs (ou GG, plus simplement) sur l'étiquette – qui pourrait se traduire comme «grand cru» – est réservée aux membres du VDP, un organisme privé qui réunit l'élite du vignoble allemand. Les GG sont obligatoirement secs. Celui-ci provient de la Franconie, une région située à l'est de Francfort, surtout connue pour ses vins de silvaner, mais qui, à l'évidence, donne aussi naissance à de très bons rieslings. Un vin archisec, dans lequel l'acidité joue un rôle structurant, et qui pourra à la limite sembler austère pour l'amateur de riesling classique, avec son acidité vive, dépourvue d'enrobage sucré. N'empêche qu'à table, après une longue aération de deux heures en carafe, je n'aurais pu imaginer mieux pour accompagner des schnitzel. À laisser dormir en cave jusqu'en 2027, au moins.

13625763   69,25$ ☆☆☆→☆ ③ 🍷 ⚗

BURG RAVENSBURG
Riesling 2017, Baden

Ce domaine fondé au XIIIᵉ siècle est aujourd'hui un acteur majeur de la région de Baden, puisqu'il comporte 110 hectares, cultivés en mode agrobiologique depuis 2010. Ce riesling «village» déconcerte un peu au premier nez, avec ses notes sulfureuses attribuables à une légère réduction, mais une aération d'une demi-heure suffit pour qu'il s'ouvre en un bouquet de fleurs blanches et d'écorce de citron. La bouche est tendue et offre une agréable tenue. Un très bon riesling trocken qu'on pourra aussi laisser vieillir en cave pendant quelques années.

13453762   21$ ☆☆☆ ½ ② ♥ ⚗

DÖNNHOFF
Riesling Trocken 2017, Nahe

La famille Dönnhoff a fait de son petit domaine de la Nahe, juste à l'est de la Moselle, l'un des domaines viticoles les plus respectés d'Allemagne. Cornelius Dönnhoff a pris la relève du domaine il y a une dizaine d'années et signe, entre autres, cet excellent vin blanc sec, vif et aérien, qui titre à peine 11,5 % d'alcool, mais qui offre en bouche une superbe tenue, avec des parfums délicats de citron et de pomme verte. Pur, léger comme une plume et parfait pour accompagner les coquillages.

13510552   26,20$ ☆☆☆☆ ② ♥

SELBACH
Riesling 2018, Mosel

L'exemple type du riesling Qba de la moselle. L'acidité vive, mais pas acerbe, agit comme support et s'enrobe d'un reste perceptible de sucre, tout en laissant en finale une impression aérienne. Léger comme tout (10,5% d'alcool); frais et guilleret comme...
la Suite n° 1 de Peer Gynt, tiens.

11034741   18,20$ ☆☆☆ ① ♥

SELBACH OSTER
Riesling spätlese 2016, Wehlener Sonnenuhr, Mosel

Cette maison familiale est une entreprise viticole très importante de la Moselle. En 2016, les vignes de riesling du vignoble Wehlener Sonnenuhr ont dû profiter du temps doux de la fin de septembre et du début d'octobre puisque Johannes Selbach a produit un spätlese expansif qui sent la poire et l'abricot bien mûrs. La bouche est tout aussi généreuse, mais se profile avec retenue, traduisant dans le verre toute l'élégance dont ce cru célèbre de la Mittel Mosel peut faire preuve. Seulement 8% d'alcool et une palette aromatique hyper complexe, qu'une minéralité sous-jacente porte en une longue finale. Magnifique!

13999984   41$ ☆☆☆☆→? ③

SELBACH OSTER
Riesling trocken 2015, OMG, Mosel

Variation singulière sur le thème du vin orange. Le riesling du vignoble Himmelreich a été récolté à la mi-octobre, puis laissé à macérer avec les peaux pendant trois semaines, vinifié sans ajout d'enzyme ni de levure et élevé pendant deux ans dans un foudre de chêne de 1000 litres. L'idée est intéressante, mais soulève quelques questions... D'abord, pourquoi dénaturer le riesling de la Moselle avec ce type de vinification? Et pourquoi ensuite gommer l'originalité dudit vin avec les parfums du chêne? Tout cela étant, le vin n'a rien de mauvais, tendu et tannique comme il se doit. J'ai même eu un certain plaisir à le boire après trois jours d'ouverture, une fois l'empreinte boisée estompée. Ensuite, je me suis servi un verre du spätlese 2016 commenté précédemment et me suis réconciliée avec le riesling.

13999141   38$ ☆☆ ½ ②

WACHAU

La région de Wachau n'adhère pas au système d'appellation autrichien, nommé Districtus Austriae Controllatus (DAC). Les blancs secs de la région sont regroupés en trois catégories, selon leur maturité :

Steinfeder
· < 11,5 % d'alcool ; destinés à la consommation locale.

Federspiel
· entre 11,5 % et 12,5 % d'alcool ; aptes au vieillissement et souvent aussi complexes que les smaragd.

Smaragd
· > 12,5 % d'alcool, maximum de 9 g/l de sucre. Opulents et aptes à la garde ; parmi les vins blancs les plus complexes du pays.

BURGENLAND

Sur les rives du lac de Neusiedl, les zweigelt, blaufränkisch, st-laurent, blauburgender (pinot noir) et autres cépages septentrionaux ont trouvé un terrain de jeu rêvé et donnent généralement des vins souples, vibrants, gorgés de fruit et désaltérants.

Innsbruck

BIO

24 % du vignoble autrichien est certifié biologique ou en voie de l'être – c'est plus que tout autre pays d'Europe

Le vignoble autrichien s'étend sur 46 500 hectares, bien à l'est des pistes d'Innsbruck, adossé aux frontières tchèque, slovaque, hongroise et slovène. «En Autriche, rappelait avec une pointe d'humour Willi Klinger, on skie dans l'Ouest et on boit dans l'Est.» Klinger occupe le poste de directeur général du Austrian Wine Marketing Board depuis 2007. L'industrie viticole autrichienne lui doit en grande partie son succès planétaire.

Le défi était énorme en 2007, tant à l'interne qu'à l'externe. Il fallait d'abord convaincre les vignerons de miser à tout prix sur la qualité, pour ensuite faire oublier à des générations de consommateurs la terrible crise (vins contaminés à l'antigel) des années 1980. Klinger a vite remporté son pari : les vignerons l'ont suivi et les consommateurs n'ont pas tardé à apprendre et à propager, eux aussi, la bonne nouvelle.

Aujourd'hui, 24 % du vignoble autrichien est certifié biologique ou en voie de l'être – c'est plus que tout autre pays d'Europe. Les blaufränkisch, zweigelt et st-laurent sont passés de pâles, acides et maigres à affriolants, frais et guillerets. Les grands vins blancs de terroir de Südsteiermark, de la Wachau, du Kamptal et du Kremstal ont retrouvé leur lustre d'autrefois. Et même les terroirs moyens peuvent donner vie à un riesling ou un grüner veltliner minéral et cristallin. Vous en trouverez quelques bons exemples dans ces pages et des dizaines d'autres à la SAQ. Allez-y, explorez!

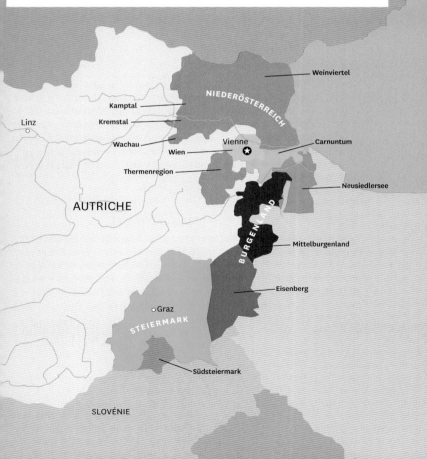

ESTERHAZY
Grüner veltliner 2018, Le Baiser, Klimt, Burgenland

La région du Burgenland, qui longe la frontière avec la Hongrie, bénéficie d'un climat un peu plus chaud que le nord du pays et elle est surtout réputée pour ses vins rouges. Cela n'empêche pas ce domaine historique d'y produire un très bon blanc à la fois bien mûr et plus vineux que la moyenne des grüners d'entrée de gamme, mais aussi très digeste. Beau rapport qualité-prix.

13632066   14,95$ ☆☆☆ ② ♥

FORSTREITER
Grüner veltliner 2018, Gruuner, Niederösterreich

Le cépage grüner veltliner couvre près du tiers du vignoble d'Autriche. Bien qu'habillé d'une étiquette comique qui ne paie pas de mine, celui que produit la famille Forstreiter, en bordure du Danube, n'a rien d'une farce. Un vin simple certes, mais typé, bien fait et animé d'un léger reste de gaz qui lui donne des allures de spritz. À l'apéro, on ne demande pas mieux.

13657731   15,30$ ☆☆☆ ① ♥

FRITSCH
Grüner veltliner 2018, Wagram

Karl Fritsch conduit son vignoble de la région de Wagram, à l'ouest de Vienne, depuis 2006 et il excelle dans l'art de produire de bons grüner veltliner, souvent à des prix très accessibles. En 2018, suite à un été de grande chaleur, il a produit un vin savoureux, aux goûts de pêche, d'ananas et autres fruits tropicaux, mais sans lourdeur, grâce, entre autres, à une fin minérale qui apporte de la tension en bouche. Complexité et longueur dignes de mention, vu son prix.

11885203   20,35$ ☆☆☆☆ ② ♥

GEYERHOF
Grüner veltliner 2018, Rosensteig, Kremstal

L'été 2018 a été exceptionnellement chaud en Autriche; les vignerons ont enregistré la vendange la plus précoce des trois dernières décennies. Peut-être aidé par les effets bénéfiques de l'agriculture biodynamique, le grüner de la famille Maier conserve une fraîcheur enviable, tout en déployant en bouche le caractère voluptueux des millésimes solaires. Le fruit est mûr, plus près de la pomme compotée que des agrumes, avec une finale aux notes de miel délicates qui persistent en bouche. Toujours excellent dans sa catégorie.

12676307   24,90$ ☆☆☆☆ ② ♥ 💬

JURTSCHITSCH
Grüner veltliner 2018, GrüVe, Niederösterreich

Alwin Jurtschitsch et Stefanie Hasselbach puisent dans leurs vignobles du Kamptal de remarquables vins de terroir, mais leur cuvée GrüVe se veut plutôt une expression variétale du grüner. Ce qui n'exclut pas une qualité impeccable. Pur comme une eau de source, frais, perlant et délicatement parfumé, élégant et très bien fait.

13679884   24,15$ ☆☆☆ ½ ①

JURTSCHITSCH
Grüner veltliner 2018, Terrassen, Niederösterreich

Depuis qu'ils ont pris la relève de ce vignoble du Kamptal, en 2006, Alwin Jurtschitsch et sa conjointe, Stefanie, en ont fait l'un des domaines les plus dynamiques d'Autriche. Alors qu'en 2017, leur grüner était on ne peut plus typé, avec des notes végétales (grüner signifie «vert», en allemand), leur 2018 adopte une forme plus ample et mûre. L'effet millésime, sans doute. Les saveurs aussi témoignent de raisins récoltés à maturité optimale sauf que, et c'est là l'un des grands atouts des pays viticoles du nord, l'alcool ne dépasse guère les 12,5% et le vin a un équilibre irréprochable. Un excellent blanc qu'on pourra apprécier sans se presser jusqu'en 2024. Arrivée à la SAQ au début de l'année 2020.

13681685   27,90$ ☆☆☆☆ ② ♥

MEINKLANG
Grüner veltliner 2018, Burgenland

Polyculture et biodiversité. Le modèle de Meinklang pourrait faire école en termes d'agriculture biodynamique. À plus ou moins un kilomètre à vol d'oiseau de la frontière hongroise, la famille Michlits se consacre à l'élevage de bovins, à la culture de céréales anciennes, en plus de veiller sur des vergers et un vignoble. Le climat de la région de Burgenland, tempéré par la proximité du lac Neusiedler, et les conditions anormalement chaudes de l'été 2018 ont donné un grüner plutôt atypique. Du moins, si on le compare à ceux du Kamptal et de Kremstal. Une expression généreuse du grüner, à apprécier pour ses saveurs mûres de pêche et d'épices, autant que pour son côté nerveux, vaguement perlant et, en somme, très désaltérant.

13631071   20,70$ ☆☆☆ ½ ① ♥ 🍷

ESTERHAZY
Blaufränkisch 2017, Cuvée Klimt, Burgenland, Autriche

Le domaine historique des Esterhazy, une famille d'aristocrates hongrois fut la résidence du compositeur Joseph Haydn. Autant j'ai bien aimé le blanc de cette gamme dédiée au peintre autrichien Gustav Klimt, autant ce rouge me laisse sur ma soif. Une interprétation rustique et rudimentaire du blaufränkisch, à la fois vive et chaleureuse; peu de fruit, mais des notes animales et un fini tannique râpeux. Le prix laisse perplexe.

13632103   19,35$ ★★ ½ ②

HANS BAER
Pinot noir trocken 2018, Rheinhessen, Allemagne

À moins de 15$, une expression modeste, mais tout à fait honnête du pinot noir allemand. Le fruit est présent, les parfums sont nets, la trame est souple et coule en bouche, sans la moindre aspérité tannique. À boire dans la prochaine année.

14035394   13,95$ ★★ ½ ① ♥

HEINRICH
St-Laurent 2015, Burgenland, Autriche

Gernot Heinrich est l'un des neuf membres de Pannobile, un regroupement de vignerons de Neusiedlersee dédiés à la mise en valeur de cépages locaux, comme le st-laurent, un ancêtre du zweigelt. Les parfums poivrés de cet excellent 2015 goûté par une journée torride de juillet rappellent immanquablement une syrah de st-joseph – dans le nord de la vallée du Rhône – à laquelle il emprunte aussi la fraîcheur et le grain tannique serré. La robe est dense, le nez, complexe, et la bouche, suave et profonde, offre aussi une longueur remarquable. Une grappe d'or bien méritée!

11375684   32$ ★★★★ ② ♥

JOHANNESHOF REINISCH
Pinot noir 2017, Thermenregion, Autriche

Ce domaine conduit en agriculture biologique par trois frères est situé au sud-est de Vienne, dans une région historiquement réputée pour la qualité de ses vins de pinot noir. Le 2017 présente au nez les notes fumées et terreuses habituelles, mais avec une chair fruitée qui me semble plus pleine, plus généreuse. Ce qui ne fait pas obstacle à la finesse ni à la fraîcheur. Le vin laisse en finale ces mêmes arômes fumés et organiques qui rappellent la terre au printemps. Déjà prêt à boire. Un régal avec des « chopped liver » aux oignons confits.

13058113   23,60$ ★★★★ ② ♥

MORIC
Blaufränkisch 2015, Reserve, Burgenland, Autriche

Tout comme le st-laurent d'Heinrich, pourtant goûté une autre journée, ce blaufränkisch m'a donné l'impression d'une syrah rhodanienne, mais de Côte Rôtie, plus que de St-Joseph. Son caractère plantureux, bien nourri par la chaleur de l'été 2015 et son tissu tannique velouté exercent déjà un charme fou, mais il n'y a aucun doute que ce vin intense et encadré d'une armature tannique solide pourra traverser les années avec grâce. Un verre suffit à comprendre pourquoi le domaine de Roland Velich jouit d'une si grande renommée.

13536365   51,50$ ★★★★ ② ▼ Ⓢ

PITTNAUER
Pitti 2017, Burgenland, Autriche

Cet assemblage de blaufränkisch et de zweigelt, cultivés en biodynamie dans le Burgenland autrichien, me semble encore plus poivré et croquant en 2017. Gherard Pittnauer est apparemment maître dans l'art de produire à coût modique, des vins dont la qualité est irréprochable et qui traduisent avec sincérité le goût de leur lieu d'origine, ce qui est plutôt rare dans cette gamme de prix. Difficile de résister à l'éclat fruité de ce rouge hyper digeste et taillé pour la table. Cette année encore, il mérite vraiment quatre étoiles dans sa catégorie.

12411000   19,85$ ★★★★ ② ♥

L'ÉVEIL HONGROIS

L'industrie viticole hongroise se reconstruit depuis 1989, comme celle de tous les anciens États membres de l'Union soviétique. Cependant, plutôt que de chercher maladroitement sa voie comme sa voisine, la Roumanie, le pays magyar a déjà une identité bien affirmée, forte d'une tradition viticole millénaire.

La région de Tokaj s'éloigne de plus en plus des liquoreux pour se consacrer à l'élaboration de blancs secs, pour la plupart issus du cépage local furmint, qui trouve une expression toute particulière dans les sols volcaniques de la région Tokaj-Hegyálja, sur les différents terroirs qui entourent le Kopasz-Hegy (mont Chauve). Les vins produits sur les loess de Mézes-Mály, par exemple, sont en général plus délicats ; ceux des argiles rouges volcaniques de Nyulászo, à l'est de Mád, donnent des vins plus structurés et ceux de Szent Tamas ont tendance à être plus complets et à déployer des saveurs intenses fruitées et minérales.

Au sud-ouest de Tokaj, le vignoble de Eger est avant tout connu pour ses bikavérs (sang de bœuf), des rouges d'assemblage dont la qualité est hétérogène. Les meilleurs vins de la région sont produits autour de la colline de Nagy-Eged, le «grand cru» d'Eger. Les vignes de kékfränkos (blaufränkisch en Autriche) adoptent sur cette butte calcaire qui culmine à 536 m d'altitude une texture plus dense, tissée de tanins compacts et couronnée d'une sensation minérale. Il faudra surveiller l'arrivée au printemps 2020 du Nagy-Eged 2017 de la famille Stumpf, qui n'était toujours pas embouteillé au moment d'écrire ces lignes. Je garde un excellent souvenir des quelques cuvées goûtées sur place, en 2018.

Enfin, tout au sud du pays, la région de Szekszárd est une terre de vins rouges. On y produit beaucoup trop de vins génériques issus de cépages internationaux (merlot, cabernet franc et cabernet sauvignon), mais aussi le fameux bikavér, qui doit ici être composé au minimum à 70 % de kadarka. Ce cépage autochtone, qui constituait jadis la base du vin rouge hongrois de tous les jours, a été laissé à l'abandon sous la vague industrielle communiste, passant de 60 000 à un maigre 380 hectares. Il connaît aujourd'hui une certaine renaissance, grâce à une nouvelle génération de vignerons, déterminés à se réapproprier leur riche patrimoine viticole.

HEIMANN
Kadarka 2017, Szekszárd

Zoltán Heimann est le spécialiste du kadarka. Il y a 25 ans, en collaboration avec l'Université de Pécs, il a lancé un vaste programme de recherche sur la diversité génétique de ce cépage local. Son fils Zolly, qui prend peu à peu la relève du domaine, incarne pour sa part à merveille le nouveau visage du vignoble hongrois. Depuis son arrivée au domaine, il a progressivement remplacé les barriques pour des amphores et réduit les interventions au chai. Vendu pour la première fois à la SAQ, leur kadarka est l'un des meilleurs que j'ai eu l'occasion de goûter lors d'un séjour à Budapest en 2018. Un rouge de couleur très pâle, discret au nez, presque dépourvu de tanins et pourtant très fort en caractère. La bouche offre un heureux mariage de fruits rouges, de notes cendrées et terreuses, et laisse en finale une sensation à la fois aérienne et chaleureuse. Une belle bouteille pour l'amateur de poulsard, gamay et autres rouges de soif.

14057219   **22,85 $**   ★★★★ ② ♥

En primeur

CHÂTEAU DERESZLA
Tokaji Dry 2018

Un vin tout ce qu'il y a de plus frais et une expression très jeune du furmint, cépage blanc qui représente environ les deux tiers de la superficie du vignoble hongrois. Sec et modérément parfumé. Pas très complexe, mais juste ce qu'il faut de gras en bouche et assez original.

13479639   15,95$ ☆☆☆ ②

PAJZOS
Tokaji Furmint 2017

Je suis toujours ravie de constater à quel point certains vins parviennent à nous dépayser, à peu de frais. Sans être spécialement étoffé, ce furmint porte de jolis arômes de pomme mûre et d'épices, enrobés d'une texture juste assez nourrie, et s'avère très rassasiant à moins de 15$.

860668   14,50$ ☆☆☆ ① ♥

ARMAS
Karmrahyut 2014, Arménie

Lentement, mais sûrement, l'industrie viticole arménienne entre dans le XXIᵉ siècle. La renaissance de ce vignoble millénaire qui compte plus de 6 000 ans d'histoire repose, entre autres, sur les initiatives et les investissements d'Arméniens expatriés, comme l'homme d'affaires américain Armenak Aslanian, qui a développé un domaine de grande envergure dans la province d'Aragatsotn. Le premier vin rouge disponible à la SAQ est composé à 92% de karmrahyut – un raisin à chair rouge, dont le nom signifie littéralement rouge juteux, en arménien. Très expressif, le nez embaume les fruits rouges mûrs et les fleurs séchées. La bouche est hyper compacte, de l'attaque à la fin, et le vin est incroyablement long, avec des nuances épicées et florales. Plein de beaux accords et de plaisir en perspective à table.

13497458   **23,60 $**   ★★★★ ② ♥

CIRINGA
Sauvignon blanc 2016, Fosilni Breg, Stajerska, Slovénie

La plupart des frontières qui séparent l'Autriche de ses voisins n'existaient pas avant la Première Guerre mondiale. Certaines de ces frontières ont séparé des vignobles. Aujourd'hui, il n'est pas rare que des entreprises autrichiennes élaborent du vin dans deux pays différents, de part et d'autres d'une frontière. C'est le cas de la famille Tement, un grand nom de la région autrichienne de Südsteiermark, qui a récemment planté du sauvignon blanc sur le prolongement de son célèbre cru Zieregg, mais en Slovénie. Grâce à des coûts d'exploitation de vignobles plus avantageux, ils arrivent à y produire un sauvignon blanc dont l'empreinte minérale et les saveurs cristallines rappellent celles des cuvées les plus prisées de leur domaine d'Autriche, pour une fraction du prix. Franc, droit, long et structuré. Un excellent blanc!

13910290   **27,15$**   ☆☆☆☆ ② ♥

MIROGLIO, EDOARDO
Pinot noir 2016, Soli, Thracian Valley, Bulgarie

Cette année encore, ce pinot noir bulgare offre un rapport qualité-prix hors pair. Bien nourri par le soleil de la vallée de la Thrace, dans le sud de la Bulgarie, mais tout à fait typé de son cépage d'origine avec un nez qui rappelle certains pinots de Nouvelle-Zélande... deux fois plus chers. Une aubaine à saisir pour l'amateur de rouge souple et fruité.

11885377   14,40$ ★★★ ① ♥

PELICAN NEGRU
Soft Red Blend 2015, Moldavie

Le domaine de Gheorghe Arpentin, Veaceslav Frunze et de leur associé québécois, Jean-Philippe Sauvé est situé au sud du pays, dans la région viticole historique de Purcari, dont les vins avaient été encensés à l'Exposition universelle de Paris, en 1878. Les cépages français ont d'ailleurs été introduits dans cette zone viticole dès 1850. Ce n'est donc pas par opportunisme commercial si ce rouge repose sur un assemblage de cabernet sauvignon et de malbec. Le vin est élaboré dans un style international qui n'a rien de bien dépaysant pour les amateurs avertis, mais il offre, à un prix dérisoire, une qualité irréprochable. Gorgé de saveurs, porté par une texture mûre et charnue, avec un milieu de bouche plein et savoureux et une finale étonnamment longue. À ce prix, vous pouvez en faire provision à la caisse!

14043634   14,95$ ★★★★ ② ♥

VINĂRIA DIN VALE
Pinot noir 2016, Moldavie

La Moldavie a beau paraître minuscule à côté de ses voisins, la Roumanie et l'Ukraine, son vignoble n'en est pas moins imposant par sa taille, 110 000 hectares, équivalente à celle de Bordeaux. Pour étancher votre soif à peu de frais les soirs de semaine, vous pouvez retenir ce rouge léger et facile à boire. Simple, sans grande longueur ni réelle typicité aromatique du pinot, mais souple, coulant et joliment fruité. Mieux vaut le servir frais, autour de 14 °C.

13681757   10,10$ ★★ ½ ① ♥

ADIR WINERY
Cabernet sauvignon 2015, Kerem Ben Zimra, Upper Galilee, Israël

Tout au nord du pays, les terroirs d'altitude (1200 m.) de Galilée semblent adaptés à la culture du cépage cabernet sauvignon. Avi Rosenberg en tire un vin proprement délicieux. Sans doute le vin d'Israël le plus fin et le plus complet que j'aie goûté au cours des dix dernières années. Goûté un an plus tard, au courant de l'été 2019, je fais le même constat: un rouge boisé intelligemment, aux lignes pures, très harmonieux; les tanins sont juste assez fermes, enrobés d'une chair fruitée mûrie à point. Long en bouche, charnu, très rassasiant. On voudra l'apprécier à table avec un carré d'agneau aux herbes.

13570521   33,25$ ★★★★ ②

GALIL MOUNTAIN WINERY
Alon 2015, Upper Galilee, Israël

Cultivés en altitude ici encore, cabernet sauvignon, syrah, petit verdot et cabernet franc donnent un vin chaleureux qui fait bien sentir la latitude de la Galilée, mais qui conserve néanmoins un bon équilibre. Une attaque en bouche joufflue, tissée de tanins ronds, mais qui se resserrent en finale pour laisser une sensation presque tonique. Servez-le autour de 15 °C pour mieux l'apprécier.

11860583   25,40$ ★★★ ②

GOLAN HEIGHTS WINERY
Cabernet sauvignon 2015, Yarden, Galilee, Israël

Un an plus tard, ce cabernet 2015 commenté dans la dernière édition du *Guide* ne montre toujours aucun signe de fatigue. Au contraire, les mois de repos ont permis au bois de se fondre à l'ensemble, ce qui rend le vin encore plus savoureux. Un rouge d'envergure, à la fois ferme, velouté et large en bouche qui évoque les cabernets de la vallée de Napa, en Californie. Il a encore assez de matière en réserve pour tenir la route jusqu'en 2024.

12211067   48,75$ ★★★→? ③

GOLAN HEIGHTS WINERY
Mount Hermon Indigo 2018, Galilee, Israël

Le vignoble de cette *winery* est planté sur les pentes du plateau du Golan surplombant le lac de Tibériade, là où le climat frais permet d'obtenir des vins fins et harmonieux. D'ailleurs, les parfums de cette cuvée de cabernet sauvignon et de syrah s'inscrivent davantage dans le registre des fruits frais, que des fruits confits. La bouche est joufflue et bien mûre, mais encadrée par une charpente tannique assez solide. Prix attrayant.

13546061   21,15$ ★★★ ½ ② ♥

GOLAN HEIGHTS WINERY
Mount Hermon Red 2018, Galilee, Israël

Golan Heights Winery produit chaque année six millions de bouteilles dans le village de Katzrin. Dans le lot, cet assemblage d'inspiration bordelaise, mais bien méditerranéen par son caractère croquant et juteux. Les parfums de poivron rouge rôti et de menthe des cabernets sont présents et apportent une agréable fraîcheur aromatique à ce vin. Un rouge chaleureux, qui titre 14% d'alcool, sans cependant être lourd. Une belle porte d'entrée pour découvrir les vins israéliens.

10236682   21,70$ ★★★ ½ ② ♥

0 736040 011651

GOLAN HEIGHTS WINERY
Mount Hermon White 2018, Galilee, Israël

L'assemblage de ce vin blanc de la gamme Hermon repose sur quatre cépages blancs aromatiques (sauvignon blanc à 58%, viognier, muscat à petits grains et gewurztraminer), mais ce sont surtout ces deux derniers qui l'emportent, côté parfums. Le sauvignon apporte par ailleurs de la tenue et une agréable vivacité. Original et techniquement au point.

12778987   23,65$ ☆☆☆ ①

0 736040 011668

GOLAN HEIGHTS WINERY
Syrah 2015, Yarden, Galilee, Israël

Cette syrah me paraît davantage marquée par l'élevage en fûts de chêne dans sa version 2015. Le nez embaume la vanille et le café, avec de vagues relents de goudron. La bouche est plus harmonieuse, bien que dessinée à gros traits. Ce n'est peut-être qu'une question de temps, mais pour l'heure, ce vin massif, puissant et capiteux me procure peu de plaisir. À revoir dans trois ou quatre ans.

12884481   38,50$ ★★→? ③

7 290014 466708

MASSAYA
Le Colombier 2017, Vallée de la Bekaa, Liban

Dans la vallée de la Bekaa, la famille Ghosn élabore cet excellent rouge, issu d'un assemblage de cinsault, de grenache noir, de tempranillo et de syrah, cultivés à une altitude variant entre 900 et 1200 m. Difficile de rester insensible au charme du 2017, d'autant plus qu'il est parfaitement ouvert. Chaleureux (15% d'alcool), sans être capiteux outre mesure, et très rassasiant. Il offre en bouche un heureux mariage de velours et de charpente, avec de bons goûts de confiture de framboise, de lavande et d'épices douces. À ce prix, chapeau!

10700764   17,55$ ★★★ ½ ② ♥

5 285000 380177

TERRITOIRES DU
NORD-OUEST

NUNA

COLOMBIE-
BRITANNIQUE

ALBERTA

COLOMBIE-
BRITANNIQUE

VANCOUVER   KELOWNA

OCÉAN
PACIFIQUE

Vallée de l'Okanagan

Vallée de Similkameen

ONTARIO

La qualité des chardonnays ontariens a progressé de façon exponentielle depuis une dizaine d'années. D'abord dans la péninsule de Niagara, mais aussi dans le comté de Prince Edward (PEC), où les sols de calcaire actif du secteur de Hillier peuvent donner des vins blancs d'une grande complexité.

Le pinot noir montre des résultats plus hétérogènes, néanmoins prometteurs, tandis que les gamays et cabernets francs gagnent en précision et en profondeur.

COLOMBIE-BRITANNIQUE

Surtout connue pour ses vins rouges musclés (syrah et cabernet sauvignon en tête), semblables à ceux de l'État de Washington, la Colombie-Britannique a démontré qu'elle a un climat propice à la culture de cépages alsaciens. Surtout sa partie nord, en périphérie de Kelowna, où les riesling, pinot gris, gewurztraminer et pinot blanc donnent des vins blancs aromatiques et originaux.

D'un océan à l'autre, le vignoble canadien émerge depuis une dizaine d'années. Et les quelques centaines de vins d'ici goûtés chaque année me font croire que le Canada pourra jouer dans «la cour des grands» avant longtemps. Tout n'est pas parfait, comme partout ailleurs, mais avec des vignes qui gagnent en maturité et une connaissance viticole et œnologique toujours accrue, les vins ne pourront être que meilleurs.

L'Ontario demeure le numéro un canadien avec un vignoble couvrant 6900 hectares, suivi par la Colombie-Britannique, le Québec et la Nouvelle-Écosse.

QUÉBEC

Au cours des deux ou trois dernières années, on a vu émerger un certain nombre de vins issus de cépages vinifera (par opposition aux hybrides). Dans le verre, les résultats sont déjà très concluants.

Il faut aborder les rouges québécois comme des vins de climat frais. À l'opposé des vins espagnols et américains qui comportent parfois une certaine sucrosité.

LABRADOR

TERRE-
NEUVE

QUÉBEC

ÎLE-DU-
PRINCE-ÉDOUARD

NOUVEAU-
BRUNSWICK   NOUVELLE-
ÉCOSSE

Comté de
Prince-Édouard

QUÉBEC

MONTRÉAL

NOUVELLE-ÉCOSSE

ONTARIO

ONTARIO

NOUVELLE-ÉCOSSE

TORONTO

Péninsule
du Niagara

Le climat hivernal doux et les étés frais de la Nouvelle-Écosse constituent de très bonnes conditions pour la culture de raisins à forte teneur en acidité, nécessaires à l'élaboration de vins effervescents.

CANADA

Leaders dans la viticulture canadienne, nos voisins ontariens sont maintenant reconnus internationalement pour la grande qualité de leurs chardonnays et, dans une moindre mesure, de leurs pinots noirs, gamays et cabernets francs.

En Colombie-Britannique, la vaste vallée de l'Okanagan s'étend sur plus de 250 km du nord au sud et comporte une foule de climats et microclimats. Il n'est donc pas étonnant d'y trouver à la fois des rieslings sveltes et aériens, des cabernets musclés et des syrahs plantureuses.

Seul bémol: ces vins qui suscitent des commentaires élogieux des grands critiques britanniques et américains sont toujours relativement inaccessibles aux amateurs de vins d'ici. Ainsi, aussi ridicule que cela puisse paraître, il est beaucoup plus facile d'avoir accès, au Québec, à des vins américains, qu'à des vins canadiens.

Sur une note plus positive, la SAQ offre désormais une belle visibilité aux vins du Québec. L'implantation des sections *Origine Québec* a porté ses fruits et les ventes en succursales continuent de progresser. L'adoption de la loi 88, qui permet aux vignerons québécois de vendre leurs vins directement aux épiceries et aux dépanneurs, sans transiter par la SAQ, a aussi insufflé un dynamisme à l'industrie et ouvert de nouveaux horizons commerciaux, particulièrement pour les plus petits producteurs.

Ne reste plus qu'à souhaiter que Québec aura gain de cause dans l'affaire qui l'oppose en ce moment à l'industrie viticole australienne. L'Australie, jugeant le projet de loi 88 inéquitable, avait déposé une plainte à l'Organisation mondiale du commerce (OMC) en janvier 2018. Le jugement de l'OMC est attendu cet automne…

Qu'à cela ne tienne, les vignerons du Québec gardent le cap sur le progrès et la qualité. L'industrie s'organise et se structure. Les projets de vignobles qui ont émergé depuis une dizaine d'années ont été mis en place par des entrepreneurs sérieux (très sérieux, même), qui ont bien fait leurs devoirs avant de s'improviser vignerons. Et le changement se perçoit dans le verre. Vraiment!

L'IGP Vin du Québec a finalement été adoptée officiellement par l'Assemblée nationale à l'automne 2018. Cette nouvelle appellation, en vigueur à compter du millésime 2018, appartient au gouvernement du Québec et garantit au consommateur, entre autres, que les vins sont issus à 100 % de raisins cultivés au Québec.

COTEAU ROUGEMONT
Pinot gris 2017, Vin du Québec Certifié

La famille Robert cultive son pinot gris sur les derniers coteaux de la montagne de Rougemont, où il bénéficie d'une exposition plein sud. Cet élément géographique n'est sans doute pas étranger au volume en bouche que déploie ce 2017. Le nez est discret, mais l'attaque est bien mûre, grasse et nourrie par un travail des lies, à défaut de structure. Jolie finale parfumée.

24 $ ☆☆☆ ②

Disponible à la propriété

DOMAINE ST-JACQUES
Pinot gris 2018, IGP Vin du Québec

Fruit de vignes un peu plus âgées et d'un très bel été au Québec, le pinot gris d'Yvan Quirion poursuit sa lancée sur le chemin de la qualité et de la netteté. Sec, franc de goût, modérément parfumé et de bonne longueur. Tout en délicatesse et vraiment très bon.

12981301   21,35 $ ☆☆☆ ½ ②

PERVENCHES, LES
Macpel 2018

Macpel pour macération pelliculaire. Ici menée pendant 20 jours sur les raisins de pinot gris et pendant 14 jours sur les seyval. À cela s'ajoute une petite proportion de pinot noir et de zweigelt, en macération carbonique (comme dans le Beaujolais). Un vin unique qu'on peut difficilement ranger dans une catégorie, mais qui fait des merveilles à table, avec son fruit hyper affriolant et sa structure doublée de légèreté. Les saveurs sont à mi-chemin entre le blanc et le rouge, entre la poire, la pêche blanche, le poivre et la petite fraise sauvage. Un vin de plaisir, qu'on ouvre avec des amis chers.

28,75 $ ★★★★ ② 💬

Disponible à la propriété

VIGNOBLE SAINTE-PÉTRONILLE
Pinot gris 2018, IGP Vin du Québec

Le quatrième millésime du pinot gris de la famille Du Temple-Quirion est toujours aussi franc et net. L'âge des vignes et les conditions favorables de l'été 2018 ont donné un vin aux saveurs un peu plus mûres que par le passé, mais toujours nerveux et plein de vitalité. Les vinifications en inox permettent aux saveurs discrètes du pinot gris de s'exprimer avec pureté, tandis qu'un élevage sur lies nourrit sa texture. Sec, net et de bonne longueur.

Disponible à la propriété

20,90 $ ☆☆☆ ②

CANTINA, LA - VALLÉE D'OKA
Chardonnay 2018, IGP Vin du Québec

Les cépages vinifera et hybrides couvrent aujourd'hui 20 hectares sur le magnifique site acquis en 2015 par Daniel Lalande (Vignoble Rivière du Chêne) et Isabelle Charbonneau, à Oka. Leur chardonnay profite d'une fermentation et d'un élevage partiels en fût de chêne, qui nourrit la texture, sans masquer les bons goûts de poire et de citron du cépage. À la fois gras, tendu, salin et plein de vitalité. Parfait pour accompagner un poisson grillé.

13835841   23,95$ ☆☆☆☆ ② ♥

LA CANTINA, VALLÉE D'OKA
CHARDONNAY

COTEAU ROUGEMONT
Chardonnay 2017, La Plage, Vin du Québec Certifié

Ce chardonnay issu des jeunes vignes du domaine est fermenté sans bois, mais avec un contact soutenu avec les lies. En 2017, cela donne un blanc volumineux, gorgé de poire mûre et d'ananas, avec une pointe de beurre et des arômes de pâtisserie, attribuable au travail des lies. Rien de complexe, mais à moins de 20$, un chardonnay ample et bien fait, qui vaut bien des cuvées produites ailleurs dans le monde.

13730310   19,95$ ☆☆☆ ①

DOMAINE DU FLEUVE
Chardonnay 2018

Louis Thomas travaille son vignoble à Varennes, à proximité du Saint-Laurent, sans herbicides. Plutôt que de suivre la voie de l'exubérance aromatique, il signe un chardonnay tout en délicatesse et en retenue. La poire et les fleurs blanches sont bien présentes en bouche, mais elles chuchotent plutôt que de crier. L'équilibre est au point entre le gras et la fraîcheur, cette dernière ne repose pas tant sur l'acidité que sur une amertume fine, doublée de salinité. Très bon!

Disponible à la propriété

26$ ☆☆☆ ½ ②

DOMAINE ST-JACQUES
Chardonnay 2017, Vin du Québec Certifié

Les vignes de chardonnay du Domaine St-Jacques ont aujourd'hui entre 4 et 10 ans et donnent de très beaux fruits. Goûté de nouveau en juillet 2019, ce 2017 déjà commenté dans la précédente édition du *Guide* semblait s'être refermé et traversait une phase un peu plus austère, ce qui n'est pas un défaut. Moins de fruit, mais plus de tenue et de structure. L'attaque en bouche demeure fraîche, le milieu est ample et la finale est toujours aussi saline. Un excellent vin!

13107317   23,35$ ☆☆☆☆ ② ♥

ORPAILLEUR, L'

Chardonnay 2017, Cuvée Signature, Vin du Québec Certifié

Élaboré à Dunham, berceau du vignoble québécois, un chardonnay de très belle qualité, produit pour la première fois en 2017. Au nez comme en bouche, des notes de poire bartlett mûre, traduisent une vendange à parfaite maturité. Un élevage de 12 mois en fûts de chêne apporte du gras et de délicats parfums de beurre, mais l'ensemble est soutenu par un fil d'acidité, porteur d'équilibre. Un début on ne peut plus prometteur pour la nouvelle gamme Signature de L'Orpailleur.

Disponible à la propriété

29 $ ☆☆☆☆ ②

PERVENCHES, LES

Chardonnay 2018, Le Feu

En 2019, Véronique Hupin et Mike Marler célébraient leur vingtième millésime dans ce domaine de Farnham, en Montérégie. Le Feu est fermenté, puis élevé en fûts de chêne français pendant six mois. Plus généreux et exubérant que la cuvée Les Rosiers, commentée ci-après, à défaut d'avoir la même longueur et la même définition aromatique.

Disponible à la propriété

30 $ ☆☆☆ ½ ② 🍵

PERVENCHES, LES

Chardonnay 2018, Les Rosiers

Le couple vigneron est depuis longtemps une référence québécoise en viticulture, mais depuis quelques années, les progrès des Pervenches se mesurent surtout au chai, où on vinifie, sans aucun intrant ni sulfite (S.A.I.N.S.), des vins d'une

pureté et d'une netteté exemplaires. La cuvée Les Rosiers est vinifiée sensiblement de la même manière que Le Feu, à l'exception d'une partie, qui est conduite en cuve de forme ovoïde, plutôt qu'en fûts. En 2018, il frôle la perfection : lumineux, frais et vibrant, avec un parfum de citron, de pomme et une touche crayeuse ; les saveurs sont alléchantes et jeunes, avec beaucoup de persistance. Tout ça, à 11,5 % d'alcool. Impressionnant.

Disponible à la propriété

30 $ ☆☆☆☆ ½ ② ♥ 🍵

PERVENCHES, LES

Seyval-Chardo 2018

Les vignes de seyval et de chardonnay qui entrent dans l'élaboration de cette cuvée ont en moyenne 25 ans et sont cultivées selon les principes de la biodynamie. Tous deux profitent d'une macération pelliculaire et sont élevés pendant six mois en fûts de chêne neutre, avant d'être mis en bouteille sans filtration ni ajout de SO_2, comme tous les vins du domaine. Le vin est vif et frais, enrobé d'un gras qui n'altère en rien sa pureté ; le citron et la menthe se marient aux fines notes de beurre, attribuables aux fermentations malolactiques, et tirées en finale par une élégante amertume.

Disponible à la propriété

23 $ ☆☆☆☆ ② ♥ 🍵

DOMAINE DU FLEUVE
Gewurztraminer 2018

Tous les vins du Domaine du Fleuve goûtés cette année brillaient par leur profil aromatique discret, même le gewurztraminer, cépage pourtant célébré (ou craint, c'est selon) pour l'exubérance de ses parfums. On trouve bien une pointe de litchi au nez, mais le buveur trop discret pourrait passer à côté. Du reste, le vin est sec, juste assez volumineux en bouche, bien équilibré. Une finale singulière, mais agréable, aux accents de pâte miso, accentue son caractère umami.

 Disponible à la propriété

27 $ ☆☆☆ ②

DOMAINE DU NIVAL
Petite Arvine 2017, Les Singulières

La petite arvine, est le plus fin des cépages cultivés dans le Valais, en Suisse, où ses grappes compactes donnent des vins à la fois nerveux et bien gras. J'ai même souvenir de quelques petites arvines dont la richesse alcoolique et les parfums rappelaient certains vins blancs du sud du Rhône. Produit sous un climat significativement plus frais, le premier millésime de la cuvée Petite Arvine de la famille Beauchemin n'a pas la même opulence, mais on apprécie son caractère tranchant et la précision de ses saveurs de fruits blancs et de citron. Une belle bouteille pour accompagner les huîtres.

 Disponible à la propriété

32 $ ☆☆☆ ②

DOMAINE ST-JACQUES
Riesling 2017, Vin du Québec Certifié

La famille Du Temple-Quirion continue d'enrichir sa gamme et signe désormais un excellent riesling sec, précis et très typé de son cépage d'origine. L'attaque est vive, le vin fait preuve d'une agréable tenue en bouche et les goûts de pomme acidulée et de lime persistent en bouche. Frais, croquant et vivifiant. C'est l'exemple même du bon blanc d'ici.

14029795 21,95$ ☆☆☆☆ ② ♥

ORPAILLEUR, L'

Gewurztraminer 2018, Cuvée Signature, IGP Vin du Québec

Charles-Henri de Coussergues a commencé à expérimenter avec le cabernet franc et le gewurztraminer, inspiré, m'a-t-il dit, par les vins d'un de ses collègues vignerons: Louis Thomas, du Domaine du Fleuve, à Boucherville. Bien que les vignes soient encore jeunes, il a réussi à produire, en 2018, un gewurz tout ce qu'il y a de plus typé, qui *flirte* avec le litchi, la rose et les épices, sans sombrer dans l'exubérance un peu lourde du cépage. Une certaine rondeur, mais suffisamment d'acidité pour couper dans le gras de fromages bien «faits», comme le munster.

Disponible à la propriété

29 $ ☆☆☆☆ ②

VIGNOBLE DU RUISSEAU

Gewurztraminer 2017

Depuis 2010, ce domaine situé à Dunham expérimente la viticulture géothermique. Normand Lamoureux a mis sur pied un système de chauffage qui garderait la vigne à une température minimale de -10 °C pendant la saison hivernale et les protégerait pendant les gels tardifs d'avril à juin. Le vignoble s'étend aujourd'hui sur 7,5 hectares et les installations ultramodernes de la cuverie n'ont rien à envier aux domaines de Niagara. Le gewurztraminer qu'ils ont produit en 2017 ne saurait être plus près des parfums caractéristiques du cépage. Le nez embaume le litchi et les fruits tropicaux, si bien qu'on est presque surpris de trouver en bouche un vin hyper sec, mais assez gras pour procurer du plaisir à table. Excellent!

Disponible à la propriété

28,75 $ ☆☆☆☆ ②

VIGNOBLE SAINTE-PÉTRONILLE

Riesling 2018, IGP Vin du Québec

Un autre riesling en mode plus nordique, puisque cultivé sur les sols de schiste et de limon de l'île d'Orléans. Un régal de légèreté et de fraîcheur, aux saveurs délicates de citron, d'herbes fraîches et de poivre blanc. La texture est enrobée d'une pointe de sucre à peine perceptible, mais qui apporte un heureux contrepoids à une vive acidité.

Disponible à la propriété

25 $ ☆☆☆ ½ ①

ARTISANS DU TERROIR, LES
Daumeray blanc 2018, IGP Vin du Québec

Ce vin blanc sec conjugue les qualités olfactives, le gras et l'acidité des cépages vidal et frontenac blanc. Sec, relevé d'arômes de fruits tropicaux, de fleurs blanches et de poivre, qu'une délicate amertume vient souligner en finale. Vraiment très bon.

Disponible à la propriété

14,55 $ ☆☆☆ ① ♥

ARTISANS DU TERROIR, LES
Prémices d'Automne 2018, IGP Vin du Québec

Réjean Guertin a récemment pris sa retraite. Son fils, David, maintient le cap sur la qualité avec le blanc signature du domaine, un assemblage de cayuga, de seyval et de frontenac blanc. Ce vin offre un registre de saveurs étonnamment complexe pour le prix. Citron, fines herbes, poire et fruits tropicaux sont rehaussés d'un léger reste de gaz, qui accentue la tension en bouche, alors que le frontenac blanc apporte du volume. Rapport qualité-prix-plaisir imbattable.

742429   13,95 $ ☆☆☆ ½ ① ♥

CHAT BOTTÉ, LE
Blanc 2018, IGP Vin du Québec

Le blanc produit par Isabelle Ricard et Normand Guénette, à Hemmingford, présente au nez des parfums d'agrumes qui devraient plaire aux amateurs de sauvignon blanc. La bouche est vive, ponctuée de notes de fines herbes et offre une belle tenue.

12442498   18,35 $ ☆☆☆ ½ ①

COURVILLE, LÉON
Cuvée Charlotte 2018, IGP Vin du Québec

Le blanc d'apéro du domaine Léon Courville reste fidèle à la «recette» qui a fait son succès: une majorité de seyval assure sa vivacité et sa tenue en bouche, tandis que le geisenheim, un cépage aromatique, apporte des parfums attrayants de litchis et de fleurs.

11106661   17,20 $ ☆☆☆ ①

DOMAINE DE LAVOIE
Vin blanc 2017

Assemblage de vidal, de cayuga et d'eona. Des accents de citronnelle, de livèche et de cerfeuil apportent une certaine singularité aromatique à ce vin blanc vendu sous la barre de 15$ à la SAQ. Modeste, mais sec et recommandable.

741231   14,95 $ ☆☆ ½ ①

DOMAINE DES SALAMANDRES
Geisenheim 2018, IGP Vin du Québec

Les raisins de geisenheim ont été vendangés plus tard à l'automne afin qu'ils gagnent en maturité, donc en sucre naturel. Le moût est ensuite fermenté en cuve inox et élevé sur lies pendant 10 mois, sans chaptalisation (ajout de sucre). Cela donne un bon blanc vif et citronné, moins exubérant que d'autres vins de geisenheim sur le marché ; net, frais et original.

Disponible à la propriété

18 $ ☆☆☆ ①

DOMAINE DES SALAMANDRES
Vidal 2018, IGP Vin du Québec

J'ai redécouvert avec grand plaisir les vins blancs secs de Sylvain Haut et de Denise Lavoie. Au premier nez, leur vidal avait des airs de vins blancs du sud de l'Italie avec ses odeurs singulières de mandarine, de fleur d'oranger et de sauge. En bouche, il n'y a pas à se méprendre, l'acidité et la tension uniques du cépage nous ramènent au Québec, à Hemmingford, plus précisément. Le vin ne pèse que 10,5% d'alcool, mais il ne manque pas de structure pour autant. Frais, croquant et hyper digeste.

Disponible à la propriété

20 $ ☆☆☆ ½ ② ♥

DOMAINE DU RIDGE
Vent d'Ouest 2018

J'avais perdu de vue depuis quelques années les vins de ce domaine de Saint-Armand. Or, si les cuvées boisées m'ont laissé une impression plutôt moyenne, j'avoue que j'ai eu plaisir à boire ce blanc sec composé de seyval. Rien de très complexe, mais les saveurs sont nettes et l'acidité joue un rôle structurant, en plus de nous ouvrir l'appétit. N'est-ce pas là la définition d'un bon vin d'apéro?

928523 14,55$ ☆☆☆ ① ♥

0 827924 037024

ORPAILLEUR, L'
Vin blanc 2018, IGP Vin du Québec

Ce vin blanc élaboré pour la première fois en 1985 est devenu une référence pour les amateurs de vins d'ici. Même si des parfums intenses de pamplemousse et un reste perceptible de sucre (4 g/l) lui donnent un air un peu plus convenu en 2018, il n'en est pas moins frais et digeste.

704221 15,95$ ☆☆☆ ①

0 827924 004019

VAL CAUDALIES

Vidal 2018

Ce domaine de Dunham abrite un verger et un vignoble, planté essentiellement de vidal. Les associés de Val Caudalies ont aussi développé deux vermouths, en collaboration avec le bar à cocktail Le Lab, de Montréal. Leur vidal 2018 est tout à fait sec et met en relief l'acidité vibrante propre au cépage; une amertume rehausse les arômes de poire asiatique, d'herbes et d'épices, en plus d'ajouter à sa longueur en bouche. Excellent vidal!

Disponible à la propriété

21 $ ☆☆☆☆ ① ♥

VENTS D'ANGES

Catherine 2018, IGP Vin du Québec

Cet assemblage de kay gray, de swenson white, de prairie star et de castel est élaboré à Saint-Joseph-du-Lac, dans les Basses-Laurentides, par la famille Lauzon. Bouquet discret et délicat; un reste de sucre (4,4 g/l) confère une certaine rondeur au vin, sans qu'il n'accuse de lourdeur. Envergure moyenne, mais prix accessible.

11833690 14,40 $ ☆☆☆ ①

VIGNES DES BACCHANTES, LES

B2 2018, IGP Vin du Québec

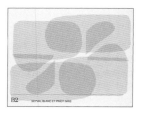

L'an dernier, je n'avais pas été convaincue par les vins blancs de ce domaine d'Hemmingford. Par conséquent, j'avais choisi de ne pas en parler. Peut-être est-ce un signe de l'expérience acquise par le vigneron, mais les deux 2018 goûtés en cours d'été m'ont paru plus aboutis. Cette nouvelle cuvée produite en quantités limitées mise sur une combinaison gagnante entre la vivacité du seyval et la sève ronde et élégante du pinot gris. Toute la tenue et la fraîcheur voulues, mais surtout une agréable sensation saline qui se dessine en finale. À 18 $, l'offre est plus qu'honnête.

Disponible à la propriété

18 $ ☆☆☆ ½ ②

VIGNES DES BACCHANTES, LES

Quarante-huit 2018, IGP Vin du Québec

Une bonne note aussi pour ce blanc de seyval et de vidal. Sec, relativement léger et intrigant avec ses subtils parfums de poivre citronné et de cerfeuil, qui évoquent davantage les goûts salés que sucrés. Belle tenue et finale sapide, ponctuée d'amers nobles. Bien agréable comme vin d'apéro.

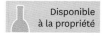

14043811 15,95 $ ☆☆☆ ①

VIGNOBLE DE LA RIVIÈRE DU CHÊNE
Cuvée William 2018, IGP Vin du Québec

La qualité de la cuvée d'entrée de gamme de ce domaine de Saint-Eustache ne cesse de progresser depuis quelques années. D'emblée attrayant au nez avec ses parfums de pêche, de poire bien mûre et d'agrumes, le vin est sec et nerveux en bouche ; léger et tonique à souhait. Original, abordable et idéal pour l'apéro !

744169   16$ ☆☆☆ ½ ① ♥

VIGNOBLE DU MARATHONIEN
Cuvée spéciale 2018, IGP Vin du Québec

La réputation de ce domaine de Havelock, non loin de la frontière américaine, repose avant tout sur des vins liquoreux somptueux, qui ont récolté de nombreuses récompenses sur la scène nationale et internationale, mais Line et Jean Joly élaborent aussi ces deux très bons vins blancs secs, vendus à la SAQ. La Cuvée Spéciale est issue d'un assemblage de cayuga, de vidal et de geisenheim, un cépage parfois très exubérant, dont on joue ici avec subtilité. Un blanc modérément parfumé, mais très net ; bouche nerveuse, avec juste assez de gras et de volume.

13023201   15,05$ ☆☆☆ ①

VIGNOBLE DU MARATHONIEN
Seyval blanc 2018, IGP Vin du Québec

Le seyval du Marathonien met d'emblée en appétit – ou en soif – avec son nez plutôt minéral que fruité. La bouche est vibrante, relevée de saveurs d'herbes, de rhubarbe et d'écorce de citron ; beaucoup de tenue et une finale étonnamment longue qui fait saliver et qui donne envie de passer à table.

11398325   15,95$ ☆☆☆☆ ① ♥

VIGNOBLE SAINTE-PÉTRONILLE
Voile de la Mariée 2018, IGP Vin du Québec

Acadie, vandal-cliche et vidal forment une fois de plus une combinaison gagnante dans ce très bon blanc d'apéro, frais et croquant comme il se doit. Citron, fleurs blanches, buis et pomme fraîche se dessinent avec retenue et subtilité ; la vivacité en bouche est accentuée par un léger reste de gaz carbonique et les papilles se régalent. Un plaisir estival sans égal ! Une mention spéciale aux vignerons pour leurs étiquettes détaillées et riches d'une foule d'informations pertinentes.

733725   16$ ☆☆☆☆ ① ♥

CLOS DE L'ORME BLANC
Au pied de la lettre 2018

Lucie Debien et Rino Dumont ont acquis il y a une dizaine d'années un ancien vignoble situé à Saint-Armand, en Montérégie. Leur terre, qui abrite aussi une grange à livres, est dédiée exclusivement à la culture des cépages blancs : seyval, geisenheim, pinot gris et savagnin. Les nouveaux vignerons ont embouteillé leurs quatre premières cuvées en 2018, après avoir passé quelques années à apprivoiser le travail au champ et à vendre leurs fruits à des domaines environnants. L'âge des vignes de seyval, plantées en 1993, et l'absence de filtration explique peut-être la tenue en bouche de ce vin blanc. De la structure, des saveurs franches de pomme et de très délicates notes de beurre, attribuables aux transformations malolactiques. Un domaine à suivre de près...

Disponible à la propriété

20 $ ☆☆☆☆ ② ♥

COTEAU ROUGEMONT
Versant blanc 2017, Vin du Québec Certifié

J'ai vraiment un faible pour le rouge et le blanc de la gamme Versant. Non pas qu'ils soient hyper complexes, mais à moins de 15 $, ils offrent tous deux une expression franche et fruitée des cépages hybrides cultivés au Québec. Celui-ci met en relief la vivacité du vidal, le volume et les saveurs tropicales du frontenac gris, les goûts de petits fruits du frontenac blanc et l'élégance du st-pépin. Un très bon blanc de tous les jours à servir frais, mais pas trop froid.

11957051   14,95$ ☆☆☆ ½ ① ♥

COURVILLE, LÉON
Vidal 2018, IGP Vin du Québec

Ce vin produit à Lac-Brome s'avère aussi intense en bouche qu'au nez, dévoilant des parfums de pêche, de fleur d'oranger, de poire confite et de gingembre. Toujours aussi rond, mûr et porté en bouche par l'acidité caractéristique du vidal, qui vient équilibrer l'ensemble. Très bon et vendu à un prix attrayant.

10522540   18,40$ ☆☆☆ ½ ② ♥

DOMAINE BEL-CHAS
Vin blanc 2017

Cette cuvée produite dans le comté de Bellechasse, à 15 minutes de Lévis, est vendue comme un vin blanc, mais il s'agit en réalité d'un «vin orange», puisqu'il est issu d'une macération pelliculaire. En somme, les peaux des raisins frontenac blanc, frontenac gris, muscat osceola et bel-chas ont macéré dans le jus pendant 10 à 11 jours, donnant ainsi un vin blanc d'une agréable intensité aromatique, bien structuré, voire tannique, qui fera bon mariage avec un plat de poulet grillé ou avec des fromages à pâte ferme.

Disponible à la propriété

17,50 $ ☆☆☆ ½ ②

DOMAINE LE GRAND ST-CHARLES
Roche Vidal 2018, IGP Vin du Québec

Bien établis à l'est du mont Yamaska, à Saint-Paul-d'Abbotsford, Martin Laroche et Mylène Gaudette partagent leur temps entre l'enseignement, la pomiculture et la viticulture. Leur vidal a été fermenté sans ajout de levures et élevé en cuve de béton ovoïde, afin de laisser parler le terroir. De toute évidence, un vin élaboré avec sérieux, dont la texture a été nourrie par un travail des lies et dont les saveurs vont au-delà du fruit. Structure, caractère, intensité et longueur. Un excellent vin !

Disponible à la propriété

26 $ ☆☆☆☆ ② ♥

DOMAINE MONT-VÉZEAU
Borée 2017

Le frontenac gris et le frontenac blanc sont des mutations naturelles du frontenac noir. Les deux présentent un taux de sucre et une acidité élevés, mais leur profil aromatique diffère. Cette cuvée marie les deux frontenacs (avec une pointe de vandal-cliche et d'adelmina) et il offre en bouche leur générosité, leur vivacité et leurs parfums caractéristiques. Un bon vin blanc ample, fidèle à ses origines.

Disponible à la propriété

20 $ ☆☆☆ ②

MAS DES PATRIOTES
Le Chaume 2018, IGP Vin du Québec

À L'Acadie, dans une vieille grange restaurée avec beaucoup de soin, France Cliche et Claude Rivard produisent une très belle sélection de vins, dont ce blanc aromatique composé de frontenac gris, de prairie star et de st-pépin. Délicat, avec des notes singulières de fruits tropicaux, une texture juste assez ample et une agréable vitalité. Idéal pour l'apéro !

12760816   19,95 $ ☆☆☆☆ ① ♥

VIGNOBLE GAGLIANO
Frontenac gris 2017, Vin du Québec Certifié

Alfonso Gagliano a racheté le vignoble les Blancs Coteaux, à Dunham, il y a une dizaine d'années. Avec sa famille, il y élabore aujourd'hui ce vin blanc qui arbore à la fois le gras, l'acidité vive et les saveurs de pêche et de fruits tropicaux, caractéristiques du cépage frontenac gris. Original.

11575731   17,05 $ ☆☆☆ ②

Canada

COTEAU ROUGEMONT
St-Pépin 2017, Réserve

La famille Robert veille à la fois sur un verger et sur un vaste vignoble, qui se partage entre les cépages hybrides et vinifera. Goûté côte à côte avec le vidal Réserve du domaine, celui-ci m'a donné l'impression d'un vin plus achevé. Le st-pépin semble bénéficier davantage de l'élevage en fûts ; les arômes de caramel sont présents, mais rivalisent avec une trame minérale et une sensation de salinité qui lui confèrent une certaine profondeur.

13612786   21,95$ ☆☆☆ ½ ②

0 859670 001240

COURVILLE, LÉON
St-Pépin 2015

Chez Anne-Marie Lemire et Léon Courville, le st-pépin est fermenté et élevé sur lies pendant 16 mois, en fûts de chêne américain et français, dont 50 % de fûts neufs. Dans l'ensemble, leur 2015 me donne l'impression d'un vin plus complet et plus poli que par le passé, avec un usage plus harmonieux de la barrique. Pas donné, mais rassasiant avec sa texture grasse et sa finale minérale.

10919723   29,95$ ☆☆☆ ½ ②

0 827924 059118

DOMAINE DU NIVAL
Vidal 2018, Matière à discussion

L'élevage est fûts de chêne et les transformations malolactiques réussissent vraiment très bien au vidal que cultivent Matthieu et Denis Beauchemin, à Saint-Louis, près de la rivière Yamaska. On perçoit de délicates notes de beurre au nez, à travers les fruits blancs et les fleurs, mais c'est surtout en bouche que l'apport boisé se manifeste, en nourrissant la texture du vidal, qui s'avère on ne peut plus rassasiante en 2018. Pleine et savoureuse, mais aussi discrète, gracieuse et umami. Tant pour son caractère digeste, que pour sa salinité et ses arômes distinctifs, il donne envie de passer à table.

Disponible à la propriété

27 $ ☆☆☆☆ ② ♥

MAS DES PATRIOTES, LE
La Mansarde 2018, Réserve, IGP Vin du Québec

Ce vin produit à L'Acadie, en Montérégie, porte davantage l'empreinte du bois dans sa mouture 2018. Les parfums de vanille et de beurre masquent le fruit, pour le moment, mais le vin n'en est pas moins savoureux, sur un mode intense et vineux. Les goûts de poire pochée se mêlent aux accents de beurre et persistent en une finale délicatement amère. Laissez-le dormir en cave jusqu'en 2022.

0 827924 112059

13530342   25,35$ ☆☆☆ ½ ③

ORPAILLEUR, L'
Cuvée Natashquan 2017, Vin du Québec Certifié

J'ai goûté le 2017 à quelques reprises au cours des derniers mois, dont deux fois à l'aveugle. La première fois, j'ai cru à un chardonnay. Ce n'est pas un hasard puisque, cette année, l'assemblage autrefois constitué d'hybrides, mise sur une importante proportion (50 %) de chardonnay, complété de vidal et de seyval. Le tout est fermenté, puis vieilli pendant 12 mois en fûts (neufs à 30 %) de chêne américain. Un très bon blanc dans lequel le bois joue un rôle de second plan et élève le vin, plutôt que de l'alourdir. Du gras, des notes de caramel en trame de fond, mais surtout un fruit mûr et précis. Chapeau!

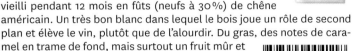

12685609   28 $ ☆☆☆ →☆ ③

VIGNOBLE DE LA BAUGE
Solyter 2017, Vin du Québec Certifié

La cuvée Solyter est issue de frontenac gris et de frontenac blanc, fermentés et élevés pendant six mois en fûts de chêne des Appalaches, dont certains conçus par un tonnelier québécois. Difficile de faire plus local que ça… Le 2017 offre une agréable tenue en bouche; la finale est ponctuée d'une amertume qui accentue la perception de salinité. Pas très long, mais la signature est originale.

Disponible à la propriété

13107211   17,50 $ ☆☆☆ ②

VIGNOBLE DE LA RIVIÈRE DU CHÊNE
Phénix blanc 2017, Vin du Québec Certifié

Le vignoble développé dès 1998 par Daniel Lalande et Isabelle Gonthier s'étend aujourd'hui sur une vingtaine d'hectares. Leur Phénix blanc 2017 a terminé grand favori lors d'une dégustation à l'aveugle organisée en juillet 2019. Ça se comprend: le volume en bouche, le fruit mûr et les accents de beurre de cet assemblage de st-pépin, de frontenac blanc et de l'acadie exercent un certain charme. Il devrait gagner en nuances avec quelques années de repos en cave.

Disponible à la propriété

22 $ ☆☆☆→? ③

VIGNOBLE SAINTE-PÉTRONILLE
Bout de l'Île Réserve blanc 2017, Vin du Québec Certifié

Au nez, des senteurs florales rappellent la signature aromatique du cépage vandal-cliche, complété ici de frontenac blanc, d'eona et de l'acadie. Un élevage de huit mois en fûts de chêne français et américain apporte de délicates notes d'épices, tandis que des bâtonnages sur lies nourrissent la texture et donnent une belle répartie à l'acidité naturelle du vin. Très bien tourné et original avec sa finale délicate aux accents de poivre blanc.

Disponible à la propriété

17,40 $ ☆☆☆ ½ ② ♥

COURVILLE, LÉON
Pinot noir 2015

Le nez quelque peu austère pourrait faire craindre un vin fatigué, or, ce pinot âgé de près de 4 ans a conservé une étonnante vitalité en bouche. Le fruit rouge acidulé qui évoque la canneberge donne la répartie à des notes terreuses et la barrique est jouée habilement, sans excès. Bien fait. 27 $ ★★★ ②

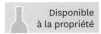
Disponible à la propriété

DOMAINE DU FLEUVE
Pinot noir 2017

Un début tout en sobriété, mais dans la bonne direction pour le pinot noir de ce domaine de Varennes. Un bon rouge souple, à la texture fine et au fruité discret, mais tout à fait net. En fin de bouche, la cerise rencontre les arômes terreux du pinot noir. J'ai déjà hâte de goûter les prochains millésimes… 27 $ ★★★ ②

Disponible à la propriété

DOMAINE DU NIVAL
Gamaret 2018, Un de Ces Quatre, IGP Vin du Québec

Ce vin est issu à 100 % de gamaret, un croisement entre le gamay et le reichensteiner, surtout planté dans le canton de Vaud, en Suisse. Sa couleur pourpre pourrait faire craindre un vin tannique, mais la bouche est juste assez charnue et acidulée, fraîche et ponctuée de jolies notes florales en finale. 32 $ ★★★ ½ ②

Disponible à la propriété

DOMAINE DU NIVAL
Pinot noir 2018, Les Entêtés

En 2018, les vignes âgées de 6 ans ont donné un vin rouge tout aussi délicat en couleur et en parfum, mais la bouche m'a paru un peu plus charnue, assise sur des tanins toujours fins, mais tissés serré ; 11,1 % et un plaisir certain dans le verre. 34 $ ★★★★ ②

Disponible à la propriété

DOMAINE ST-JACQUES
Gamay 2018, IGP Vin du Québec

Dans sa deuxième mouture, le gamay d'Yvan Quirion a été élevé à 75 % en fûts de 400 litres, âgés de 3 ou 4 ans. Goûté sur fûts un peu plus tôt cet été, le 2018 m'avait semblé croquant, avec une matière fruitée bien charnue. Une fois en bouteille, vers la fin de l'été, le vin était un peu timide au nez et plus vif et tendu en bouche. Ce genre de creux de vague après la mise en bouteille est plutôt fréquent. Cela dit, un gamay bien typé : léger, acidulé et joliment fruité, avec des notes délicates de poivre. Belle réussite ! 21,35 $ ★★★ ½ ②

Disponible à la propriété

DOMAINE ST-JACQUES
Pinot noir 2016, Vin du Québec Certifié

Maintenant ouvert et à point, ce pinot présente un début d'évolution au nez, mariant le fruit rouge frais et la cerise séchée aux odeurs de terre fraîchement retournée. On note une légère astringence en finale, mais le grain tannique demeure soyeux et les saveurs sont franches. Très bel usage du bois. À boire entre 2020 et 2022.

13023172   25,95$ ★★★ ½ ②

ORPAILLEUR, L'
Cabernet franc 2017, Cuvée Signature, Vin du Québec Certifié

Issu de très jeunes vignes de cabernet franc et élevé pendant 12 mois en fûts de chêne français. Le boisé est encore bien perceptible au nez, mais n'apporte aucune charge tannique indésirable en bouche. L'attaque est plutôt mûre et gourmande, le grain tannique est soyeux et le vin évolue beaucoup dans le verre, au contact de l'oxygène. Si vous avez eu la chance de mettre la main sur l'une des quelque 300 bouteilles produites, n'hésitez pas à l'aérer en carafe pendant deux bonnes heures ou à le laisser reposer en cave jusqu'en 2023.

Disponible à la propriété

29 $ ★★★→? ③ ⚗

PERVENCHES, LES
Pinot-Zweigelt 2018

Goûté à trois reprises depuis mai 2019, cet assemblage de pinot noir (70%) et de zweigelt est encore un cran plus précis et plus complet dans sa version 2018, mais toujours aussi juteux et gorgé de saveurs éclatantes de fruits – les macérations carboniques et l'absence de SO$_2$ et de filtration y sont sans doute pour quelque chose. Tout ça à 11% d'alcool. Comment demander mieux?

Disponible à la propriété

30 $ ★★★★ ½ ② 🗨

VIGNES DES BACCHANTES, LES
Pinot noir 2017, Enfin!, Vin du Québec Certifié

À ses parfums fruités et terreux, on ne se trompe pas: c'est du pinot noir. La bouche joue un peu en retrait, sans parfums boisés, tissée de tanins quelque peu anguleux et un peu à court de chair, mais certainement digeste et doté d'une jolie finale florale. Cela dit, ce premier millésime affiche un début prometteur.

Disponible à la propriété

23 $ ★★★ ①

COTEAU ROUGEMONT
Versant rouge 2017, Vin du Québec Certifié

En 2017, cet assemblage de frontenac noir, de marquette, de petite perle et de pinot noir offre tout ce qu'on peut espérer d'un rouge de soif: du fruit, des tanins souples, une trame veloutée et une acidité qui laisse le palais frais et désaltéré. À 15$, on achète les yeux fermés.

12204086   14,95$ ★★★★ ① ♥

COURVILLE, LÉON
Cuvée Julien 2018, IGP Vin du Québec

Chaque année, ce rouge de maréchal foch produit en périphérie du lac Brome évoque pour moi l'Italie. C'est peut-être son acidité revigorante, ou encore ses accents de fines herbes séchées, de tomates fraîches et confites. Qui sait? Un très bon vin souple coulant et qu'on boira avec un plaisir sincère en préparant les conserves de tomates et d'*antipasti*.

10680118   15,40$ ★★★ ① ♥

DOMAINE MONT-VÉZEAU
Noroit 2017

Ce vignoble de l'Outaouais est situé au pied du mont Vézeau. Les vignerons ont eu la sagesse de laisser les cépages marquette, frontenac, radisson et ste-croix s'exprimer sans trop les masquer de parfums boisés. L'attaque en bouche veloutée offre du fruit à profusion; le vin porte aussi la vivacité du frontenac et une agréable amertume laisse en finale une sensation de salinité. Très bon rouge fidèle à ses origines; pur et savoureux titrant 12,5% d'alcool.

Disponible à la propriété

20$ ★★★ ①

MAS DES PATRIOTES, LE
Le Sieur Rivard Sélection 2018, IGP Vin du Québec

Cette année encore, difficile de résister aux attraits de cet assemblage de frontenac noir, de baco noir et de lucie kuhlmann. Le 2018 semble avoir encore plus d'éclat fruité, de volume et de longueur. Le bleuet côtoie le poivre et la violette, la bouche est juteuse, gourmande et très rassasiante. Juste assez charnu, mais dangereusement facile à boire. Le vin parfait pour les repas des fêtes.

12501419   18,95$ ★★★★ ② ♥

ORPAILLEUR, L'
Vin rouge 2017, Vin du Québec Certifié

L'Orpailleur propose un rouge d'entrée de gamme accessible, issu principalement de frontenac noir, cépage rouge le plus planté au Québec. Nez de framboises en gelée, très joliment fruité; attaque en bouche nerveuse, souple, très peu tannique, avec du fruit, des notes de tabac et d'anis. Net et bien fait.

743559   14,95$ ★★★ ① ♥

VAL CAUDALIES
Frontenac noir-Marquette 2018

Guillaume Leroux, l'un des associés de Val Caudalies, est d'avis que ce 2018 est le rouge le plus complet que son domaine ait jamais produit. Le vin est effectivement séduisant. Pas très long ni complexe, mais bien mûr, dodu et porté par des tanins veloutés, avec une certaine sensation de chaleur en finale. À boire d'ici 2021, accompagné d'une cuisine de tous les jours.

20,95 $ ★★★ ①

Disponible à la propriété

VIGNOBLE DE LA BAUGE
Bauge-U 2018

Sans faire de vague, la famille Naud, viticulteurs depuis 1986, a beaucoup contribué à l'évolution de la viticulture au Québec. Aujourd'hui, Simon Naud continue d'innover, tant au vignoble que dans le chai. Les herbicides ont été éliminés dès 2013 et le domaine est en conversion bio. Cette année, sous les conseils du pétillant sommelier Steve Beauséjour, il a élaboré ce délicieux vin «nature» de frontenac noir, vinifié en macération carbonique, et embouteillé sans collage, ni filtration, ni ajout de sulfite. Le vin n'est que fraîcheur, souplesse et chair fruitée affriolante. Beaucoup de plaisir dans le verre!

19 $ ★★★ ½ ① ♥

Dans les épiceries spécialisées

VIGNOBLE STE-ANGÉLIQUE
Argiles Rouges 2017

À Papineauville, Nicholas Carrière et Geneviève Poulin ont trouvé une nouvelle vocation à la ferme familiale en y plantant de la vigne il y a près de 10 ans. Frontenac noir (69%) et une poignée de cépages hybrides (radisson, pionnier, léon millot, maréchal foch, sabrevois et marquette) donnent un rouge nerveux, au nez invitant et délicat d'herbes, de bonbon à la framboise et de noyau de pêche. L'acidité est certes vive, mais drapée d'une matière fruitée charnue. De bons goûts de poivre et de viande fumée laissent une signature aromatique distinctive en finale.

17 $ ★★★ ①

Disponible à la propriété

COTEAU ROUGEMONT
Le Grand Coteau 2016, Vin du Québec Certifié

Marquette (80%) et frontenac noir plongent leurs racines dans des sols de galets, sur le versant sud-ouest du mont Rougemont. L'œnologue Patrick Fournier en a tiré un rouge gourmand, dans lequel les odeurs torréfiées du bois de chêne se mêlent à un fruit charnu, mûri à souhait. Le style est un peu convenu, mais la maîtrise technique ne fait aucun doute. À revoir dans un an ou deux, lorsque les parfums boisés se seront estompés. D'ici là, aérez-le en carafe pendant une heure.

12358190   23,60$ ★★★→? ③ △

GRAND SAINT-CHARLES, LE
Petite perle 2018, IGP Vin du Québec

Contrairement à nombre de cépages hybrides cultivés au Québec, la petite perle est décrite dans les ouvrages de référence spécialisés comme une variété apte en soi à donner des vins complets. On n'a pas de peine à le croire lorsqu'on goûte ce dernier millésime du Domaine du Grand Saint-Charles, un rouge plein, charnu et savoureux, riche en parfums d'herbes, d'épices et de fruits noirs comme le bleuet et le cassis. Une excellente tenue et des tanins de très belle qualité.

23$ ★★★ ½ ②

Disponible à la propriété

PIGEON HILL
Le Chai 2017

Le petit vignoble de Manon Rousseau et Kevin Shufelt, à Saint-Armand, est certifié biologique. Quelle délicieuse expression du marquette! Il y a dans ce vin une certaine complexité aromatique : des fleurs, des herbes, des épices et du bleuet, des tanins juste assez fermes, une bouche fringante, animée par une saine acidité. Le fait qu'il soit non filtré contribue sans doute à la qualité de sa texture. Bravo!

22$ ★★★★ ② ♥ 💬

Disponible à la propriété

PIGEON HILL
Le Pigeon 2017

Assemblage de marquette, de frontenac noir et de petite perle. En 2017, Manon Rousseau et Kevin Shufelt ont choisi de laisser reposer une partie de leur cuvée Le Pigeon pendant six mois supplémentaires en fûts. Le vin m'a donné l'impression d'avoir un peu plus d'énergie. Le fruit semble davantage expressif; l'attaque en bouche paraît aussi plus charnue et le vin laisse une impression générale plus complexe. Un excellent vin de soif!

22$ ★★★★ ② ♥

Disponible à la propriété

VIGNES DES BACCHANTES, LES
Marquette 2018, R1, IGP Vin du Québec

«Le marquette n'a presque pas de tanins, donc plutôt que de tenter d'extraire ce qui n'y est pas, on a choisi de s'inspirer d'un exemple connu de rouge peu tannique : le gamay.» Sébastien Daoust, le vigneron, a vu juste et son marquette 2018, offre une profusion de saveurs fruitées, qui rappellent vraiment le jus de raisins. Ce qui, étonnamment, est plutôt rare dans le vin. Du bleuet et des épices, une attaque en bouche gourmande, fringante et juste assez acidulée.

14043853   15,95$ ★★★ ½ ② ♥ ⚱

VIGNOBLE 1292
Marquette-Frontenac 2017, Vin du Québec Certifié

Ce domaine appartenant à Christiane Allard et Michel Lefebvre, un couple de vétérinaires, ne cesse de me surprendre par la qualité de ses vins, la plupart vendus à prix d'aubaine. Mon dernier coup de cœur : ce vin rouge composé de marquette et de frontenac noir, qui aurait tout aussi bien pu être présenté dans la section «Vins rouges de soif». Des saveurs précises de fleurs, d'épices et de cerise sont portées en bouche par un grain tannique fin, mais compact, qui ajoute à sa fraîcheur. Suave, gourmand et étonnamment long, il donne l'impression de croquer à pleines dents dans le fruit mûr.

Disponible à la propriété

17 $ ★★★★ ① ♥

VIGNOBLE STE-ANGÉLIQUE
Argiles noires 2017

Nicholas Carrière et Geneviève Poulin sont conseillés par l'œnologue Jérémie d'Hauteville et produisent cet excellent rouge issu de marquette, élevé en fûts de chêne français. Le 2017 offre un bon équilibre entre la générosité du fruit, la mâche tannique et la vivacité, laissant une sensation générale de plénitude. Un nez de mûres et de fleurs évoque le cépage malbec. La bouche est nerveuse, taillée sur mesure pour la table, mais aussi bien mûre, avec une finale pleine et chaleureuse, dont les parfums évoquent le chocolat noir, les épices et le kirsch. Beau travail !

Disponible à la propriété

20 $ ★★★★ ② ♥

ARTISANS DU TERROIR, LES
Daumeray Réserve 2017, Vin du Québec Certifié

David Guertin signe un rouge charnu et modérément boisé, fruit d'un assemblage de perle noire, de frontenac noir et de marquette. Le nez charme par ses arômes de mûres et de framboises, un peu voilés par les parfums torréfiés du chêne. La bouche n'en demeure pas moins affriolante, en dépit d'un fini crémeux, lui aussi attribuable au contact du chêne.

14043707   16,95$ ★★★ ①

En primeur

CHAT BOTTÉ, LE
Le Rouge 2018, IGP Vin du Québec

Les cépages frontenac noir, marquette, sabrevois et radisson sont vinifiés en cuves d'acier inoxydable, avec ajout de copeaux de chêne américain et français. L'apport boisé se fait sentir à la texture gommeuse et aux accents de torréfaction, qui laissent tout de même les goûts de fruits confits s'exprimer. Une pointe d'eucalyptus et de menthol apportent une fraîcheur bienvenue en finale.

12443597   19,15$ ★★★ ①

COURVILLE, LÉON
XP Édition 0|7

XP, pour expérience. Les raisins de chaunac qui composent la Version 7 (non millésimée) sont passerillés dans un silo à grains pendant une vingtaine de jours. Après la vinification, les vins sont élevés séparément, puis assemblés avant l'embouteillage. Un exercice de style intéressant, sur le thème de la concentration certes, mais sans excès. Les parfums de fruits frais côtoient les fruits confits; les tanins sont *chunky*, sans être rustiques et le vin présente, somme toute, un bon équilibre. Seul bémol, son prix.

27 $ ★★★ →? ③

Disponible à la propriété

DOMAINE DU FLEUVE
Côte d'en Haut 2017

On sent bien la générosité de l'été 2017 dans cet assemblage de frontenac noir et de marquette, élevés en fûts de chêne français pendant près de 12 mois. Non seulement les saveurs fruitées sont mûres et la chair est gourmande et croquante, mais les quelques semaines supplémentaires de beau temps à la fin de la saison ont aussi aidé à dompter l'acidité parfois acerbe du frontenac. Bonne longueur. Un très bel exemple de ce que peuvent donner les cépages hybrides lorsqu'ils sont cultivés et vinifiés avec soin.

20 $ ★★★★ ② ♥

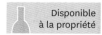

Disponible à la propriété

DOMAINE ST-JACQUES
Réserve rouge 2016, Vin du Québec Certifié

Dégusté de nouveau en juin 2019, le Réserve rouge 2016 m'a paru nettement plus harmonieux que l'an dernier à pareille date. Quelques mois de repos supplémentaire ont permis au bois de se fondre à l'ensemble, et au naturel fruité des cépages lucy kuhlmann et maréchal foch de reprendre ses droits. La matière est charnue et caressante, animée d'une saine acidité, et le vin s'avère plutôt élégant. À boire d'ici 2022-2024.

11506365   19,45$ ★★★ ½ ②

GAGLIANO
Frontenac noir 2017, Vin du Québec Certifié

Le frontenac noir est, de loin, le cépage rouge le plus planté au Québec. Ce croisement développé à l'Université du Minnesota est très résistant au froid et donne habituellement des vins rouges souples. Celui-ci déconcerte un peu au premier nez avec ses odeurs d'acidité volatile. La bouche est toutefois assez agréable, bien mûre, avec de la mâche et du fruit. Cela dit, son prix me laisse perplexe.

11506605   24,10$ ★★★ ②

MAS DES PATRIOTES, LE
Le Sieur Rivard Réserve 2018, IGP Vin du Québec

Le Réserve 2018 tapisse la bouche de tanins veloutés et d'une chair fruitée mûre. Tout est en équilibre : le fruit, la vigueur et le grain tannique serré. Des accents de menthe, conjugués à l'acidité naturelle des cépages lucy kuhlmann et baco noir, offrent en finale une grande sensation de fraîcheur. On peut le laisser dormir en cave jusqu'en 2023 ou l'aérer en carafe pendant une bonne heure.

13530326   25,55$ ★★★→? ③ ⚗

VIGNOBLE CORTELLINO
Frontenac 2016

Le vignoble de la famille Cortellino est situé à Saint-Urbain-Premier, en Montérégie. Bien qu'il soit déjà âgé de près de 3 ans, ce frontenac subtilement boisé ne montre aucun signe de fatigue. Simple, mais abordable ; encore guilleret et plein de fruit.

Disponible à la propriété

15$ ★★ ½ ①

Canada

CHAT BOTTÉ, LE
Le Vendanges Tardives 2017

Très belle expression du frontenac blanc dont cette cuvée de vendanges tardives est composée à 100 %. En plus de concentrer les saveurs, le léger flétrissement des raisins sur la vigne a permis d'accentuer la sensation tannique. L'acidité naturelle du frontenac apporte aussi un heureux contrepoids au sucre (80 g/l), au point où le vin paraît presque sec. Original, bien ficelé et vendu à un prix étonnamment abordable. Une aubaine à saisir pour l'amateur de vendanges tardives !

18 $ (375 ml) ☆☆☆☆ ① ♥

 Disponible à la propriété

COTEAU ROUGEMONT
Frontenac gris 2013, Vendanges Tardives

Le vendanges tardives de Coteau Rougemont étonne au premier regard par sa robe presque brune. Un bouquet de pomme cuite et de feuilles de thé annonce un vin maintenant à point. Peut-être pas le plus élégant des vins liquoreux commentés dans ces pages, mais la bouche est supportée par une vivacité et une amertume agréables et qui font saliver. Original ; à boire dans l'année.

11680523 22,65 $ (375 ml) ☆☆☆ ①

0 859670 001356

COTEAU ROUGEMONT
IGP Vin de glace 2014, Vidal

Robe dorée, accents d'ananas, de pomme et de fruits exotiques. Ample et crémeux en milieu de bouche, pas spécialement vif en attaque, mais l'acidité naturelle du vidal vient chatouiller les joues en finale, mettant en lumière des arômes séduisants de caramel et de bonbon au beurre. Très bien fait dans l'ensemble.

12029994 32,35 $ (200 ml) ☆☆☆ ½ ①

0 859670 001394

ORPAILLEUR, L'
IGP Vin de glace 2017, Vidal

D'emblée attrayant pour l'œil avec sa teinte ambrée, profonde. Le nez intense et concentré annonce une vendange mûre et gorgée de soleil, ce qui se confirme en bouche. Tout ce qu'on peut espérer d'un bon vin de glace : des parfums exubérants, du volume en bouche, une acidité prononcée et de la tenue. Le 2017 donne l'impression de croquer dans des cerises de terre séchées et dans la tire éponge. Complexité, intensité, équilibre.

10220269 32,35 $ (200 ml) ☆☆☆☆

0 827924 004057

STRATUS
Riesling Icewine 2017, Niagara-On-The-Lake

Plutôt que d'être issu de vidal, comme la majorité des vins de glace canadiens, celui de Stratus mise sur la vigueur naturelle du riesling, cépage traditionnellement utilisé pour l'élaboration du eiswein allemand. La couleur du 2017 est dorée et profonde, mais s'apparente plus à celle d'un vin blanc que d'un vin de glace. Et au nez on est aussi ailleurs : plus discret et délicat, avec un bouquet de citron, de fleurs et de poire. La bouche est à la fois fine, fraîche et tendue ; une amertume étire la finale et porte le vin à un autre niveau de complexité. Moins sucré que d'autres vins de glace ontariens sur le marché, mais surtout plus complexe.

10856937   41,75$ (200 ml)   ☆☆☆☆ ②

VIGNOBLE DU MARATHONIEN
IGP Vin de glace 2017, Vidal

En décembre 2014, le ministère de l'Agriculture, des Pêcheries et de l'Alimentation du Québec (MAPAQ) a reconnu officiellement les mentions «Cidre de glace du Québec» et «Vin de glace du Québec» comme des Indications Géographiques Protégées (IGP), permettant de garantir la traçabilité de la vendange à la bouteille. Le vin de glace du Marathonien est une invitation renouvelée à découvrir le meilleur du vignoble québécois. Un bouquet classique de fruits jaunes et de miel, une bouche hyper florale, qui évoque la fleur d'oranger et la lavande. Une superbe équation sucre-acidité-structure fait en sorte que sa richesse inouïe (240 g/l de sucre) n'est jamais un frein à l'équilibre en bouche. Beaucoup de caractère ; un modèle de finesse et d'élégance. Un vin exceptionnel!

11745788   32,55$ (200 ml)   ☆☆☆☆☆ ②

VIGNOBLE DU MARATHONIEN
Vidal 2017, Vendanges tardives

La clémence de la fin de l'été et de l'automne 2017 – avec quelques belles journées au-dessus des 20 °C – se fait bien sentir dans la cuvée Vendanges tardives de Jean Joly, qui a produit, fidèle à son habitude, un vidal presque aussi concentré que certains vins de glace. Une intensité sans égale, mais aucun excès, et une texture tissée bien serrée, qui encadre la richesse en sucre et tient le vin bien en brides. Longue finale multidimensionnelle où l'ananas, la pêche, l'écorce d'orange et les fleurs blanches se rencontrent et se superposent, pour le plus grand plaisir de nos papilles. Exquis!

12204060   29,15$ (375 ml)   ☆☆☆☆ ½ ② ♥

BAKER, CHARLES
Riesling 2015, Picone Vineyard, Vinemount Ridge

Bien plus qu'un vin de cépage, ce riesling se veut l'expression d'un terroir, celui de Picone, situé sur la crête de l'escarpement de Vinemount, où le vent balaye le vignoble de son souffle frais, offrant ainsi aux vieilles vignes de riesling une longue saison de croissance. Les fermentations sont ensuite conduites naturellement. En 2015, le résultat est époustouflant. La bouche est éclatante et complexe; tendue, serrée et presque tannique tant elle est structurée. Un vaste éventail de saveurs de fleurs, de fruits blancs, d'agrumes, d'hydrocarbures et de silex se décline avec une subtilité doublée d'intensité. Équilibre parfait et émotions garanties.

12718482   35,50$ ☆☆☆☆ ½ ② ♥

BENJAMIN BRIDGE
Tidal Bay 2018

Tidal Bay est la première appellation de Nouvelle-Écosse. Celui-ci titre 9% d'alcool et mise sur un assemblage de l'acadie, de vidal et de seyval. L'acidité (9 g/l) est enrobée d'un reste de sucre (17 g/l) perceptible, mais très bien intégré, et le vin est frais et vif. À aborder comme un riesling demi-sec allemand. Parfait pour les chaudes journées d'été.

13108918   22,95$ ☆☆☆ ①

CLOS JORDANNE, LE
Chardonnay 2017, Le Grand Clos, Niagara Peninsula

Le groupe Arterra, qui avait cessé de commercialiser les vins du Clos en 2016, a annoncé qu'il remettait en marché Le Grand Clos 2017, issu d'un vignoble situé à l'extrémité ouest du Clos Jordanne. Thomas Bachelder revient à titre d'œnologue-consultant et signe un chardonnay très sérieux, qui arbore la finesse, la vinosité et la définition aromatique habituelles des vins du Twenty Mile Bench. Encore hyper jeune, structuré et marqué d'une certaine réduction en fin de bouche, il devrait reposer en cave jusqu'en 2024-2027.

45$ ☆☆☆→☆ ③

En primeur

HIDDEN BENCH
Chardonnay Estate 2017, Beamsville Bench

Je me régale toujours avec les chardonnays de ce domaine, situé dans le secteur de Beamsville. Un heureux mariage de tension et de volume en bouche, des saveurs fruitées pures et précises, de la tenue et de l'élégance. Une valeur sûre pour découvrir le chardonnay de Niagara.

12583047   32$ ☆☆☆☆ ② ♥ 🍷

SOUTHBROOK
Vidal 2017, Skin Fermented White, Orange Wine, Ontario

Je ne suis pas une *fan* absolue de vin orange. Je l'aime conditionnellement, quand il est bon. N'empêche, j'ai eu un coup de cœur instantané pour ce vin biodynamique dans lequel le vidal bénéficie d'une macération pelliculaire. Ne vous fiez pas à son apparence trouble, le vin est parfaitement net et le nez ne présente aucun défaut et met en relief les notes d'épices, de fleurs et de fruits jaune du vidal. La bouche a cette structure tannique propre aux vins orange et une juste dose d'acidité. Résultat: un vin fort en caractère et rassasiant de fraîcheur. Excellent à table, avec un cari.

14015991   29,95$ ☆☆☆☆ ② ♥

STRATUS
Riesling 2018, Moyer Road, Niagara Peninsula

Cette cuvée destinée exclusivement à la SAQ est l'un des bons rieslings canadiens offerts au Québec. Les fruits proviennent du vignoble Picone et sont vinifiés dans un style qui se veut plus sec. Le 2018 est frais, léger (10,5% d'alcool) et très expressif. Le fruit juteux de la pomme verte et de la lime est soutenu par une acidité vive, tandis qu'une finale aux accents de gingembre apporte une agréable chaleur aromatique en finale. Servez-le à l'apéro ou avec des spaetzle à la moutarde.

13183432   22,15$ ☆☆☆ ½ ① ♥ △

STRATUS
Sauvignon blanc 2016, Wildass, Niagara Peninsula

Wildass est la seconde étiquette de Stratus. Et comme J.-L. Groulx aime bien sortir du cadre habituel de Niagara, il propose ici une interprétation originale du sauvignon blanc. Ne cherchez pas dans ce 2016 le caractère vif et herbacé propre au cépage. Appréciez-le plutôt pour son ampleur et ses saveurs généreuses de miel, de citron confit et de cire d'abeille, soutenues par une acidité souple. Longueur et profondeur dignes de mention.

12455619   21,50$ ☆☆☆☆ ② ♥

TAWSE
Chardonnay 2016, Niagara Peninsula

Sans surprise, Paul Pender, œnologue chez Tawse, signe un très bon chardonnay fidèle à son lieu d'origine, autant qu'à son cépage. Fruits blancs, agrumes, fleurs blanches; du gras et une fraîcheur saline. Excellent rapport qualité-prix-plaisir!

11039736   18,95$ ☆☆☆☆ ① ♥

HENRY OF PELHAM
Baco noir 2017, Ontario

La famille Speck produit des vins de bonne qualité sur un site historique de St. Catharines, que leur ancêtre a acquis en 1794. Bien qu'il ne soit pas vraiment représentatif du bond qualitatif immense qu'a connu le vignoble de Niagara depuis une quinzaine d'années, ce baco a au moins le mérite d'être original. Vif et un peu rustique, mais aussi fruité, floral et vendu à prix accessible.

270926   16,85$ ★★ ½ ②

HIDDEN BENCH
Pinot noir 2017, Unfiltered, Beamsville Bench

J'ai si souvent encensé les excellents chardon-nays de Hidden Bench que j'en oublie parfois que Harald Thiel et son équipe produisent aus-si de superbes pinots noirs. Même l'entrée de gamme du domaine est impeccable : une ex-pression pure du cépage, tout en finesse, en élégance et en retenue, lui donnant des airs nettement plus bourguignons que nord-américains. Longue finale éthérée aux notes de griotte et de terre humide. L'amateur de pinot de terroir se ré-galera à prix doux.

12582984   36,75$ ★★★★ ② ♥ 🗩

MALIVOIRE
Gamay 2017, Niagara Peninsula

Chaque année, en relisant la compilation de mes notes de dégustation des National Wine Awards of Canada, j'arrive à la même conclusion : le vignoble canadien (Québec inclus) devrait miser davantage sur le ga-may. Celui de Malivoire en est un très bon exemple : frais, gourmand, croquant et bourré de fruit, avec de jolis parfums poivrés qui se des-sinent en finale et une matière juste assez char-nue, qui le rend particulièrement rassasiant. On se régale pour moins de 20$. Joie !

11140498   18,75$ ★★★ ½ ② ♥

STRATUS

Cabernet franc 2016,
Niagara-on-the-Lake

On retiendra le millésime 2016 à Niagara pour ses conditions météorologiques quasi idéales, avec un printemps et un été chauds et secs. La maturité des raisins se devine dès le premier nez dans ce délicieux cabernet franc, qui profite d'un élevage de près de 18 mois en fûts de chêne français – 0 % fûts neufs. Une pointe d'acidité volatile rehausse les parfums de mûre, de poivre et d'herbes séchées, et le vin fait preuve d'une complexité certaine. Une texture charnue et veloutée s'articule autour d'un cœur tannique ferme et solide. Ce vin racé, fort en personnalité et très long en bouche illustre bien tout le potentiel du cépage cabernet franc à Niagara.

13601446   38$ ★★★→★ ③

STRATUS

Red 2015, Niagara-on-the-Lake

Dans la dernière édition du *Guide*, j'écrivais être restée perplexe devant ce 2015 qui me semblait surdimensionné et lourdement boisé. Un an plus tard, le nez est toujours aussi chargé de vanille et la bouche, crémeuse et riche en extraits tanniques, laisse une sensation anguleuse en finale. Par contre, dégusté sur trois jours, le vin a semblé bénéficier d'une longue aération ; l'acidité et les tanins faisaient corps ensemble et le vin laissait une impression générale plus harmonieuse. Si vous en avez en cave, mon conseil serait de le laisser reposer au moins cinq ans ou de l'aérer en carafe pendant quelques heures.

13108862   45$ ★★★ ③ ⚗

MONTE CREEK RANCH
Riesling 2017, British Columbia

Nouveau à la SAQ, ce riesling est produit par un domaine situé à l'est de Kamloops. La fraîcheur du climat se fait sentir à son attaque en bouche vive et croquante, qu'un léger reste de sucre enrobe. Un bouquet de chèvrefeuille mène à des saveurs alléchantes de citron et de pomme verte. Un riesling simple, mais bien tourné.

14014956   23,95 $ ☆☆☆ ①

MORAINE
Pinot noir 2016, Okanagan Valley

L'œnologue néo-zélandais Jacqueline Kemp veille sur les vignobles de Moraine Winery, idéalement situés sur l'escarpement de Naramata, en bordure du lac Okanagan. Ce pinot noir a été élevé en fûts de chêne français pendant 10 mois. L'empreinte du bois est bien présente au nez, mais elle laisse l'essence fruitée du cépage s'exprimer en bouche. Le grain est soyeux, l'impression d'ensemble plutôt élégante. Il est vrai que l'Okanagan produit des pinots noirs plus complexes, mais pour une trentaine de dollars, l'offre est honnête.

13224329   33 $ ★★★ ②

QUAILS' GATE
Dry Riesling 2017, Okanagan Valley

La famille Stewart produit de bons chardonnays et pinots noirs, mais sa maîtrise du riesling ne semble pas tout à fait au point si j'en juge ce vin acide, dilué et somme toute insipide. À près de 20 $, je miserais sur un autre cheval.

13471063   18,95 $ ☆☆ ①

TANTALUS
Chardonnay 2017, Juveniles, Okanagan Valley

Comme son nom le laisse deviner, ce vin provient de la plus jeune parcelle de chardonnay de Tantalus, au sud-est de Kelowna, tout au nord de la vallée de l'Okanagan.

Un blanc net, pur et vibrant; léger en alcool (12,3 %) et parfaitement sec. Une délicate amertume, conjuguée à une acidité bien dosée, laisse en finale une délicieuse sensation de salinité qui accentue sa persistance aromatique, autant que son caractère désaltérant. À l'aveugle, j'aurais bien pu me faire prendre et croire à un petit chablis.

13601382   28,45$ ☆☆☆☆ ② △

TANTALUS
Riesling 2018, Okanagan Valley

Le riesling entrée de gamme produit par David Paterson, dans le secteur de Kelowna, résulte d'un assemblage de fruits de différentes parcelles – dont certaines plantées vers la fin des années 1970 – récoltés à la main, à maturité optimale. Chaque parcelle est fermentée séparément, en cuves d'acier inoxydable. Comme toujours, le vin étonne par son jeu subtil d'équilibre entre le sucre et les acides, au point où on perçoit à peine les 20 g/l que contient le 2018. Le nez embaume le tilleul et la pomme verte, et le vin porte aussi la délicate astringence de cette dernière. Encore plus expressif et savoureux après deux heures en carafe.

12456726   33,25$ ☆☆☆☆ ② △

OCÉAN
PACIFIQUE

WASHINGTON

MONTANA

OREGON

NORTH COAST

Anderson
Valley   Mendocino

Sierra Foothills

Sonoma
Coast

NEVADA

Napa Valley
Carneros

Lake Tahoe

Sonoma
Valley

Shenandoah Valley
Amador

Lodi

SAN
FRANCISCO

Livermore
Valley

CENTRAL
VALLEY

Santa Cruz
Mountains

Santa Clara
Valley

SAN
FRANCISCO

NEVADA

Monterey

Santa Lucia
Highlands

Arroyo Seco

CALIFORNIE

San Lucas

CENTRAL
COAST

Paso Robles

San Luis Obispo
Santa Maria Valley
Santa Barbara
Santa Rita Hills
Santa Ynez Valley

SANTA BARBARA

SANTA BARBARA

LOS ANGELES

LOS ANGELES

MEXIQUE

TEXAS

La superficie du vignoble américain a augmenté de près de 25 % au cours des vingt dernières années. Cela tombe à point, puisque la soif de vin des Américains semble insatiable, tout comme le désir de boire local. On estime que trois bouteilles de vin sur cinq vendues aux États-Unis proviennent de Californie. Une bonne nouvelle pour les producteurs puisque la force du dollar américain dans les derniers mois n'aide en rien les exportations.

Depuis quelques années, on observe un heureux virage vers des vins plus digestes, moins épais et confiturés. Même dans les secteurs plus chauds, où on cultive des variétés rhodaniennes. Dans la vallée de Napa, les intérêts financiers continuent d'entretenir la dictature de la concentration et la quête de hauts scores. Heureusement, il y a des exceptions, dont quelques-unes commentées dans ces pages.

CANADA

WASHINGTON

L'État le plus septentrional de la côte Ouest américaine est la source de vins toujours plus fins et achevés, qui n'ont déjà rien à envier à leurs pendants californiens.

NEW YORK

OREGON

L'État de l'Oregon a essentiellement bâti sa réputation sur ses vins rouges issus du pinot noir, même si la qualité des vins demeure hétérogène. Depuis quelques années, les variétés alsaciennes semblent gagner en popularité. On trouve notamment de très bons vins de pinot gris sur le marché.

VIRGINIE

CAROLINE DU NORD

TENNESSEE

NEW YORK

Dans le nord de l'État de New York, à environ cinq heures de voiture au sud-ouest de Montréal, la région des Finger Lakes compte près de 350 domaines viticoles. On y produit entre autres de très bons rieslings.

OCÉAN ATLANTIQUE

FLORIDE

Californie Cabernet sauvignon

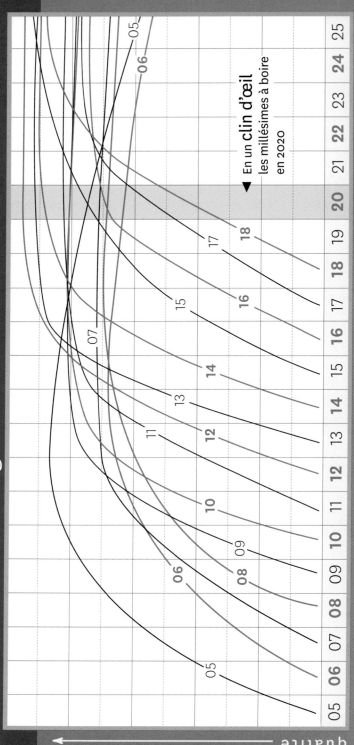

qualité

En un **clin d'œil**
les millésimes à boire
en 2020

LES DERNIERS MILLÉSIMES

2018
Récolte de qualité exceptionnelle dans l'ensemble. Seule ombre au tableau : les incendies qui ont ravagé certains vignobles dans le sud et engendré le fameux «smoke taint», un goût de fumée, dans les régions plus au nord.

2017
2017 passera surtout à l'histoire pour les monstrueux incendies dans Napa et Sonoma, qui ont ravagé certains domaines historiques. Les feux sont toutefois survenus après que la plupart des raisins eurent été récoltés. Il faudra attendre de goûter pour voir si cela se traduira dans le verre par le fameux «smoke taint».

2016
Une récolte hâtive, entamée avec le sourire, la qualité et les quantités étant au rendez-vous. Il est encore tôt pour juger du potentiel de garde, mais les vins présentent, dit-on, un bon équilibre.

2015
Une année de sécheresse. Vendange précoce en raison d'un hiver et d'un printemps particulièrement doux. Les quantités sont à la baisse, encore, mais la qualité s'annonce plus que satisfaisante.

2014
Un printemps particulièrement frais, suivi d'un été chaud qui a accéléré la maturation. Les quantités sont à la baisse, encore, mais la qualité s'annonce plus que satisfaisante. On peut s'attendre à des vins un peu moins concentrés et plus accessibles en jeunesse.

2013
Une récolte abondante en Californie. La qualité générale est assez prometteuse.

2012
Retour à des conditions plus normales après deux millésimes de pluie et de froid. Un été très sec et de belles conditions au moment de la vendange ont donné des vins assez concentrés qui pourraient très bien vieillir.

2011
Autre année difficile pour les vignerons californiens. Des conditions météorologiques semblables à celles de 2010, à l'exception d'une heureuse vague de chaleur au moment des vendanges qui a donné un ultime coup de pouce à la vigne et a permis aux raisins d'atteindre leur maturité. Le moment de la récolte a été un facteur décisif dans plusieurs secteurs. Autre année de choix pour les palais en quête de fraîcheur.

BIRICHINO
Malvasia 2015, Monterey

Difficile de rester insensible au charme de cet excellent vin blanc élaboré par John Locke et Alex Krause. Le nez hyper exubérant pourrait faire craindre un blanc sucré, mais ce n'est pas le cas. On a plutôt dans le verre un excellent blanc structuré et riche en extraits secs, attribuable à un contact prolongé du moût avec les peaux des raisins. La bouche offre une profusion de fruits tropicaux et de fleurs blanches, mais aussi des accents de menthe, qui accentuent la fraîcheur ressentie. Miam!

11073512 20,05$ ☆☆☆☆ ② ♥

CLOUDLINE
Pinot gris 2017, Willamette Valley

Pinot gris élaboré dans un style «grigio», c'est-à-dire frais, léger et animé d'un reste de gaz. Pas mal dans son genre, mais tout de même un peu mince et végétal pour valoir pleinement son prix. Le pinot noir de Cloudline, commenté dans ces pages, vaut nettement plus le détour.

11883531 22,60$ ☆☆ ½ ①

DROUHIN
Chardonnay 2016, Roserock, Eola-Amity Hills, Oregon

Installée dans le secteur de Dundee Hills depuis plus de trente ans, la maison bourguignonne a multiplié par deux la taille de son vignoble d'Oregon en 2013, en rachetant le vaste vignoble (110 hectares) de Roserock, dans la région viticole d'Eola – Amity Hills. Le chardonnay qu'elle y a produit en 2016 déploie de délicats parfums de fleurs blanches qui évoquent le jasmin; la bouche est vive, sans excès de bois ni surmaturité, ponctuée de notes de miel et de fruits jaunes, sur un fond minéral. À boire d'ici 2024.

13909686 40,50$ ☆☆☆→? ③

DUCKHORN
Sauvignon blanc 2017, Decoy, Sonoma County

Le profil aromatique du sauvignon blanc de la gamme Decoy se situe à mi-chemin entre les notes végétales, herbacées et tropicales du cépage. Un bon vin blanc de facture classique, pas très complexe, mais équilibré.

14133891 29,95$ ☆☆☆ ②

EASTON
Sauvignon blanc 2014, Natoma, Sierra Foothills

L'an dernier, j'écrivais que ce 2014 ne m'avait jamais paru si complet, achevé, distingué. Je persiste et signe. Quel vin blanc superbe! Le Natoma est habilement vinifié et élevé en fûts de chêne neutre pendant 9 mois, mais sa qualité repose avant tout sur des raisins impeccables, cultivés avec soin, à 760 m d'altitude, dans le secteur de Sacramento. En plongeant le nez dans le verre, il est presque impossible d'échapper à la comparaison avec un bon blanc des Graves, à Bordeaux. Délicat, subtilement parfumé, avec des accents de cire d'abeille et de miel qui ajoutent du relief aromatique, et surtout doté d'une tenue et d'une minéralité peu communes dans un blanc de ce prix. Fantastique!

882571 26,90$ ☆☆☆☆ ½ ② ♥

GRGICH HILLS
Chardonnay 2014, Napa Valley

Si vous doutez que le chardonnay puisse donner des vins fins en Californie, goûtez celui de Grgich. Il suffit d'une gorgée de ce 2014 pour comprendre pourquoi ce domaine s'est imposé comme une référence californienne en matière de chardonnay. Très classique, le nez évoque les vins blancs produits à Meursault dans les années 1990: mûr, élégant, minéral. Un vin de terroir, beaucoup plus qu'un vin de cépage. À apprécier pour sa qualité intrinsèque et pour le plaisir nostalgique d'avoir dans son verre le goût d'une autre époque. Excellent! Les vignobles de Grgich sont tous certifiés biologiques.

14082887 49,50$ ☆☆☆☆ ② ▼ 💬

MER SOLEIL
Chardonnay 2017, Santa Lucia Highlands

Ce blanc plantureux ne fait certes pas dans la subtilité, mais son volume en bouche et sa richesse fruitée, qui évoque la poire et la pêche en sirop, ne laissent pas indifférents. D'autant plus que ce 2017 ne manque pas de tenue. Sans être une *fan* du genre, je reconnais aisément pourquoi il plaît autant.

903112 33,60$ ☆☆☆ ②

STE MICHELLE WINE ESTATES
Chardonnay 2017, Columbia Valley

Même s'il s'agit d'un achat moins avantageux que nombre de chardonnays produits ailleurs sur la planète, ce blanc de l'État de Washington plaira sans doute aux inconditionnels de ce cépage. Une profusion de fruit, une texture ample et grasse, sans trop de lourdeur. Dans le contexte américain, le prix est correct.

11416116 20$ ☆☆ ½ ①

DECOY

Cabernet sauvignon 2016, Sonoma County

Decoy est la seconde étiquette de Duckhorn, un domaine réputé dont les propriétaires ont aussi racheté les marques Migration, Goldeneye et, plus récemment, Calera. Nez discret, saveurs nettes de cassis, de poivron rouge et de framboise confite. La bouche est fraîche sans aucun excès, limite européenne par sa forme droite.
Déjà savoureux et apte à se bonifier jusqu'en 2022.
13543039   32,60$ ★★★ ½ ②

NEWTON

Cabernet sauvignon 2016, Unfiltered, Napa Valley

Cette imposante *winery* située dans la partie ouest de la vallée de Napa, appartient au groupe français LVMH. Le 2016 est mis en bouteille sans filtration et repose sur un assemblage de raisins de différentes terrasses, situées entre 150 et 490 m d'altitude. Des tanins fins et denses portent en bouche des saveurs à la fois élégantes et intenses, et les tirent en une longue finale épicée, vibrante, pleine de fraîcheur et dotée d'un équilibre impeccable. Déjà excellent, il sera encore meilleur vers 2022-2024.

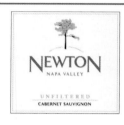

13940464   83$ ★★★★ →? ③

RIDGE VINEYARD

Cabernet sauvignon 2016, Estate, Santa Cruz Mountains

Ce cabernet est, en quelque sorte, le second vin du Monte Bello, un vin mythique, emblème du vignoble californien. Les vignes, conduites en agriculture biologique sont aujourd'hui âgées en moyenne de 65 ans. Des couches de saveurs longues et profondes, une assise tannique solide, qui se profile tout en retenue, et un équilibre irréprochable. Savoureux et promis à un bel avenir. À boire entre 2024 et 2028.
14094722   98$ ★★★ →★ ③ ▼ ▢

STAG'S LEAP WINE CELLARS

Cabernet sauvignon 2015, Cask 23, Napa Valley

Le grand vin du domaine est issu en partie du vignoble désormais célèbre qui a donné naissance au vin gagnant du Jugement de Paris, en 1976. Le 2015 est noir comme de l'encre, tissé de tanins ronds, mais compacts, gorgé de saveurs intenses de fruits noirs bien mûrs et ponctuées des accents de fumée et de vanille du chêne français.
Plein, long et encore très jeune, il devrait se montrer sous son meilleur jour vers 2030.
13919585   374,50$ ★★★ →★ ④

STAG'S LEAP WINE CELLARS

Cabernet sauvignon 2016, Artemis, Napa Valley

L'an dernier, le 2015 m'avait laissé une impression plutôt favorable: charnu, copieusement boisé, mais équilibré. Le 2016 est tout autant marqué par l'élevage, mais son étoffe tannique ne me semble pas assez solide pour donner la réplique au bois, qui l'emporte largement, laissant en bouche un fini crémeux, voire pâteux. Un vin imposant, dont on a guère soif.

13501710   85,25$ ★★→? ③

ST-FRANCIS

Cabernet sauvignon 2015, Sonoma County

Ce cabernet californien allie densité, concentration et structure dans des proportions heureuses. L'étoffe tannique est tissée serrée, enrobée d'une chair fruitée mûre, qui embaume la confiture de framboise, le kirsch et le cacao, évoquant au passage le goût d'un gâteau forêt noire. Finale chaleureuse, mais sans lourdeur. Tout à fait recommandable.

421990   32,50$ ★★★ ②

WENTE

Cabernet sauvignon 2017, Southern Hills, Livermore Valley

Une robe pourpre très dense et un nez de bonbons sûrs à la framboise annoncent un cabernet relativement frais, auquel une mâche tannique serrée apporte une tenue appréciable. Le bois est déjà bien intégré et laisse le fruit s'exprimer; finale chaleureuse au fruité presque croquant. Prix sensé.

13915429   21,05$ ★★★ ②

WINES OF SUBSTANCE

Cabernet sauvignon 2017, Cs, Washington State

Chaque année, ce cabernet m'étonne par son rapport qualité-prix-plaisir, autant que par sa droiture et par sa typicité variétale. La richesse du climat de Washington se fait sentir à son volume et à sa bouche gourmande, que des tanins juste assez charnus encadrent pour créer un ensemble harmonieux. Longueur et tenue étonnantes pour le prix.

12670378   21,05$ ★★★ ½ ② ♥

CLOUDLINE
Pinot noir 2017, Willamette Valley

Ce vin maintenant largement distribué dans le réseau de la SAQ poursuit son chemin sur la voie de la qualité et ne sombre pas dans les dérives commerciales, comme tant d'autres cuvées, victimes de leur succès populaire. Plutôt que de se limiter à la simple expression fruitée du pinot noir, ce vin déploie en bouche des notes terreuses et une certaine retenue que je serais tentée d'inscrire au registre de la minéralité. Toute la souplesse et la fraîcheur voulues, sans verser dans la facilité. Un très bon achat!

11334161   24,95$ ★★★ ½ ② ♥

DOMAINE ROY ET FILS
Pinot noir 2017, Incline, Yamhill-Carlton

Vingt-cinq ans après la création de Beaux-Frères par leurs pères, Marc-André Roy et Jared Etzel se sont associés pour fonder le Domaine Roy et Fils. La propriété est pour le moment constituée de deux parcelles, l'une dans le secteur de Dundee, l'autre à Yamhill-Carlton. Cette dernière a donné vie à un pinot très solide en 2017. À l'ouverture, des notes de réduction annoncent un vin encore très jeune, mais vinifié avec sérieux. La bouche suit, encadrée de tanins de qualité, tissés bien serrés; saveurs intenses et persistantes de fruits noirs, de noyau de cerise, d'épices et d'herbes séchées. Longue finale minérale. Déjà impressionnant, il sera à son meilleur vers 2023-2025.

13296664   91,75$ ★★★→★ ③ 💬

DROUHIN
Pinot noir 2015, Dundee Hills, Oregon

Le pinot noir classique du Domaine Drouhin a été élaboré pour la première fois en 1988. Près de 30 millésimes plus tard, Véronique Drouhin-Boss signe un excellent 2015 dont la retenue et le tissu tannique fin et serré contrastent avec l'opulence habituelle des pinots de la côte Ouest américaine. Est-ce l'influence bourguignonne? Des fruits rouges et noirs, des parfums de terreau, une présence en bouche chaleureuse, mais aussi une vigueur tannique, porteuse de fraîcheur. À laisser reposer en cave jusqu'en 2023, idéalement. D'ici là, servez-le autour de 15 °C, avec une pièce de viande saignante.

11166559   51,75$ ★★★→★ ③

DUCKHORN
Pinot noir 2017, Decoy, Sonoma County

Bien tourné, dans un style un peu conventionnel. Le nez est délicatement épicé; l'attaque en bouche est nerveuse, animée d'un léger reste de gaz, mais néanmoins soyeuse. Sa finale fraîche aux accents fumés, épicés et vanillés appelle un poulet chasseur. Ne lui manque qu'un peu de longueur.

12486597   32,25$ ★★★ ③

GROCHAU CELLARS
Pinot noir 2017, Commuter Cuvée, Willamette Valley

Sur la contre-étiquette, on peut lire que ce vin «exprime le fruité éclatant du pinot noir, tout en fraîcheur et gourmandise». Je ne saurais mieux dire. Le fruit est net et juteux, complété de notes d'herbes et d'épices, qui donnent envie de passer à table. Souple, affriolant et savoureux.

13234771   27,10$ ★★★ ½ ②

MAISON ROY & FILS
Pinot noir 2016, Petite Incline, Willamette Valley

Les vins que Marc-André Roy et Jared Etzel commercialisent sous la marque Maison Roy sont issus d'un achat de raisins. Un peu moins complexe, mais aussi plus accessible et abordable que la cuvée Incline commentée à la page précédente, ce 2016 présente au nez les accents terreux du pinot noir. En bouche, les saveurs de cerise confite sont portées par une trame suave; un léger reste de gaz donne du tonus à l'ensemble. Une expression mûre et joufflue du pinot noir qui saura combler l'amateur de vins généreux.

12882338   55$ ★★★ →? ③

VALLEY OF THE MOON
Pinot noir 2017, Sonoma Valley – Carneros

Valley of the Moon, la plus vieille maison (1863) du secteur de Glen Ellen, au sud de la vallée de Sonoma, appartient à la famille Stewart, aussi propriétaire de Quail's Gate, en Colombie-Britannique. En 2017, leur pinot m'a semblé plus linéaire et taillé d'un seul bloc. Des odeurs de fruits noirs confits annoncent un rouge bien mûr, plein de volume et de fruit, avec une touche de gaz carbonique qui procure une certaine fraîcheur. Le vin laisse tout de même en bouche une sensation chaude et capiteuse.

12198579   25,45$ ★★ ½ ②

COPPOLA, FRANCIS FORD
Zinfandel 2016, Director's Cut, Dry Creek Valley

Étant une amateur convaincue du zinfandel, je m'explique souvent mal pourquoi certains *winemakers* insistent pour masquer la délicieuse expression fruitée de ce cépage avec des goûts boisés. Celui-ci, est à ce point marqué par l'élevage qu'on arrive à peine à distinguer les goûts caractéristiques du zin derrière les odeurs omniprésentes du cèdre. Le bois apporte aussi une amertume et un fini rustique en bouche. À ce prix, très peu pour moi...

11882272   31,50$ ★★→? ③

EASTON
Zinfandel 2014, Amador County

Dans la dernière édition du *Guide,* j'avais qualifié ce vin de «gamay en vacances à la plage». Un an plus tard, on note un début d'oxydation, mais la bouche est encore vibrante de fraîcheur et n'est en rien fatiguée. Le temps a fait son œuvre, dérobant au vin son fruité juvénile pour faire place à des notes fumées et à des accents de cuir, qui lui donnent presque des airs italiens. Toujours une valeur sûre au rayon des zinfandels.

897132   24,10$ ★★★★ ② ♥

FRANUS, PETER
Zinfandel 2015, 25th Vintage, Brandlin, Mount Veeder

L'an dernier, ce 2015 m'avait laissée dubitative quant à son avenir. Le vin, encore très jeune, était taillé d'un seul bloc et paraissait moins complexe que d'habitude. Goûté de nouveau en juillet 2019, il commençait à peine à s'épanouir, mais sa complexité et son potentiel ne faisaient plus aucun doute. La générosité de l'année 2015 semble désormais faire corps avec l'étoffe et le profil quelque peu austère qu'apportent de très vieilles vignes de zinfandel. Sa sapidité et ses parfums de thym, de menthe séchée et de lavande procurent aussi une agréable sensation de fraîcheur en finale. Servez-le frais, autour de 15 °C et n'hésitez pas à le laisser dormir en cave jusqu'en 2023.

897652   53$ ★★★→★ ③

RIDGE VINEYARD
Zinfandel 2017, East Bench, Dry Creek Valley

John Olney et son équipe ont planté cette parcelle de zinfandel en 1999. La cuvée parcellaire qu'ils en tirent depuis 2006 est l'un des rares vins de Ridge composé à 100% de zinfandel. Sur le site Web du domaine, on apprend qu'en 2017, les vignes ont produit de très petites grappes, ce qui a engendré l'un des vins les plus concentrés de la courte histoire du East Bench. Un élevage de 12 mois en fûts de chêne américain a toutefois permis d'assouplir les tanins, de sorte que, même s'il est encore très jeune, ce vin est déjà étonnamment agréable à boire avec son attaque en bouche gourmande et saline, et son acidité qui pince les joues. Des notes d'herbes méditerranéennes apportent un degré supplémentaire de complexité à sa longue finale vaporeuse. Délicieux!

12986911   50,75$ ★★★★ ③ ▼

ST-FRANCIS
Zinfandel 2015, «Old Vines», Sonoma County

Le nez de pruneau et de fruits cuits témoigne d'un début d'évolution. En bouche, on trouve le même profil vaguement oxydatif et une trame capiteuse, presque brûlante, qui fait bien sentir les 15,2% d'alcool. «Plus de muscle que d'esprit», comme disait mon cher mentor.

13317015   32,50$ ★★ ½ ②

VALLEY OF THE MOON
Cuvée La Luna 2014, Sonoma County

Cet assemblage de zinfandel, de syrah, de cabernet et de sangiovese (auxquels s'ajoutent de petites proportions de souzau, de barbera, de petite sirah et de pinot noir) est élevé en fûts de chêne français et américain pendant 18 mois. Ce 2014 étonne par la jeunesse de son fruit. Cerise, épices et herbes séchées reposent sur un tapis de tanins juste assez compacts, qui s'accommoderont d'une cuisine riche et relevée.

11306136   26,60$ ★★★ ½ ②

WENTE
Zinfandel 2014, Beyer Ranch, Livermore Valley

Nez très expressif aux accents de cassis, mais aussi de noyau de pêche. L'attaque en bouche est nerveuse et une certaine vigueur tannique agit comme contrepoids à la maturité du fruit et à la rondeur. Encore étonnamment jeune et fringant pour un zinfandel déjà âgé de près de 5 ans.

13915429   21,05$ ★★★ ②

BIRICHINO

Grenache 2017, Besson Vineyard, Vigne centenaire, Central Coast

John Locke et Alex Krause signent une fois de plus un grenache hors norme, ne serait-ce que par sa légèreté alcoolique (relative) et son profil à la fois digeste et gourmand. Les vignes de grenache, plantées en 1910 près du flanc sud des montagnes de Santa Cruz, ne semblent pas à court de sève et donnent un rouge gorgé de saveurs de cerise confite et d'épices douces, porté par des tanins dodus et soyeux. Beaucoup de caractère et d'élégance. Excellent!

12486386   26,70$ ★★★★ ② ♥

EASTON

House 2011, California

Le millésime de cet assemblage de syrah et de cabernet sauvignon est resté le même sur le marché depuis 2012! Sans qu'il soit fatigué outre mesure, j'oserais dire que ses meilleures années sont derrière lui. Toujours une belle vitalité, mais la finale tombe court et laisse sur des notes balsamiques et végétales.

10744695   23,35$ ★★ ½ ①

L'AVENTURE

Optimus Estate 2016, Willow Creek District – Paso Robles

Une autre très belle réussite pour cette cuvée de Stéphan Asseo. Son Optimus 2016 résulte d'un assemblage de syrah (50%), de cabernet sauvignon et de petit verdot, cultivés dans la partie ouest de Paso Robles, sur des sols riches en sédiments marins. Il arbore la générosité propre aux vins de Paso, mais fait aussi preuve d'une intensité contenue qui le rend fort séduisant. Grain tannique serré, complexité aromatique, finale tonique, riche d'une foule de nuances, entre le tabac, la vanille, la violette et le cèdre. Optez pour la carafe ou remisez-le en cave pendant cinq ou six ans.

11359617   78,75$ ★★★→★ ④ ⚗

TERRE ROUGE

Noir 2011, Sierra Foothills

Plus que tout autre vin californien d'inspiration rhodanienne goûtés cette année, cette cuvée de Bill Easton est celle qui me laisse l'impression d'un équilibre «à l'européenne». Pour la rondeur, la chaleur et les goûts habituels de cerise confite du grenache, il faudra chercher ailleurs. Le vin se démarque plutôt par la texture granuleuse de ses tanins, qui s'apparente à la terre et laisse une impression générale un peu brute, mais délicieusement authentique. Un excellent rouge de terroir qu'on gagnera à laisser respirer en carafe.

866012   42,75$ ★★★★ ② ⚗

TERRE ROUGE
Syrah 2014, Les Côtes de l'Ouest, California

La majeure partie des raisins qui composent cette cuvée provient d'un vignoble situé dans les Clements Hills de l'appellation Lodi, à l'ouest des limites du comté d'Amador; le reste trouve sa source dans les Sierra Foothills, berceau du Domaine de la Terre Rouge. Un nez invitant de fleurs et d'épices donne d'emblée envie de croquer à pleines dents dans le 2014. Une syrah savoureuse, qui déroule en bouche un tapis de fruits mûrs et suaves, d'herbes de Provence et de poivre. Long, ouvert, profond et hyper digeste, grâce à un fin équilibre entre les éléments. Un classique, avec raison!

897124   28,85$ ★★★★ ② ♥

TERRE ROUGE
Tête-à-Tête 2011, Sierra Foothills

Commenté pour la troisième année consécutive, le millésime 2011 de cet assemblage de syrah, de mourvèdre et de grenache commence à montrer des signes d'évolution, sans être fatigué. Un excellent rouge californien digeste et parfaitement ouvert, dont les tanins sont fondus et dont les saveurs tertiaires (tabac, cuir) se mêlent aux notes de fruits noirs, de fleurs et d'épices, lui ajoutant une complexité certaine. À boire au courant de la prochaine année.

10745989   30,50$ ★★★ ½ ①

HEMISPHERE SUD
CHILI ET ARGENTINE

SALTA

En Argentine, dans la province de Salta, la vigne grimpe jusqu'à 3100 m d'altitude, notamment dans le secteur de Cafayate, au sein des vallées Calchaquíes. On y trouve d'excellents torrontés.

BOLIVIE

SALTA

Elqui

CAFAY

LA SERENA

Limari

LIMARI

Dans la partie nord du Chili, juste au sud du désert d'Atacama, le chardonnay a trouvé un nouvel eldorado sur les sols de calcaire actif de la région de Limari. Les meilleurs vins laissent en bouche une sensation minérale très pure.

Choapa

La Rioja

Aconcagua

ARGENTINE

MENDOZA

VALLÉE CENTRALE

VALPARAISO   **SANTIAGO**

Casablanca

San Antonio/Leyda

Maipo

Rapel (Cachapoal/Colchagua)

Curicó

MAULE

Lujan de Cuyo

Valle de Uco

San Rafael

RÉGION DU SUD

Itata
CONCEPCIÓN

Bío-Bío

La Pampa

Neuquen

Rio Color

MAULE ET ITATA

Berceau chilien du vin naturel, les régions de Maule et Itata misent sur des vignes centenaires de carignan, de cinsault et de país, qui y donnent des vins aussi savoureux que singuliers.

NEUQUEN

Rio Neg

CHILI

PATAGONIE

Rio Negro

San Carlos de Bariloche

Puerto Montt

Rio Chubut

Rio Chico

Le vent de renouveau qui gagne le Chili depuis quelques années n'est pas près de s'essouffler. Et cette longue frange de terre, qui s'étend du désert d'Atacama jusqu'à l'Antarctique, bordée à l'ouest par le Pacifique et à l'est par les Andes, a beaucoup plus à offrir que de gros rouges boisés.

Les vallées fertiles et baignées de soleil situées autour de la capitale, Santiago, demeurent l'épicentre de la production viticole, mais on voit émerger chaque année de nouveaux vignobles dans des zones plus fraîches et toujours plus éloignées. Aujourd'hui, la vigne est cultivée depuis la vallée de l'Elqui, à 500 km au nord de Santiago, jusqu'au lac General Carrera, aux portes de la région de Magallanes, plus de 2000 km au sud de la capitale du pays.

Les vignerons qui ont pris la relève depuis le début des années 2000 ont repensé la viticulture, puis réduit les taux d'alcool, les interventions au chai et l'utilisation de la barrique. D'abord marginal, le mouvement initié par une poignée de petits domaines axés sur l'expression du terroir a gagné tous les secteurs de l'industrie viticole, jusqu'aux géants comme Concha y Toro. Vinifications en amphore, développement dans des zones plus fraîches, mise en valeur de vignobles centenaires. Le Chili est en pleine ébullition. Ne reste plus qu'à le faire entendre aux acheteurs de la SAQ...

***

L'Argentine jouit d'une longue tradition viticole qui remonte à l'arrivée des colons européens, au XVIe siècle. Jadis marqués par une influence européenne, les vins ont adopté, au tournant des années 2000, un style beaucoup plus moderne, encensé par la presse américaine. Les malbecs hyper flatteurs et presque sucrés tant ils sont mûrs semblent avoir occulté le reste de la production nationale. L'Argentine dispose pourtant d'autres variétés fort intéressantes.

Le souffle de renouveau qui a atteint le Chili il y a une quinzaine d'années aurait traversé les Andes pour s'installer en Argentine. Malheureusement, l'économie argentine laisse peu de marge de manœuvre aux petits vignerons qui souhaiteraient se lancer en affaires, entre le coût exorbitant des importations de matériel viticole, l'inflation et les transactions internationales qui reposent sur le dollar américain. Par conséquent, la grande majorité des vins qui se fraient un chemin jusque sur les tablettes de la SAQ ne reflète toujours pas l'esprit d'innovation qui gagne, même timidement, le pays. D'où le très peu de vins argentins commentés dans cette édition.

MENDOZA

Sans irrigation, une bonne partie des vignobles argentins ne seraient que des zones désertiques. Depuis une quinzaine d'années, les nouvelles plantations s'orientent davantage vers les zones d'altitude et il n'est pas rare que la vigne grimpe jusqu'à 1200, voire 1700 m.

PATAGONIE

Région la plus au sud de l'Argentine, la Patagonie bénéficie d'un climat plus frais, permettant une maturation lente du raisin. On y trouve bien sûr du malbec et du cabernet sauvignon, mais aussi d'excellents pinots noirs.

CONCHA Y TORO
Chardonnay 2017 Casillero del Diablo, Vin du Chili

Au départ, j'ai d'abord cru à un chardonnay non boisé. La température de service y était peut-être pour quelque chose. Vérification faite, il y a bel et bien eu élevage en fûts, mais la fraîcheur du vin ne s'en trouve pas affectée. À moins de 15$, l'amateur de chardonnay y trouvera le gras, le fruit et la générosité escomptés.

13731435   14,95$ ☆☆☆ ① ♥

CONCHA Y TORO
Chardonnay 2017, Marques de Casa Concha, Valle de Limari – Quebrada Seca

Marcelo Papa, œnologue responsable, entre autres, de la gamme Marques de Casa Concha chez Concha y Toro, croit depuis déjà une ving-taine d'années à l'immense potentiel du chardonnay dans Quebrada Seca. En 2017, il tire des sols calcaires actifs de cette zone située dans la vallée de Limari un excellent vin blanc ample et généreux, auquel une acidité sous-jacente apporte une tension et une minéralité distinctives. Un blanc à servir à table, avec un filet de flétan ou de morue.

11416141   20,50$ ☆☆☆☆ ② ♥

CONO SUR
Chardonnay 2018, Organic, Vin du Chili

Ce chardonnay biologique est vendu sous dénomination «vin du Chili», puisqu'il est issu d'un assemblage de raisins de quatre différentes ap-pellations : Colchagua, Curico, Maule et San Antonio. Rond, sans être maquillé par le bois (à peine 5% d'élevage en fûts de chêne) ; gorgé de bons goûts de fruits tropicaux et de pomme cuite. Un bon achat si vous cherchez un chardonnay misant avant tout sur l'expression du fruit.

13728885   15,85$ ☆☆☆ ① ♥ 🗨

ERRAZURIZ
Chardonnay 2017, Max Reserva, Aconcagua

Pour contrer les effets d'un millésime chaud, Francisco Baettig a choisi de ne faire la transformation malolactique que sur une petite proportion de l'assemblage (30%). Cela a permis de préserver une saine acidité et la pureté aromatique du cépage. Rien de bien complexe, mais à 15$, l'amateur de chardonnay de forme conventionnelle pourra y trouver son compte.

902916   15,75$ ☆☆☆ ② ♥

ERRAZURIZ
Chardonnay 2018, Aconcagua Costa

Ce chardonnay provient de vignobles situés près de l'océan Pacifique, où le climat est tempéré par les courants marins venus de l'Antarctique. Francisco Baettig a aussi choisi de bloquer en partie la transformation malolactique, pour préserver une pointe d'acidité et la pureté aromatique. Encore hyper jeune lorsque goûté en août 2019, ce 2018 bénéficie grandement d'une aération en carafe, qui permet aux odeurs de réduction de se dissiper pour faire place à des parfums purs et attrayants de poire bartlett. La bouche suit dans la même veine, gorgée de bons goûts de fruits blancs, qu'une trame minérale tire en finale. Très bon chardonnay!

12531394   21,55$ ☆☆☆ ½ ② ⌂

MONTGRAS
Chardonnay 2017, Antu, Valle de Itata

Autant j'ai l'habitude d'aimer les vins d'Itata, autant ce chardonnay produit par un domaine que je respecte m'a laissée tiède. La bouche comporte certes un léger reste de gaz, porteur de fraîcheur, mais dans l'ensemble, ce vin blanc n'est qu'un autre ajout au thème déjà surexploité du chardonnay boisé. Les fruits d'Itata ont tant à raconter. Dommage de les faire jouer en sourdine.

13648201   19,95$ ☆☆ ½ ①

CASA SILVA
Sauvignon gris 2018, Cool Coast, Valle de Colchagua

La vallée de Colchagua est surtout connue pour ses vins rouges costauds produits à l'intérieur des terres, mais elle s'étend aussi jusqu'à l'océan Pacifique, où le climat se prête parfaitement à la culture de cépages blancs, comme le sauvignon gris, une mutation naturelle du sauvignon blanc appelée *fié* dans la Loire. Celui-ci présente un léger reste de gaz qui rehausse les parfums fumés et herbacés, et donne un supplément de vitalité à l'ensemble. Un peu unidimensionnel pour valoir pleinement son prix.

13676122   19,95$ ☆☆ ½ ①

CONO SUR
Sauvignon blanc 2018, Organic, Valle de San Antonio

Asperge, poivron vert, écorce de pamplemousse… À vue de nez, c'est l'archétype du sauvignon blanc chilien. Typé, mais loin d'être caricatural, ce vin produit à 15 km de la côte Pacifique a nettement plus de personnalité que la moyenne des sauvignons blancs de cette gamme de prix. Frais, expressif, savoureux et biologique.

13503205   15,85$ ☆☆☆ ½ ① ♥ 🗩

CONO SUR
Viognier 2018, Bicicleta Reserva, Vin du Chili

Amateur de viognier, vous vous régalerez à faible coût avec ce blanc frais et harmonieux, en dépit d'un reste perceptible de sucre. Simple, mais aromatique comme il se doit et tout à fait recommandable à ce prix.

13728851   11$ ☆☆ ½ ① ♥

LEYDA
Sauvignon blanc 2018, Garuma Single Vineyard, Valle de Leyda

Les premières vignes de cet important domaine de la vallée de Leyda ont été plantées en 1998, à proximité de la mer. De passage dans la région en janvier dernier, le chef de culture nous expliquait que le climat de Leyda profite davantage de l'effet tempérant Pacifique que sa voisine, Casablanca, où le climat est plus continental. Ce sauvignon blanc provient d'une parcelle située à 12 km de la côte, dont les vignes ont maintenant une vingtaine d'années. Au nez, des parfums de concombre, de melon et de jalapeño évoquent un peu un gaspacho. En bouche, une conjugaison agréable d'amertume et d'acidité fait contrepoids à une texture mûre, rendant le vin encore plus désaltérant. Pas très long, mais équilibré et impeccable pour le prix.

13685424   18$ ☆☆☆☆ ② ♥

7 808734 200245

MONTGRAS
Sauvignon blanc 2018, Amaral, Valle de Leyda

Autre bel exemple de vin blanc aromatique qui puise sa fraîcheur de la proximité du Pacifique. Les raisins ont été récoltés à la mi-mars, à pleine maturité, ce qui se traduit par une texture généreuse, des goûts de fruits tropicaux et de pamplemousse, ponctués d'une pointe de fines herbes et d'iode, qui évoque la mer. Sec, vif et très accessible.

11464345   16$ ☆☆☆ ① ♥

7 804407 001768

BON À SAVOIR

Contrairement à l'Espagne, les pays d'Amérique du Sud comme le Chili et l'Argentine ne réglementent pas l'emploi des mentions Reserva et Gran Reserva sur l'étiquette. En gros, chaque entreprise peut écrire n'importe quoi, selon les ambitions de son comité *marketing*.

ARBOLEDA
Cabernet sauvignon 2015, Valle de Aconcagua

L'amateur de cabernet chilien sera en terrain connu dès le premier nez avec les parfums de cassis et de paprika de ce 2015, maintenant ouvert et prêt à boire. Bien fait sur un mode conventionnel. Une bonne dose d'extraits tanniques et de chair fruitée pour moins de 20 $.

10967434   18,95 $ ★★★ ②

CONCHA Y TORO
Cabernet sauvignon 2016, Marques de Casa Concha, Valle del Maipo

Marcelo Papa maintient le cap et poursuit le régime minceur avec ce cabernet. 30 % des fûts ont été remplacés par de grands foudres, ce qui réduit significativement l'empreinte boisée. Le résultat dans le verre séduit : saveurs plus précises et plus nuancées, avec un supplément de tenue et de vitalité. À boire dès maintenant ou à laisser dormir en cave, si vous aimez les cabernets dans la fleur de l'âge.

10694253   21,45 $ ★★★ ½ ②

CONO SUR
Cabernet sauvignon 2018, Bicicleta, Vin du Chili

Bon cabernet sauvignon net et assez charnu, auquel un léger reste de sucre (4,5 g/l) apporte une rondeur harmonieuse. À 12 $, un très bon rouge de semaine.

13575276   12 $ ★★ ½ ① ♥

ERRAZURIZ
Cabernet sauvignon 2016, Aconcagua Alto

Les raisins qui composent cette cuvée proviennent essentiellement des vignobles Max, situés à l'intérieur des terres, dans la vallée de l'Aconcagua. Cet excellent vin fait toutefois preuve d'une plus grande complexité que le Max Reserva, commenté ci-après. L'archétype du cabernet chilien «nouveau genre»: mûr et sans verdeur, mais plus léger (13,5% d'alcool) et doté d'une vigueur tannique qui invite à passer à table. Un super achat pour l'amateur de cabernet!

13394766   20,60 $ ★★★★ ② ♥

ERRAZURIZ
Cabernet sauvignon 2016, Max Reserva, Valle de Aconcagua

Le vieux vignoble de Pankegue est la source d'un rouge particulièrement savoureux en 2016. Moins boisé que par le passé, plus digeste aussi. Même s'il est moins complexe que l'Aconcagua Alto vendu à peine 2 $ plus cher, il demeure un très bon achat dans sa catégorie.

335174   18,65 $ ★★★ ②

ERRAZURIZ
Don Maximiano 2016, Founder's Reserve, Valle de Aconcagua

Lorsque je l'avais rencontré pour la première fois au Chili en 2014, Francisco Baettig m'avait confié son désir de réduire les taux d'alcool et de changer le visage des cabernets d'Errazuriz. C'est maintenant chose faite et le Don Maximiano en est une matérialisation exquise. Non seulement on a réduit l'alcool de quelques degrés (13,5 % aujourd'hui), mais on semble aussi s'être débarrassé de cette sensation de sucrosité qui afflige tant des «Icon Wines» chiliens. Jamais, au cours des 12 dernières années, ai-je eu autant de plaisir à boire ce vin. Même encore hyper jeune, le vin distille une élégance, une grâce et une grande «buvabilité». On a troqué la puissance et la concentration primaires pour la complexité et la fraîcheur, sans pourtant sacrifier la qualité tannique. Et quelle longueur! Faites-en provision et appréciez-le tout au long de la prochaine décennie.

11396557   84$ ★★★★ ½ ③

INTRIGA
Cabernet sauvignon 2016, Valle del Maipo

De l'aveu de plusieurs vignerons chiliens, 2016 était l'un des millésimes les plus frais des dernières décennies. C'est peut-être ce qui explique la légère amertume végétale ressentie dans ce cabernet pourtant chaleureux et relevé de goûts confits. Plein, charnu, mais moins complet et avantageux que les derniers millésimes goûtés. A-t-il seulement besoin de temps?

11766520   22,75$ ★★★→? ③

SEÑA
Valle de Aconcagua 2016

Suite à l'acquisition de Mondavi par le géant Constellation, Eduardo Chadwick a racheté la totalité des actions de Seña, qu'il avait créé dans les années 1990 en partenariat avec Robert Mondavi. Le 2016 a été élevé pendant 22 mois dans des fûts et des foudres de chêne français. Les amateurs de Seña retrouveront dans ce vin la signature aromatique habituelle, avec des parfums dominants de cassis. Des tanins ronds sont servis par une franche acidité; la bouche est pleine, charnue, savoureuse. À boire entre 2022 et 2026.

14047352   267$ ★★★→? ③

CONO SUR
Pinot noir 2017, Reserva Especial, Valle de San Antonio

Le Reserva 2017 s'inscrit dans la continuité des derniers millésimes et demeure l'un des pinots bon marché les plus fiables à la SAQ. Si elle est moins charnue que celle du Organic, commenté ci-après, la trame tannique se dessine cependant avec plus de finesse et d'élégance. Joli spectre de saveurs fruitées, avec une acidité qui pince les joues et laisse une impression harmonieuse. Une valeur sûre, année après année!

874891   15,95$ ★★★ ½ ② ♥

CONO SUR
Pinot noir 2018, Organic, Valle de Colchagua

Très belle réussite cette année pour ce pinot issu de l'agriculture biologique. Expressif, le nez évoque la cerise, le poivre, les herbes et les notes cendrées typiques d'un pinot noir chilien. Le grain est mûr, avec juste ce qu'il faut d'aspérités tanniques pour laisser en bouche une sensation gourmande et charnue. Longueur appréciable pour le prix.

11386877   15,95$ ★★★ ½ ② ♥ 💬

ERRAZURIZ
Pinot noir 2017, Aconcagua Costa

Francisco Baettig nous racontait en janvier dernier, lors d'une visite au vignoble, que le pinot noir avait nécessité un long apprentissage pour les œnologues chiliens, plutôt habitués à vinifier du cabernet. Aujourd'hui, on récolte plus tôt, on diminue l'apport en soufre et en bois neuf et on augmente celui de la vendange entière. La bouche est vibrante, juste assez acidulée, gorgée de bons goûts fruités et floraux, qui repose sur des tanins soyeux. Longueur appréciable. Une expression variétale, mais tout de même sérieuse du pinot noir.

12611036   24,95$ ★★★ ½ ②

ERRAZURIZ
Pinot noir 2017, Las Pizarras, Aconcagua Costa

Le pinot noir haut de gamme d'Errazuriz provient d'une parcelle plantée sur des sols d'origine métamorphique, avec une présence importante d'ardoise (*pizarras*, en espagnol). En 2017, millésime particulièrement chaud au Chili, Francisco Baettig a choisi de conserver une proportion (20%) des rafles, afin «d'accentuer la sapidité du vin». Son pari semble réussi, puisque le vin respire la fraîcheur et la pureté. La proximité de l'océan donne des raisins aux saveurs profondes de griotte et de fraise des bois, donnat un vin à la fois aérien et ancré dans la terre. Un pinot mûr, mais tout en retenue, dont l'énergie en bouche repose sur une sensation saline qui ouvrent la soif. Excellente longueur.

14041188   90,75$ ★★★★ ③

MONTGRAS
Pinot noir 2018, Reserva, Valle de Leyda

Un pinot noir produit également à proximité de la côte, mais une centaine de kilomètres au sud de la vallée de l'Aconcagua, dans la vallée de Leyda. Arômes de cerise, bouche rassasiante, tant par ses tanins ronds et charnus, que par la sensation fraîche et juteuse qu'il laisse en finale.

13713472   17,40$ ★★★ ②

MONTSECANO
Pinot noir 2018, Refugio, Valle de Casablanca

De l'avis de plusieurs professionnels rencontrés sur place en janvier 2019, le Chili a connu l'un de ses plus beaux millésimes des vingt dernières années en 2018, alors que des températures fraîches ont permis de prolonger la saison végétative. C'est peut-être ce qui explique la profondeur aromatique du pinot noir de Montsecano, propriété du Chilien Julio Donoso, un ancien photographe de mode, et du vigneron alsacien André Ostertag. En 2018, les vinifications ont été conduites par le Bourguignon Dominique Derain, qui signe un vin d'une pureté impeccable, tant en texture qu'en saveurs, et d'une longueur remarquable. Une belle bouteille pour saisir l'immense potentiel du pinot noir en ces terres australes.

12184839   26,55$ ★★★★ ② ♥

VERAMONTE
Pinot noir 2017, Valle de Casablanca

Ce pinot n'a rien de transcendant, mais il s'avère plutôt satisfaisant à ce prix. Des arômes de fruits rouges cuits évoquent la tarte aux fraises fraîchement sortie du four; l'attaque en bouche est souple, marquée d'une rondeur qui frôle la sucrosité, sans toutefois verser dans la lourdeur.

11567408   17,45$ ★★★ ①

VINA ECHEVERRIA
Pinot noir 2017, RST*, Valle de Rapel

RST pour «Real Southern Terroir». Ce rouge mûr et dodu rappelle les pinots de Central Coast, en Californie. À défaut d'y trouver la finesse caractéristique du pinot noir, on appréciera la concentration de ses goûts fruités, ses tanins ronds et son intensité digne de mention pour le prix.

13574353   19,95$ ★★★ ②

CLOS DES FOUS
Itata 2017

Depuis 2003, Pedro Parra s'applique à la définition et à la mise en valeur des terroirs viticoles chiliens. D'abord à titre de consultant pour quelques géants de l'industrie, puis pour son propre compte, notamment sous la marque Clos des Fous, qui regroupe des vins de multiples horizons, du nord au sud du Chili. Cette cuvée, par exemple, est issue de vignes de malbec, de cinsault, de païs et de syrah, cultivées dans le secteur prisé d'Itata, bien au sud de la capitale, Santiago. Un vin suave et séduisant, mais à forte personnalité, avec des accents de confiture de cerise et de viande cuite sur charbon de bois, des tanins granuleux qui titillent les papilles et le rendent particulièrement désaltérant. Une belle bouteille à servir autour de 15 °C. Parfaite pour vos barbecues!

12797686   17,95$ ★★★ ½ ② ♥

DE MARTINO
Vigno 2015, Valle de Maule

La famille De Martino est l'un des membres fondateurs de Vigno, un projet dédié à la mise en valeur de vieilles vignes de carignan non irriguées, dans la région de Maule. Leur 2015 est composé de carignan à 85%; le reste est complété par de vieilles vignes de malbec et de cinsault, elles aussi cultivées sans irrigation. Une interprétation à la fois austère et voluptueuse du carignan, qui n'est pas sans rappeler certaines cuvées du Priorat. Les tanins sont fermes, les saveurs oscillent entre la prune, le kirsch et la terre fraîchement retournée. Encore très jeune et apte à se bonifier encore d'ici 2025. À découvrir!

12490609   39,75$ ★★★→★ ③

MONTGRAS
Grenache-Syrah-Carignan 2017, Valle de Colchagua

Le grenache, qui représente la moitié de l'assemblage de ce 2017, provient de jeunes vignes plantées en 2007 à Pumanque, dans la zone côtière de Colchagua. Ce dernier apporte un bel enrobage fruité et soyeux autour des tanins denses et charnus de la syrah du secteur plus chaud et aride de Ninquén, au centre de la vallée de Colchagua, tandis que le carignan apporte une vigueur rafraîchissante en finale. Servir frais et à boire entre 2021 et 2025.

12882856   19,95$ ★★★ ½ ② ♥ △

MONTGRAS
Ninquén Mountain Vineyard 2015, Valle de Colchagua

La syrah (50%), particulièrement chaleureuse sur les flancs du mont Ninquén, confère à ce vin une texture suave et charnue, ainsi que des parfums de viande fumée, tandis que le cabernet sauvignon apporte sa droite et ses parfums caractéristiques de cassis et de graphite. Un heureux mariage de puissance et d'onctuosité, de verticalité et de rondeur. Une longue finale vaporeuse qui se développe avec beaucoup de relief et de profondeur après quelques heures d'aération. En somme, un vin certes moderne, mais savoureux, dont on se régalera jusqu'en 2026.

928853   28$ ★★★★ ② ♥ ⌂

7 804407 000105

POLKURA
Syrah 2015, Valle de Colchagua – Marchigüe

Cette syrah produite dans le secteur de Marchigüe, dans la partie ouest de Colchagua, a manifestement bénéficié des vents frais qui soufflent depuis l'océan Pacifique. Le grain tannique est soyeux, mais tricoté très serré, et le vin se faufile en bouche avec retenue et fraîcheur. Une longue saison végétative a pour sa part permis aux raisins de développer une large palette de saveurs fruitées, fumées et poivrées, qui persistent en finale. Relief, tenue et longueur. Une grappe d'or bien méritée pour cette syrah déjà à point, mais qui a encore de belles années devant elle.

12186471   24,15$ ★★★★ ② ♥

7 804611 490549

CONCHA Y TORO
Carmenère 2017, Marques de Casa Concha, Peumo, Valle de Cachapoal

Cet assemblage de différentes parcelles du vignoble Peumo traduit bien la richesse du millésime 2017 au Chili. Les saveurs sont très mûres, plus près du fruit confit que du fruit frais; l'attaque en bouche est ronde et gourmande, mais serrée et plutôt austère en finale. Aurait-on eu recours à l'acidification? On trouve de meilleurs vins de carmenère sur le marché.

12882961   23,25$ ★★ ½ ②

CONCHA Y TORO
Carmenère 2017, Terrunyo, Parcelle 27, Peumo, Valle de Cachapoal

Cet autre carmenère produit par Concha y Toro est issu d'une seule parcelle dont les sols d'argile ont permis de conserver une humidité providentielle en 2017. Les raisins ont aussi été récoltés plus tôt que d'habitude, afin de préserver un minimum d'acidité naturelle. Cela donne un vin plutôt complet, dont l'acidité fait corps avec la charpente tannique et dont la palette aromatique est déjà très séduisante, mariant les saveurs naturelles du carmenère aux accents boisés.
À boire idéalement entre 2024 et 2027.

10971273   35,50$ ★★★⟶★ ③

CONO SUR
Cabernet sauvignon-Carmenère-Syrah 2017, Organic, Vin du Chili

Cette cuvée repose sur un assemblage de raisins de différentes régions viticoles chiliennes (Maule, Colchagua, Maipo et Limari); résultat: elle est vendue sous l'appellation Vin du Chili. Un heureux mariage de richesse fruitée, de vigueur tannique et d'intensité aromatique, avec des parfums affriolants de cerise confite, de thé Darjeeling et de chocolat noir. Longueur et élégance remarquables pour cette gamme de prix.

10694376   15,95$ ★★★★ ② ♥ 💬

ERRAZURIZ
Kai 2016, Valle de Aconcagua

Alors que la cuvée Don Maximiano mise sur le cabernet, Kai mise sur le carmenère. Goûtés côte à côte au domaine en janvier 2019, le premier brillait par sa droiture et sa vigueur, le second par ses tanins velours et sa généreuse mâche fruitée qui donne l'impression de croquer dans une poignée des mûres. Moins de bois et plus de vitalité que par le passé. On peut déjà l'apprécier pour sa plénitude et ses formes généreuses, mais il restera au sommet de sa forme jusqu'en 2026, au moins.

12051411   141$ ★★★★ ②

MONTGRAS
Carmenère 2017, Antu, Peumo

Cette cuvée met en lumière tout le potentiel du carmenère dans le secteur de Peumo, dans la vallée de Cachapoal, où ce cépage du sud-ouest de la France profite manifestement de longues journées de chaleur et d'ensoleillement. Le 2017 met en relief les senteurs de poivron rouge grillé du cépage, sur un fond de chocolat noir et de cerise bien juteuse ; le grain est tendre en attaque, la texture caressante, et pourtant débordante de vitalité. Très belle tenue, longue finale charnue et relevée. Une belle bouteille pour redécouvrir le carmenère.

12854644   20$ ★★★★ ② ♥

MONTGRAS
Quatro 2018, Valle de Colchagua

Comme toujours, ce rouge gourmand repose sur un assemblage de quatre cépages (cabernet sauvignon, syrah, carmenère et malbec), d'où son nom. De la tenue, une profusion de cassis et de mûres, un bon équilibre. À boire entre 2020 et 2023.

11331737   17,55$ ★★★ ②

ALMA NEGRA
M Blend 2016, Mendoza

Malbec et bonarda proviennent du vignoble Vistaflores, dans la vallée de l'Uco, certifié biologique depuis 2011. Nez profond de cacao et de fumée. Rond et flatteur; une pointe d'amertume végétale contraste avec son profil quasi crémeux. Le vin ne fait pas dans la dentelle, mais séduira à coup sûr l'amateur de rouge corsé.

11156895   19,95$ ★★★ ②

CATENA ZAPATA
Mendoza 2016, D.V. Catena Tinto Historico

Soumettez le malbec (72%), la bonarda et le petit verdot à cinq jours de macération à froid pour extraire un maximum d'arômes, prolongez les macérations pendant plus de trois semaines après les fermentations alcooliques et élevez le tout en fûts pendant une douzaine de mois. Telle est la recette Catena pour produire un gros rouge concentré et tapageur, qui s'impose en bouche avec l'élégance d'un rouleau compresseur. Amateurs de sensations fortes, gâtez-vous!

13958365   20$ ★★→? ③

CLOS DE LOS SIETE
Mendoza 2016

En 2016, l'oasis argentin de Michel Rolland et de ses acolytes donne naissance à un autre rouge aux dimensions plantureuses et flatteuses, qui ont l'heur de plaire. On semble avoir mis la pédale un peu plus douce sur le bois, mais le vin ne s'en trouve pas allégé pour autant. L'alcool est bien présent en bouche, laissant même une sensation quelque peu brûlante qui évoque le sirop pour la toux. Techniquement au point certes, mais surtout costaud et sans détour. À vous de choisir si cela vaut 25$.

10394664   24,95$ ★★★ ②

EL ESTECO
Cabernet sauvignon 2017, Don David Reserve, Valles Calchaquíes

El Esteco a été fondé en 1892 dans les hauteurs de Cafayate, tout au nord du pays. Cette cuvée de cabernet met en valeur toute la fraîcheur des montagnes de Salta. Bien typé, tant au nez qu'en bouche, avec des accents de poivrons rouges grillés, de menthe et de cassis, une trame tannique franche, serrée et étonnamment charnue pour le prix. Rien à redire à moins de 20$.

13545886   15,95$ ★★★ ½ ② ♥

EL ESTECO
Chardonnay 2018, Don David, Reserve, Valles Calchaquíes

Même si la contre-étiquette mentionne un élevage partiel en barriques neuves, ce chardonnay n'a rien d'une caricature. N'y cherchez pas la finesse et la pureté d'un chablis, mais appréciez son attaque vive, ponctuée d'accents de citron et de fines herbes fraîchement coupées.

13918312 16$ ☆☆☆ ½ ② ♥

EL ESTECO
Syrah 2017, Don David, Reserve, Valles Calchaquíes

Des raisins nourris par l'intensité des rayons UV dans l'uns des vignobles de très haute altitude, parmi les plus élevés sur le continent, donnent un très joli vin, parfumé de mûres, de violette, d'accents rôtis et poivrés. La bouche est un peu crémeuse et dessinée à gros traits, mais à moins de 20$, l'amateur de syrah pleine et joufflue y trouvera sûrement son compte. Une aubaine!

10894431 16,25$ ★★★ ½ ② ♥

MASI TUPUNGATO
Passo Doble 2017, Valle de Uco

La famille Boscaini de Vénétie, a exporté son savoir-faire en matière d'appassimento dans le secteur de Tupungato, au sud de Mendoza. Le vin, qui repose sur un assemblage de malbec et de corvina, exhibe des odeurs invitantes de violette. Le grain est mûr et rond, la texture est suave et l'impression générale chaleureuse, mais le tout est équilibré par des amers de qualité, des tanins serrés et une acidité fraîche, laissant une impression générale très harmonieuse en bouche. Qualité impeccable pour le prix!

10395309 14,95$ ★★★★ ② ♥ 🗨

ZOLO
Cabernet sauvignon 2017, Valle de Uco

Bon cabernet biologique pour accompagner une bavette au chimichurri. Structure, droiture et amertume noble. Parfums de menthe et de cassis; rien de bien complexe, mais une touche quasi bordelaise me le rend séduisant. À moins de 20$, un très bon vin pour les soirs de semaine.

11373232 17,80$ ★★★ ½ ② ♥ 🗨

HÉMISPHÈRE SUD
AFRIQUE DU SUD

SWARTLAND
MALMESBURY
Voor-Paardeberg
Paarl
Franschhoek
LE CAP
CONSTANTIA
STELLENBOSCH
Elgin
Bot River
Robertson
HERMANUS
WALKER BAY
Cape Agulhas

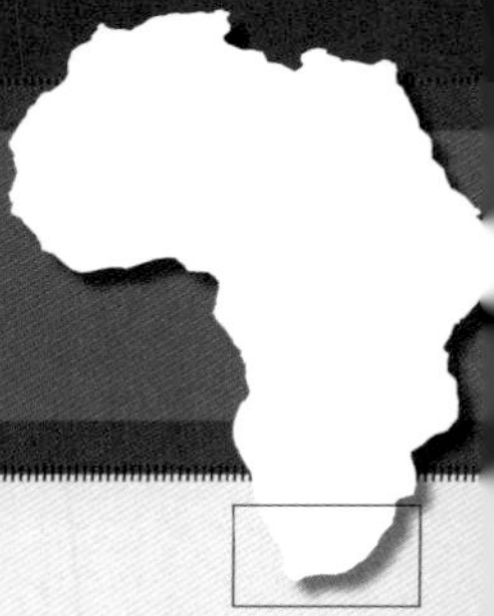

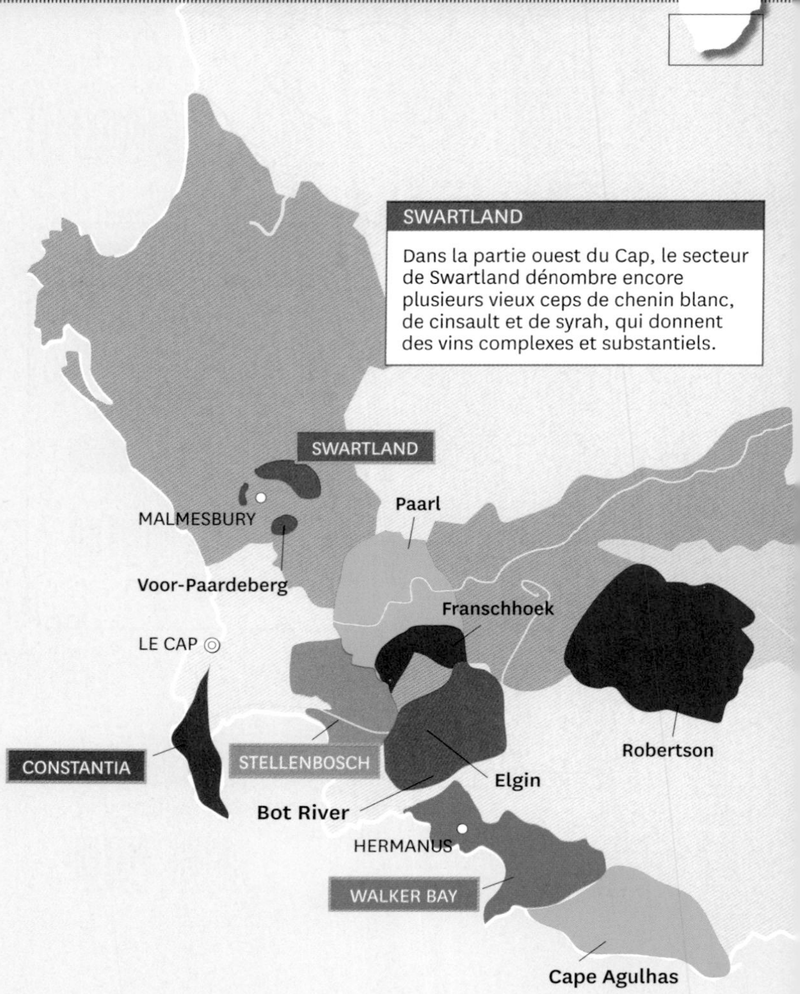

SWARTLAND

Dans la partie ouest du Cap, le secteur de Swartland dénombre encore plusieurs vieux ceps de chenin blanc, de cinsault et de syrah, qui donnent des vins complexes et substantiels.

L'activité viticole de l'Afrique du Sud affiche un dynamisme presque juvénile malgré ses trois siècles et demi d'histoire. Depuis la fin de l'apartheid, l'industrie viticole rattrape son retard à grande vitesse. Et la vigne, bien enracinée dans les sols les plus anciens de la planète, couvre maintenant un peu moins de 100 000 hectares, de part et d'autre de la ville du Cap, à l'extrémité méridionale du continent africain.

Au Québec, les vins sud-africains ont conquis nombre d'amateurs de vins de terroir depuis quelques années. Particulièrement ceux de la région de Swartland, où l'on trouve de très vieilles vignes (chenin, cinsault, grenache) non irriguées. Les curieux voudront d'ailleurs suivre de près The Old Vines Project, une initiative sud-africaine de conservation de vieux vignobles, qui s'étend maintenant jusqu'en Europe. Parce qu'avec le vin, l'avenir est souvent dans le passé...

STELLENBOSCH ET PAARL

Les cépages bordelais se sont plutôt bien adaptés aux climats de Stellenbosch et de Paarl, les deux plus importantes régions productrices du Cap. On trouve aussi sur le marché de bons exemples de chenins vifs, structurés et aptes à vieillir.

LE SAVIEZ-VOUS?

La température de l'eau sur la côte ouest du Cap oscille entre 8 et 10 °C, notamment en raison du courant froid de Benguela, qui circule vers le nord, depuis l'Antarctique. L'effet de refroidissement des brises océaniques sur les vignobles a été scientifiquement étudié et vérifié.

WALKER BAY ET BOT RIVER

Au nord-ouest de la petite ville d'Hermanus, les secteurs frais de Bot River et de Elgin produisent de très bons vins blancs de chenin et de sauvignon.

OCÉAN INDIEN

BADENHORST, AA
Chenin blanc 2018, Secateurs, Swartland

En 2018, Adi Badenhorst a quelque peu repensé sa «recette» pour le Secateur blanc. Les fruits ont été vendangés sur une période de 12 jours et ajoutés au fur et à mesure dans le moût en fermentation. Le vin a ensuite reposé sur ses lies pendant sept mois. À moins de 20$, le consommateur peut s'attendre à trouver dans le verre un chenin sec, franc et rassasiant. Mûr et chaleureux comme le veut le climat de Swartland; frais et tendu comme un chenin. Un excellent achat.

12135092   18,50$ ☆☆☆ ½ ② ♥

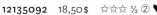

BEAUMONT
Chenin blanc 2018,
Bot River – Walker Bay

Sebastian Beaumont veille sur l'un des plus vieux vignobles du secteur de Bot River, à l'est du Cap. Si le chenin blanc de Mullineux rappelle les blancs d'Anjou, celui de Beaumont trouve davantage son inspiration du côté de Vouvray. Une explosion de fraîcheur. On croque dans le fruit mûr, mais acidulé; la bouche est nerveuse, vibrante et expressive, couronnée d'une longue finale saline. À ce prix, on croit rêver. À acheter à la caisse!

13225840   19,30$ ☆☆☆☆ ② ♥

LUBANZI WINES
Chenin blanc 2018, Swartland

Le caractère fruité de ce vin rappelle la poire asiatique et le melon miel. Net, ample et bien mûr; des saveurs sous-jacentes de gingembre apportent une certaine chaleur aromatique. Un bon vin blanc qui devrait faire bon mariage avec la cuisine thaïlandaise.

13984539   19,05$ ☆☆☆ ②

MULLINEUX
Chenin blanc 2017, Kloof Street, Old Vine, Swartland

Issu de trois parcelles dans Swartland. La première est située sur les sols de schiste et d'ardoise de Kasteelberg, les deux autres sont non irriguées et plantées de vignes de chenin de plus de 40 ans taillées en gobelet, sur les sols de granite décomposé de Paardeberg, qui donnent habituellement des vins plus fins et frais. Le tout est vinifié avec un apport minimal en soufre, fermenté et élevé à hauteur de 15% dans de vieux fûts de chêne français, pour enrichir sa texture. Le vin me rappelle une fois de plus les bons blancs secs d'Anjou (Loire) dans sa mouture 2017. Discret et raffiné au nez; ample et plein en bouche, avec des parfums de poire mûres, d'écorce de lime et de fines herbes, sur un fond salin, minéral. Peu de chenins blancs à la SAQ offrent autant de plaisir à si petit prix.

12889409 22,45$ ☆☆☆☆ ② ♥

SPIER
Chenin blanc 2018, North Bank

Une fois passé outre quelques relents sulfureux au nez, ce blanc décline des odeurs d'ananas et de miel. La bouche est mince et somme toute linéaire. Correct, à condition de le servir bien frais.

13928377 12,55$ ☆☆ ①

SWERWER
Chenin blanc 2018, Swartland, JC Wickens

Jasper Wickens travaille aux côtés d'Adi Badenhorst et il élabore en parallèle quelques cuvées pour son propre compte dans ses temps libres. Fruit d'un été de sécheresse dans Swartland, son 2018 affiche une couleur dorée et offre un bouquet complexe, mais discret de fruits jaunes, d'aromates et de cire d'abeille. Le nez est peu bavard, mais la bouche a beaucoup d'énergie; gourmande, mûre et multifacettes. Le vin laisse en finale une sensation quasi tannique et une longueur appréciable. Un passage en carafe d'au moins deux ou trois heures est recommandé.

En primeur

29,75$ ☆☆☆☆ ③ ⚱

AVONDALE
Pekin White 2016, Jonty's Ducks, Paarl

Le chenin blanc constitue 85 % de l'assemblage de ce vin ; roussanne, viognier et sémillon complètent le portrait. Le chenin apporte la tension et l'éclat fruité, tandis que les autres enrichissent la texture du vin et lui confèrent au passage des notes de fleurs blanches et de cire d'abeille. Léger et original. À ce prix, on achète sans hésiter pour les jours de semaine.

13688668   17 $ ☆☆☆ ½ ① ♥

BADENHORST, AA
Curator blanc 2019, Swartland

Chenin blanc 60 %, chardonnay et viognier à parts égales. Difficile de demander mieux d'un vin blanc à 13 $ et des poussières. La fougue du chenin blanc, l'ampleur et le volume du chardonnay et du viognier avec, en prime, le profil aromatique de ce dernier qui se dessine tout en subtilité. Un excellent achat !

12889126   13,35 $ ☆☆☆ ½ ① ♥

BADENHORST, AA
Family White Blend 2017, Coastal Region

Comme toujours, l'assemblage du blanc signature de Badenhorst repose sur de vieilles vignes non irriguées de chenin auxquelles s'ajoutent une collection d'autres cépages (roussanne, grenache blanc, verdelho, viognier, grenache gris et clairette), qui varient d'un millésime à l'autre. Le 2017 est vraiment très bon, mais encore bien trop jeune pour être apprécié à sa pleine valeur. Le nez nous porte loin des odeurs fruitées habituelles, sur une trame aromatique où se mêlent la cire d'abeille, les fleurs et le minéral. Un vin blanc de texture et de terroir, à laisser vieillir en cave jusqu'en 2024, au moins.

12532514   42 $ ☆☆☆☆ ③

DE WESTHOF
Chardonnay 2017, Bon Vallon, Robertson

N'eût été de Marie-Michèle Grenier, qui collabore avec mois depuis quelques années pour *Le guide du vin*, je serais passée à côté de ce très bon vin. À l'ouverture, j'ai cru à un autre de ces gros chardonnays boisés, sans réelle personnalité. Mes notes étaient peu flatteuses... J'ai tout de même laissé la bouteille de côté, pour qu'elle puisse y goûter le surlendemain. En comparant ses notes et les miennes, j'ai compris que je devrais laisser à ce vin une seconde chance. Quelque 40 heures après son ouverture, il s'était épanoui et se montrait sous un tout autre jour. Expressif et plein de nuances aromatiques ; croquant, rafraîchissant, très agréable. La bouche est profonde et une matière dense laisse une impression quasi tannique en finale. La morale de cette histoire, c'est que les vins blancs gagnent à être aérés – plus que les rouges même, à mon avis – et aussi qu'il n'y a pas de mal à dire : « j'avais tort ».

13913087 24,90$ ☆☆☆ ½ ② ♥ ▼ △

DE WESTHOF
Chardonnay 2018, Limestone Hill, Robertson

Bien qu'il ne révolutionne pas le monde du chardonnay non boisé, ce vin blanc sec vendu à prix honnête exerce un certain charme. Un peu trop réduit à mon sens et marqué par des odeurs de maïs, mais recommandable.

12862564 15,90$ ☆☆ ½ ①

LE BONHEUR
Chardonnay 2018, Western Cape

Plus harmonieux que le 2017 commenté l'an dernier. Le bois est mieux intégré et laisse les parfums de fruits blancs et d'agrumes s'exprimer davantage. Du gras et de la vitalité, réunis dans des proportions heureuses.

710780 15,60$ ☆☆☆ ②

MENSA
Chenin blanc-Pinot grigio 2018, Western Cape

Sans rien révolutionner, ce blanc modeste répond aux attentes que commande un assemblage de chenin blanc et de pinot grigio. Léger et délicat, presque minéral, avec la tension et la vigueur du chenin. Une très belle addition au répertoire de la SAQ.

14023238 14$ ☆☆☆ ½ ① ♥

BADENHORST, AA
Family Red Blend 2016, Secateurs, Swartland

Le Secateur rouge demeure une valeur sûre pour l'amateur de vin de Swartland. Une profusion de fruit et de parfums d'épices, une attaque souple qui se resserre en fin de bouche et nous laisse sur une note chaleureuse, sans excès. Servir autour de 15 °C.

12132633   19,50$ ★★★ ½ ② ♥

BADENHORST, AA
Family Red Blend 2017, Swartland

Dans sa mouture 2017, cet assemblage plutôt classique de Swartland (shiraz, cinsault, grenache et tinta barocca) donne un vin très invitant avec ses nuances animales et poivrées. La bouche est séveuse, savoureuse et persistante, peut-être plus capiteuse que d'habitude (l'effet millésime), sans verser dans la mollesse. Encore jeune et taillé d'un seul bloc pour le moment, mais sa profondeur ne fait aucun doute. Laissons-lui quatre ou cinq ans de repos.

12275298   42$ ★★★→★ ③

BADENHORST, AA
Curator rouge 2018, Coastal Region

À moins de 15$, le Curator rouge d'Adi Badenhorst offre nettement plus de caractère que la moyenne des vins de cette gamme de prix. Rien de compliqué, mais du fruit, des notes de poivre et de fumée, portés par des tanins suffisamment charnus pour laisser en bouche une sensation drôlement rassasiante.

12819435   13,65$ ★★★ ① ♥

BOTANICA
Arboretum 2015, Stellenbosch

Depuis 2009, cette ferme horticole dédiée à la culture de la protée (ou *protea cynaroides*) – plante emblématique d'Afrique du Sud – abrite aussi un vignoble, où l'on produit un excellent vin d'inspiration bordelaise, par son assemblage (cabernet sauvignon, merlot, cabernet franc et petit verdot). Un vin plein et solide, mais très élégant par son intensité et sa puissance contenues. Tanins charnus, fini velouté, longue finale aux parfums enivrants de fruits noirs, de cèdre, de fleurs et d'épices. Potentiel de vieillissement certain.

14047424   29,95$ ★★★★ ③ ♥

CARÊME, VINCENT ET TANIA
Le Rouge 2018, Terre Brûlée, Swartland

Vincent Carême, vigneron à Vouvray, mène depuis quelques années une activité de négoce en Afrique du Sud avec son épouse Tania, elle-même d'origine sud-africaine. Leur Rouge est particulièrement achevé en 2018. Le fruit joue d'abord en sourdine, caché sous une étoffe tannique compacte, puis le vin se révèle enfin après deux heures d'aération. Chair fruitée mûre, en équation avec les tanins ; acidité fraîche, amers nobles et longue finale éthérée qui embaume le kirsch et les herbes séchées. À savourer lentement, autour de 15 °C.

13738055   22,45$ ★★★★ ② ♥ ⟁

DORNIER
The Pirate Of Cocoa Hill 2017, Western Cape

Cet assemblage d'inspiration bordelaise (avec un poil de syrah) s'avère une fois de plus satisfaisant. Juste assez charnu, doté d'une chair fruitée mûre et d'un bon équilibre, en dépit d'une finale chaleureuse. Prix attrayant.

10679361   14$ ★★★ ② ♥

LAMMERSHOEK
Pinotage 2017, The Innocent, Swartland

Très bon pinotage vinifié partiellement avec les grappes entières selon la méthode beaujolaise (semi-carbonique). Le 2017 est bourré de fruit, souple et affriolant, sans pour autant sacrifier l'originalité aromatique du cépage. Un bon vin de soif, à boire dans la prochaine année pour apprécier pleinement son fruité juvénile.

13668392   19,95$ ★★★ ½ ① ♥

MULLINEUX
Kloof Street 2017, Swartland

Le 2017 de Chris et Andrea Mullineux est chaleureux, mais toujours délicieux. La syrah déploie en bouche des notes sanguines, fumées et anisées, sur des tanins tendres. Très rassasiant pour le prix.

12483927   21,95$ ★★★ ½ ②

SWERWER
Red Blend 2018, Swartland

Cet assemblage de cinsault, de grenache et de tinta barocca se montrait sous un jour austère et un brin rustique à l'ouverture. Le lendemain, le vin était tout autre. Un nez délicat de petits fruits rouges, une bouche vigoureuse, affriolante et pleine d'éclat. Cela dit, pour en profiter à sa juste valeur, il faudra lui laisser du temps ou l'aérer sans faute pendant quelques heures en carafe. Belle découverte !

29,75$ ★★★ →★ ③ ⟁

En primeur

HEMISPHERE SUD
AUSTRALIE

BAROSSA

La vallée de Barossa jouit d'une grande variété de sols et de climats qui sont, certes, la source d'une marée de Shiraz riches et opulents, mais également de vins fins et élégants, dont d'excellents rieslings.

ADELAIDE HILLS

Les gros chardonnays crémeux et hyper boisés ont pratiquement disparu du paysage australien. Ceux produits dans les régions d'Adelaide Hills, de Beechworth ou dans la baie de Port Phillip sont particulièrement intéressants.

Clare Valley

Riverland

BAROSSA

Eden Valley

ADELAIDE
◎

ADELAIDE HILL

McLaren Valley

Grampians
& Pyrenees

Langhorne Creek

Coonawarra

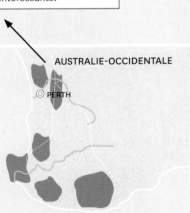

AUSTRALIE-OCCIDENTALE

◎ PERTH

MARGARET RIVER

En Australie Occidentale, les meilleurs cabernets et assemblages bordelais de Margaret River ont déjà prouvé leur aptitude au vieillissement.

L'Australie ne se limite pas qu'au shiraz de Barossa. Réduire cet immense pays – qui couvre trois fuseaux horaires et un peu plus de 30 parallèles! – à cela serait aussi limitatif que de réduire la France aux vins de Châteauneuf-du-Pape ou l'Italie à l'amarone. Entre les rieslings vifs et tranchants de Clare et d'Eden Valley, les somptueux sémillons de la Hunter Valley, les pinots noirs frais et délicats de la Tasmanie, les cabernets racés de Coonawarra et les syrahs pures, vibrantes et parfumées de Geelong et de Yarra, l'Australie a un monde de possibilités à offrir.

J'ai souvent écrit dans *Le guide du vin* que l'offre à la SAQ ne permettait pas aux consommateurs québécois de prendre la pleine mesure du dynamisme du vignoble australien, en ce qu'elle se limite, sauf quelques super vins de terroir disponibles en quantités limitées, à des vins à saveur plutôt commerciale. En toute bonne foi cette année, je dois saluer les efforts déployés par les acheteurs de la SAQ pour enrichir l'éventail de vins australiens. Les nouveautés se comptent par dizaines et sont abordables, pour la plupart.

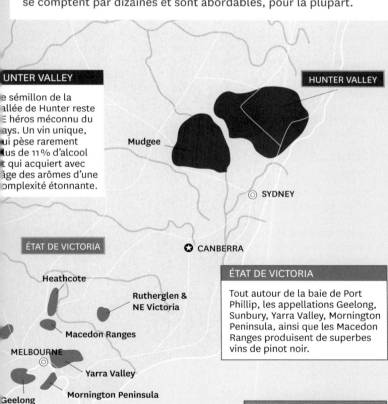

UNTER VALLEY

e sémillon de la
allée de Hunter reste
E héros méconnu du
ays. Un vin unique,
ui pèse rarement
lus de 11% d'alcool
t qui acquiert avec
âge des arômes d'une
omplexité étonnante.

HUNTER VALLEY

Mudgee

◎ SYDNEY

ÉTAT DE VICTORIA

✪ CANBERRA

Heathcote

Rutherglen &
NE Victoria

ÉTAT DE VICTORIA

Tout autour de la baie de Port Phillip, les appellations Geelong, Sunbury, Yarra Valley, Mornington Peninsula, ainsi que les Macedon Ranges produisent de superbes vins de pinot noir.

Macedon Ranges

MELBOURNE
◎

Yarra Valley

Geelong   Mornington Peninsula

TASMANIE

Beaucoup d'espoirs sont fondés sur le climat frais de Tasmanie. Les vignes de pinot noir sont encore jeunes, mais donnent déjà de très bons vins mousseux.

◎ LAUNCESTON

TASMANIE

◎ HOBART

DANDELION VINEYARDS
Roussanne 2018, Honeypot Of The Barossa, Barossa

Une interprétation plutôt nerveuse du cépage roussanne, qui contraste avec le volume et la richesse des blancs du Rhône. Tout en jeunesse, en tension et en fraîcheur, le vin sent bon le citron, le miel et la pomme russet. Rien de complexe, mais un bon blanc d'apéro.

13960941   21,95$ ☆☆☆ ①

DELINQUENTE WINE CO
Vermentino 2018, Screaming Betty, Riverland

Les raisins biologiques qui donnent naissance à ce blanc aussi original que délicieux sont récoltés à la main dans le secteur de Murray River, dans Riverland. Les fermentations sont conduites en cuves inox, sans ajout de levures et le vin est non filtré. Dans le verre, le résultat est fidèle au profil aromatique du cépage vermentino, mais ce qui m'a le plus étonnée ici, c'est la vitalité et l'intensité de ses notes salines. Un blanc hautement digeste et désaltérant, qu'on pourra servir à l'apéro, avec des huîtres, ou à table avec un poisson à chair délicate.

En primeur

14198370   19,95$ ☆☆☆☆ ② ♥

GIANT STEPS
Chardonnay 2017, Yarra Valley

Le chardonnay de Steve Flamsteed a été l'une de mes belles découvertes de l'année. Le raisins proviennent de cinq différents vignobles, le moût est fermenté sans ajout de levures dans des fûts de 500 litres (neufs à 20 %) et le vin est embouteillé sans filtration. Une série de détails qui se traduisent dans le verre par une qualité irréprochable, une identité forte et une texture très séduisante. Aucune sucrosité, mais des fragrances de fruits jaunes à noyau, qui se mêlent aux fleurs blanches et à la menthe. Si vous êtes sensible aux odeurs de réduction, optez pour une aération d'une heure en carafe. Il n'en sera que meilleur.

13985259   39,75$ ☆☆☆☆ ② ▼

MAC FORBES
Riesling 2017, Spring, Strathbogie Ranges

Le riesling de Mac Forbes trouve sur les sols de granite décomposé de l'appellation Strathbogie Ranges une expression singulière. Une fois passées les notes de réduction, le vin s'ouvre en un bouquet citronné et floral. Les mêmes saveurs se déclinent en bouche, accompagnées de goûts de gazon frais coupé, de poivre et de poire. Une pointe d'amertume joue un rôle de support aromatique en finale. À découvrir!

13940309   26,80$ ☆☆☆ ½ ② ♥ ▼

VOYAGER ESTATE
Chenin blanc 2016, Margaret River

Ce vin de chenin blanc produit dans Margaret River, tout à l'ouest du pays, est un très bon exemple de ce que le vignoble australien a à offrir. Tant au nez qu'en bouche, le vin respire l'authenticité. L'attaque est mûre et très nette, franche et vibrante, avec des notes minérales distinctes ainsi qu'une longueur et une tenue admirables, considérant le prix.

13921968   19,75$ ☆☆☆ ½ ① ♥

ALPHA BOX & DICE
Tarot 2017, Australia

La couleur pâle de ce rouge évoque celle du pinot noir. Au nez cependant, il n'y a aucun doute: on est bien en présence d'un grenache. Juteux, dodu, tout en chair et définitivement gourmand, sans toutefois accuser de lourdeur. Cela dit, on sent bien les 14,5% alcool en finale.

13491081   22,25$ ★★★ ½ ② ♥

DELINQUENTE
Montepulciano 2019, The Bullet Dodger, Riverland

Un vin pour le moins inusité, ne serait-ce que par sa composition: 100% montepulciano, un cépage des Abruzzes, au centre de l'Italie. Le nez met en appétit, mûr et expressif, et la bouche comble les attentes, gourmande, juteuse et pleine de vitalité, avec un léger reste de gaz qui s'estompe vite à l'aération. Jolies notes florales en finale. Un vin de soif et de plaisir, plutôt léger (13,2% d'alcool), sans manquer de complexité. Très bon représentant du dynamisme australien.

14191434   21,55$ ★★★★ ② ♥   En primeur

GIANT STEPS
Pinot noir 2017, Yarra Valley

La fraîcheur relative du climat de la Yarra permet une maturation lente du pinot et, par conséquent, une plus grande complexité aromatique. Le 2017 était encore jeune et marqué par l'élevage en mai 2019. Gorgé de bons goûts de framboise, mais aussi de terre humide et de viande rouge, que des tanins nerveux portent en finale. Laissez-le reposer en cave jusqu'en 2023.

13985304   39,75$ ★★★→★ ③

PENFOLDS
Shiraz 2014, Grange

Il y a toujours une variation importante d'un millé-sime à l'autre, dans le style de Grange, grand vin de Penfolds et icône du vignoble australien. Le 2014 est issu des raisins des meilleures parcelles de Barossa, de McLaren Vale, de Wrattonbully, de Coonawarra, de Clare Valley, ainsi que du vignoble de Magill Estate (Adelaide Hills), lieu de naissance de Penfolds. Bien que hyper jeune et tissé de tanins encore fermes et compacts, le vin n'était pas boisé outre mesure. Les notes d'espresso et d'épices de l'élevage se fondaient aux goûts d'olive noire, de mûre et de cassis. Longueur, profondeur et intensité indéniables; certaine retenue dans la puissance. Nul doute, il ira loin. Soyez patient et laissez-le au moins dormir pendant la prochaine décennie.

13822126   975$ ★★★★ ½ ④

PENFOLDS
Shiraz 2015, St-Henri

Cette cuvée moins prestigieuse – et aussi nettement moins coûteuse – de Penfolds est, en quelque sorte, une version minimaliste de Grange. Le St-Henri résulte lui aussi d'une sélection des meilleurs vignobles, mais plutôt que d'être mis au contact de barriques neuves, il est élevé dans de grands foudres âgés d'une cinquantaine d'années. «Le St-Henri n'a jamais gagné de médailles dans un concours pour une excellente raison : il n'a jamais été soumis. Ce vin est l'antithèse du vin de concours...» On le comprend bien en goûtant ce 2015 qui n'a rien de tonitruant, mais procure un plaisir certain. Une profusion de fruits confits, de réglisse, d'épices; des notes de viande fumée, de steak grillé; les tanins sont serrés, bien construits dans l'ensemble, sans excès. Vraiment, il n'a rien d'un prix de consolation.

13822038   120$ ★★★★→? ③

PENFOLDS
Shiraz 2016, RWT, Barossa Valley

Produit pour la première fois en 1997, le RWT est composé uniquement des meilleurs fruits de Barossa Valley, élevé pendant 12 mois en fûts de 300 litres de chêne français, plutôt qu'américain. Le 2016 témoigne d'un très bel usage du bois, qui apporte de subtils accents rôtis au nez et un fini légèrement crémeux en bouche. Les tanins sont denses, l'acidité vive, mais bien intégrée à l'ensemble, mettant le fruit en relief. Longue finale fumée et relevée. Très élégant. À boire entre 2025 et 2029.

13818434   245$ ★★★→★ ④

THE OTHER WINE CO.
Grenache 2018, McLaren Vale

Michael Hill Smith et Martin Shaw, propriétaires de Shaw + Smith ont récemment créé ce projet axé sur la relation de certains cépages avec un lieu donné. Pour cette cuvée, on souhaitait mettre en lumière la qualité du grenache dans McLaren Vale, en particulier celle de vieilles vignes conduites en gobelet, sans irrigation. Un pari hautement réussi, si j'en juge par ce 2018 purement délicieux. Un nez pur et affriolant, une attaque en bouche fraîche, des tanins suaves et souples, une finale minérale aux notes de graphite. Gourmand, mais d'une grande sapidité. Miam!

13879350   26,95$ ★★★★ ② ♥

HAWKES BAY

Le vignoble d'Hawkes Bay est surtout planté de cépages bordelais, mais la syrah y gagne de plus en plus de terrain et donne de beaux résultats.

NELSON

Souvent éclipsé par son important voisin, cette zone située à l'ouest de Marlborough produit de bons vins blancs aromatiques ainsi que quelques très bons chardonnays.

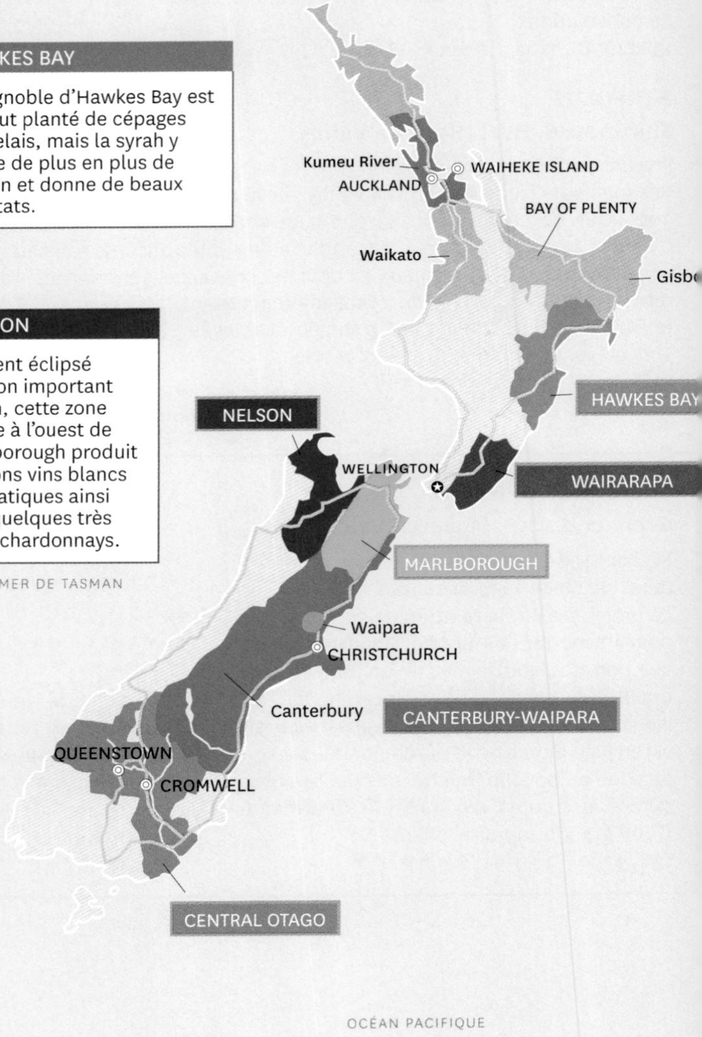

Kumeu River
WAIHEKE ISLAND
AUCKLAND
BAY OF PLENTY
Waikato
Gisb

NELSON
WELLINGTON
HAWKES BAY
WAIRARAPA

MARLBOROUGH

MER DE TASMAN

Waipara
CHRISTCHURCH
Canterbury
CANTERBURY-WAIPARA

QUEENSTOWN
CROMWELL

CENTRAL OTAGO

OCÉAN PACIFIQUE

La Nouvelle-Zélande pourrait servir de modèle de développement à bien des régions viticoles. Il y a une vingtaine d'années, les *leaders* de cette industrie émergente ont fait le pari du moyen et du haut de gamme, plutôt que de tenter de rivaliser avec les autres pays du Nouveau Monde sur le front du «low cost». Le temps leur aura donné raison : l'économie viticole de la Nouvelle-Zélande se porte très bien – beaucoup mieux que celle de son voisin australien – et le vignoble poursuit son développement lentement, mais sûrement.

Le sauvignon blanc, cépage qui a fait connaître la vocation viticole du pays dans les années 1980, couvrait environ 62 % des 38 680 hectares plantés en 2018, mais la production néo-zélandaise est loin de se limiter à ces vins blancs nerveux et très parfumés. Les pinots noirs de Central Otago, Martinborough, North Canterbury et même ceux de Marlborough, sont plus fins et précis qu'il y a dix ans. Le pays produit aussi quelques grands chardonnays de terroir – ceux de Kumeu River (à la SAQ) et de Pyramid Valley (en importation privée) sont sensationnels.

Enfin, outre quelques vins plus robustes et généreux produits dans l'île du Nord, le vignoble néo-zélandais est résolument tourné vers la fraîcheur et dédié à l'expression d'un terroir encore jeune, mais infiniment prometteur.

WAIRARAPA – MARTINBOROUGH

Wairarapa, au sud-est de l'île du Nord, est la source de bons pinots noirs, principalement ceux produits dans le secteur prestigieux de Martinborough.

MARLBOROUGH

Cette vaste région, source des deux tiers de la production nationale, n'a rien d'un ensemble monolithique. Le sauvignon blanc d'Awatere est habituellement plus racé et structuré, celui de la sous-région de Wairau, plus rond et fruité. Le pinot noir a plutôt trouvé son bonheur dans les Southern Valleys.

CANTERBURY-WAIPARA

Autour de Christchurch, la région de North Canterbury–Waipara peut donner des pinots noirs fins et veloutés, des chardonnays tendus et racés, ainsi que de très bons rieslings.

CLOUDY BAY
Sauvignon blanc 2018, Marlborough

Le prix de cette cuvée emblématique de Marlborough le positionne au sein de l'élite régionale. Seulement, en 2018, la qualité ne suit pas. Au nez, d'abord, les parfums fruités du sauvignon blanc sont masqués par des odeurs de réduction. Mais c'est surtout en bouche que le vin déçoit : timide, ténu, un peu mince, si j'ose, et somme toute unidimensionnel avec ses goûts certes intenses, mais plutôt linéaires de fruits tropicaux. À plus de 30 $, on serait en droit d'espérer plus de relief, de tenue et de complexité. À revoir dans quelques mois, en espérant que le temps lui ait été favorable.

10954078   34,75$ ☆☆☆ ③

GIESEN
Sauvignon blanc 2016, The Brothers, Marlborough

Ce 2016 déploie les parfums caractéristiques d'ananas et d'herbes séchées du sauvignon blanc dans la vallée d'Awatere, auxquels se mêle de délicates notes fumées. Vif, juteux, juste assez ample et rond, il donnera pleine satisfaction à l'amateur de vin blanc parfumé. On ne peut plus recommandable à moins de 20 $.

13838734   19,95$ ☆☆☆ ½ ① ♥

KUMEU RIVER
Chardonnay 2017, Village

L'été 2017 a été inhabituellement frais et venteux dans le nord de l'île du Nord ; les températures ont atteint un maximum de 27 °C en février. Cela a permis à la famille Brajkovich de produire un blanc au profil éminemment digeste, tout à fait dans l'esprit des meilleurs chardonnays de climat frais. Les raisins sont vendangés à la main, fermentés avec les levures indigènes au terroir de Kumeu et fermentés à 80 % en fûts de chêne neutres. En goûtant ce 2017, je me plaisais à rêver que tous les chardonnays, même européens, affichent une telle pureté et une telle «buvabilité». Vraiment, parvenir à commercialiser à si bon prix un vin blanc d'une telle qualité est admirable. Un usage intelligent de la barrique, une texture soyeuse et aérienne, des saveurs ciselées et une bonne longueur. Servez-le à l'aveugle à vos amis amateurs de blancs de Bourgogne et... amusez-vous !

13565481   22,50$ ☆☆☆☆ ② ♥

MARISCO VINEYARDS
Sauvignon blanc 2018, The Ned, Marlborough

Ce sauvignon blanc produit dans la vallée de Waihopai – la plus méridionale et la plus occidentale des cinq vallées qui composent la sous-région des Southern Valleys, dans Marlborough – porte l'empreinte d'un climat et d'un millésime un peu plus chauds. Aucune verdeur ici. On appréciera plutôt le profil tropical de ce sauvignon sec et de bonne tenue, qui laisse une sensation presque tannique en bouche. Plus de caractère que la moyenne. À ce prix, un très bon achat.

13915795   17 $ ☆☆☆ ① ♥

0 853076 003037

SAINT CLAIR
Pinot noir 2017, Marlborough

Saint Clair exporte ses vins dans une quarantaine de pays. Leur pinot noir d'entrée de gamme déploie au nez de jolis parfums d'herbes séchées. L'attaque en bouche à la fois souple et vive, laisse d'abord une impression un peu bancale. Après une brève aération, le fruit s'ouvre, les éléments semblent se mettre en place et le vin déploie des notes poivrées agréables. Correct, mais un peu cher.

10826543   24 $ ★★★ ②

9 418076 000564

SAINT CLAIR
Sauvignon blanc 2018, Marlborough

Neil et Judy Ibbotson ont planté leurs premières vignes en 1978, dans Marlborough. Ils ont vendu leurs raisins au géant Montana jusqu'à la création de leur propre domaine, en 1994. Ce sauvignon embaume l'asperge et le citron. Moins sucré que par le passé, bien typé Marlborough; vif, tendu et facile à boire.

10382639   20,60 $ ☆☆ ½ ①

9 418076 000304

TWO RIVERS
Pinot noir 2016, Black Cottage, Marlborough

Ce pinot noir de Marlborough est un heureux ajout au répertoire de la SAQ. Tanins, acidité et rondeur fruitée sont réunis dans des proportions harmonieuses et le vin procure un plaisir simple, mais sincère. À 20 $ et des poussières, on y trouve son compte.

13916106   21,95 $ ★★★ ½ ② ♥

0 855500 006102

VILLA MARIA
Sauvignon blanc 2018, Marlborough

Nez de fruits tropicaux; bouche vive en attaque et enrobée d'une dose perceptible de sucre (5,2 g/l selon le site de la SAQ). Une interprétation convenue du sauvignon blanc néo-zélandais.

11974951   17,60 $ ☆☆ ½ ①

9 414416 305528

CHAMPAGNE

Avec une production annuelle de 360 millions de bouteilles, la Champagne représente à elle seule 15 % du volume mondial des vins effervescents. La région a certes un peu souffert de l'incertitude économique de la dernière décennie, plusieurs amateurs ayant délaissé le champagne pour se tourner vers les prosecco, cava et autres mousseux abordables, aucune grande maison ne semble près de déposer le bilan.

Longtemps seules dans leur bulle, les grandes marques champenoises doivent désormais jouer du coude avec les vignerons indépendants, dont les vins continuent de gagner en popularité, tant dans la restauration, qu'auprès d'une clientèle avisée, moins sensible au marketing.

La consommation de vins effervescents n'est plus réservée exclusivement aux grandes célébrations et se taille désormais une place dans les habitudes régulières des amateurs de vin. Par conséquent, la production mondiale de champagnes et autres bulles a connu une hausse de plus de 40 % depuis une dizaine d'années!

LES PLUS RÉCENTS MILLÉSIMES COMMERCIALISÉS

2018

Tout comme à Chablis, un été de rêve, chaud et sec, exempt de maladies et de pourriture. On annonce ainsi un millésime d'exception en Champagne, semblable à 1976, selon les observateurs locaux.

2017

Gelées en avril. Mois d'août pluvieux qui a favorisé l'apparition de champignons et de moisissures. Les chardonnays récoltés avant les pluies seront de meilleure qualité, tout comme le pinot noir de l'Aube, apparemment épargnée par les intempéries.

2016

La Champagne a elle aussi été victime de la météo (gels, froid, pluie, grêle). L'Aube a été la plus durement touchée, mais la Marne a aussi vu sa récolte amputée du tiers. De manière générale, la qualité s'annonce meilleure pour le pinot noir que pour le chardonnay.

2015

Début de saison frais, mais période de chaleur et de sécheresse intense en juin et juillet. Les vins de pinot noir devraient être plus complets que ceux de chardonnay. Les maisons qui ont pu vendanger tôt en septembre devraient produire de très bons vins.

2014

Août sous la pluie et septembre chaud et sec. Les secteurs de la Côte des Blancs, de l'Aube, de même que la partie nord de la montagne de Reims promettent de meilleurs résultats.

2013

Autre année frappée par des épisodes de grêle dévastateurs dans l'Aube. À l'opposé de 2012, on observe un très beau potentiel pour les vins de chardonnay, mais une qualité hétérogène pour les pinots, à l'exception de ceux d'Aÿ.

2012

Un début d'été très pluvieux et des nuages de grêle ont fortement touché les vignobles du département de l'Aube. Résultat : une récolte réduite de moitié. La qualité s'annonce assez bonne pour les vins de pinot noir et de pinot meunier.

2011

Une année de températures extrêmes. Un printemps et un mois de juin plus chaud que la normale ont fait place à un été relativement frais, même froid par moments. Le choix de la date de la récolte a fait toute la différence. Quelques belles réussites dans les Grands crus.

2010

Année de toutes les intempéries, entre la sécheresse et les pluies abondantes. Les chardonnays de la côte des Blancs s'en sont mieux tirés que les pinots.

BARNAUT
Brut Grand Cru Bouzy

Ce blanc de noirs d'une rare constance présente de belles nuances de petits fruits rouges, de brioche grillée et de terre humide, le tout porté par une texture vineuse et empreinte de fraîcheur. Un champagne de caractère. L'une de mes valeurs sûres à la SAQ.

11152958   57$ ☆☆☆☆

BOLLINGER
Brut Special Cuvée

Une forte proportion de pinot noir (60%), un élevage en fûts et une majorité de vins de réserve entre 5 à 15 ans. Bouche vineuse et bulle fine; notes toastées, francs goûts de fruits rouges et finale minérale. L'esprit Bollinger, quoi!

384529   78,25$ ☆☆☆☆

DELAMOTTE
Brut

Cette petite maison de Champagne située à Le Mesnil appartient à la firme Laurent-Perrier. Ce vin composé à moitié de chardonnay est passablement dosé, mais il n'en est pas moins un modèle de finesse. À commencer par sa mousse et ses saveurs délicates. Un bon achat en entrée de gamme.

14213947   55$ ☆☆☆ ②

En primeur

FLEURY
Brut Blanc de noirs

Le blanc de noirs de la famille Fleury est non seulement l'un des rapports qualité-prix-plaisir les plus avantageux au rayon des champagnes, c'est aussi l'un des vins les plus racés et distinctifs. L'attaque en bouche est vibrante, quasi aérienne, mais le vin offre aussi une excellente tenue et laisse une sensation de plénitude rare dans cette gamme de prix. À moins de 60$, c'est une aubaine (ou presque)!

13090631   57$ ☆☆☆☆ 🗨

HENRIOT
Brut Souverain

Le Brut Souverain est issu à parts égales de chardonnay et de pinot noir et dosé à hauteur de 9,2 g/l. Cette sucrosité va un peu à contre-courant de la mode des extra-brut et brut nature, mais ce style de champagne classique s'avère tout aussi agréable, surtout lorsque servi à table.

13828931   57,50$ ☆☆☆ ½

LABRUYERE
Brut Grand cru Prologue

La famille Labruyère (Moulin-à-Vent; Domaine Jacques Prieur à Meursault; Château Rouget à Pomerol) a investi le terroir champenois en 2012 avec l'acquisition de six hectares de vignes en grand cru, dans la commune de Verzenay. Ce brut sans année, composé de pinot noir à 70%, plaira sans le moindre doute à l'amateur de champagne vineux. Un vin, ample, volumineux et d'excellente tenue, bien marqué par l'empreinte aromatique du pinot. Un long élevage de plus de 36 mois sur lies a permis d'affiner la bulle, qui se déploie en bouche comme une caresse. Longueur et complexité. Bravo!

13631160   69,75$ ☆☆☆☆ ½

LALLIER
Brut Grande Reserve

Lallier est sur la pente ascendante depuis son rachat par Francis Tribaut, en 2004. Toujours aussi élégante et savoureuse, cette cuvée issue exclusivement de terroirs de grands crus a été dégorgée en janvier 2019. Du nerf et de l'onctuosité, des parfums d'agrumes, d'anis, de pomme verte et de pain grillé. Bonne longueur.

11374251   48$ ☆☆☆ ½

POL ROGER
Brut Réserve

Cette cuvée, qui compte pour 70% de toute la production de la maison Pol Roger, demeure un très bel exemple de brut non millésimé. Saveurs pures, bulles tendres, fines et persistantes; allure aérienne. Une référence.

51953   63$ ☆☆☆☆

ROEDERER, LOUIS
Brut Premier

Le Brut Premier mise sur une composition de deux tiers de raisins noirs, d'où sa plénitude et son caractère vineux. Saveurs pures et riches, fraîcheur exemplaire. Un classique, avec raison.

268771   72,50$ ☆☆☆ ½

TAITTINGER

Brut Réserve

L'élégance classique de la marque Taittinger transparaît dans cet assemblage de chardonnay (40%), de pinot noir et de pinot meunier provenant de 35 crus différents. Un registre de saveurs précises, portées par une effervescence fine, attribuable à un élevage prolongé sur lies. Racé, fin et long en bouche.

10968752   58,25$ ☆☆☆☆

DRAPPIER
**Brut Nature,
Pinot noir, Zéro dosage**

Aucune liqueur d'expédition n'a été ajoutée à ce vin composé à 100 % de pinot noir. L'onctuosité est attribuable seulement à la maturité des raisins. Sec et bien marqué par le caractère du cépage et par une amertume sentie en finale. Très bon rapport qualité-prix ; il demeure une valeur sûre dans sa catégorie.

11127234   52 $ ☆☆☆

FLEURY
Brut Nature, Fleur de l'Europe

Cette année encore, la cuvée Fleur de l'Europe s'inscrit parmi mes champagnes favoris. Un exemple éloquent du sérieux de la famille Fleury, qui cultive son vignoble de la Côte des Bar en biodynamie, depuis 1989. Un vin mûr et ouvert, dont les parfums de pain grillé, de pomme jaune et d'amandes rôties exercent un charme immédiat. La bouche, à la fois structurée et aérienne, est riche d'une foule de saveurs qui vont crescendo et terminent leur parcours sur une note saline.

12669641   66 $ ☆☆☆☆ ② ▼

GERBAIS, PIERRE
Extra Brut, Grains de Celles

Ce vin de la Côte des Bar est le fruit d'un assemblage de pinot noir (50 %), de chardonnay et de pinot blanc, cultivés de façon biologique, sur les sols kimméridgiens de Celles-sur-Ource, au sud-est de la Champagne. Pour le reste, des fermentations spontanées, un élevage de 30 mois sur lattes et un dosage minimal livrent un vin d'une grande pureté, qui embaume les fleurs, les fruits jaunes et la menthe, laissant en finale une sensation minérale. Caractère et précision, à petit prix.

13647014   52,50 $ ☆☆☆☆ ♥

TARLANT

Brut Nature, Zéro

Dans la commune d'Œuilly, la famille Tarlant exploite un vignoble de 14 hectares et signe ce brut nature dont la couleur dorée et le nez marqué de légères notes de noisettes annoncent un vin à maturité. Très sec, vif et épuré, il ne manque vraiment pas d'attraits. À commencer par son prix.

11902763 56$ ☆☆☆ ½

3 760098 960026

QUELQUES NOTIONS...

Le **Blanc de blancs** est un vin élaboré exclusivement à partir de raisins blancs. En Champagne, le cépage blanc dominant est le chardonnay; sa terre de prédilection est la Côte des Blancs, une zone située juste au sud d'Epernay et réputée pour ses sols calcaires.

Le **Blanc de noirs** est un vin élaboré exclusivement à partir de raisins noirs. En Champagne, les cépages noirs dominants sont le pinot noir et le pinot meunier; leurs terrains de jeux de prédilection sont Aÿ et les autres communes qui entourent la montagne de Reims.

TENEUR EN SUCRE :

L'ajout de la liqueur de dosage – composée d'un vin âgé de plus de deux ans et de sucre de canne – détermine le type de Champagne :

- Brut nature/Zéro dosage : < 3 g/l
- Extra brut : < 6 g/l
- Brut : < 12 g/l
- Extra dry : entre 12 et 17 g/l
- Sec : entre 17 et 32 g/l

DOQUET, PASCAL
Brut, Blanc de blancs, Cuvée Horizon

Le vignoble de la famille Doquet est conduit en agriculture biologique. Fruit d'un assemblage des récoltes 2014 (51%), 2013 et 2012, dégorgée en décembre 2017, cette cuvée est composée exclusivement de chardonnay issu d'une parcelle plantée dans les années 1970 par le père de Pascal Doquet. La bouche est ample et le fruit est bien présent, la pomme blette côtoie le pain grillé. Peu dosé, très frais et bel équilibre d'ensemble. Très bon rapport qualité-prix.

11528046   59,25$ ☆☆☆ ½

DOQUET, PASCAL
Brut Nature, Premier cru Blanc de blancs Arpège

Assemblage de vins des millésimes 2011, 2010, mis en bouteille en 2013 et dégorgé en janvier 2017. Le nez annonce un vin riche qu'on soupçonnerait d'être sucré, mais aucune liqueur de dosage n'a été ajoutée à cette cuvée. Sec, fin et délicat; les saveurs citronnées du chardonnay se dessinent sur un fond de mie de pain et de beurre. Comme tant de champagnes, il gagne à être servi frais, mais pas frappé, autour de 8 à 10 °C.

12024253   68,50$ ☆☆☆☆

GIMONNET, PIERRE
Brut, Cuvée Cuis Premier cru

Didier Gimonnet est récoltant-manipulant à Cuis, dans la Côte des Blancs. Le chardonnay couvre aujourd'hui 98% du vignoble familial, fondé en 1935. Ce champagne met en valeur les plus beaux atouts de ce cépage et mérite d'être savouré lentement, de préférence à table, le temps qu'il se révèle pleinement. L'assemblage de différents millésimes (65% de 2014; 35% de 2013 à 2010) lui confère un spectre de saveurs plutôt vaste, entre la pomme verte et la pomme blette, entre la brioche et la cire d'abeille. Cristallin et distingué.

11553209   66,75$ ☆☆☆☆

GIMONNET
Brut, Special Club 2012

Cette cuvée est issue en grande partie de vignes provenant des vignobles Montaigu, planté en 1951 à Chouilly, et deux autres parcelles plantées entre 1911 et 1913, dans la commune de Cramant, au cœur de la Côte des Blancs. L'âge des vignes tout comme la durée de l'élevage sur lattes (60 mois) expliquent la finesse de la bulle, autant que la profondeur de cette cuvée Spécial Club. Les fleurs blanches, le citron et les fruits blancs *flirtent* avec les pâtisseries, les herbes fraîches et la craie. La bouche, aérienne, verticale et pourtant très large, offre déjà une irrésistible sensation de plénitude, mais ce vin est loin, très loin d'avoir révélé tous ses secrets. Avis aux amateurs de champagne de garde : vous avez ici affaire à un ultra-marathonien. Laissez-lui une bonne dizaine d'années de repos.

13486370   110,50$ ☆☆☆☆→? ④ Ⓢ

LASSAIGNE, JACQUES
Extra Brut, Blanc de blancs, Les Vignes de Montgueux

Emmanuel Lassaigne élabore des vins fins, ciselés et précis dans le département de l'Aube. Sa cuvée Les Vignes de Montgueux provient de neuf parcelles différentes établies sur des sols d'argile dense et de craie. Un élevage en fûts de chêne apporte au vin de base une certaine richesse, qui enrobe son acidité mordante. Une interprétation fine, délicate et toute en fraîcheur du chardonnay ; umami et iodé, il donne tout son sens au mot « aérien ». À retenir parmi les meilleurs vins pour accompagner les huîtres.

12061311   71,25$ ☆☆☆☆

BOLLINGER
Brut Rosé

Composé d'une base de vins des millésimes 2012 et 2013, le Rosé non millésimé de Bollinger déploie au nez des parfums de fruits rouges et de menthe. L'attaque est franche et fraîche, moins nourrie que celle du Special Cuvée, mais le vin se développe en bouche pour atteindre cette vinosité classique, qui est devenue la marque de la maison Bollinger. Du fruit rouge, des agrumes; une belle finale délicatement tannique, ajoute à sa sapidité. Excellent champagne rosé!

10955741   99,25$ ★★★★

BOLLINGER
La Grande Année 2007, Rosé

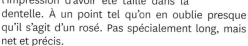

La profondeur de ce rosé millésimé, produit uniquement dans les meilleures années, repose sur un assemblage de pinot noir (72%) et de chardonnay, issus en majorité des terroirs de grands crus d'Aÿ, de Verzenay et de la Côte des Blancs. Des notes de menthe et d'anis, couplées à des goûts encore frais de fruits rouges, témoignent d'une grande jeunesse, pour un vin déjà âgé de 12 ans. La bouche est hyper onctueuse, crémeuse et pourtant vibrante et aérienne, portée par des bulles fines et denses. Très longue finale aux accents umami. Grand vin!

13669336   225,75$ ★★★★ ½

DRAPPIER
Brut Nature Rosé, Zéro Dosage

Une première dans *Le guide du vin* pour ce rosé non dosé, élaboré par la famille Drappier à Urville, sur leurs parcelles calcaires où le pinot noir trône en roi. Sans surprise, le vin est sec et l'attaque vive, mais le vin laisse tout de même l'impression d'avoir été taillé dans la dentelle. À un point tel qu'on en oublie presque qu'il s'agit d'un rosé. Pas spécialement long, mais net et précis.

13842119   56,50$ ★★★ ½

FLEURY
Rosé de Saignée, Brut

Le terme «saignée» signifie que la couleur du vin relève exclusivement du contact entre le moût et les peaux des raisins de pinot noir, plutôt que de l'ajout de vin rouge pour «tacher» le vin blanc, une pratique largement répandue en Champagne. La couleur est donc plus soutenue que la moyenne des rosés et le vin présente une texture presque tannique en bouche. Dense, avec de savoureux goûts de fruits rouges et un équilibre exemplaire. Racé et élégant. L'un des meilleurs champagnes rosés à la SAQ, et pas le plus cher...

11010301   74,50$ ★★★★ ½

KRUG
Brut Rosé

Pour l'élaboration du Brut rosé, Éric Lebel, le chef de caves chez Krug, sélectionne les vins de chardonnay, de pinot noir et de pinot meunier de différents millésimes, auquel il additionne une touche de pinot noir macéré avec les peaux des raisins, pour la couleur. Ajoutez à cela un élevage de sept ans dans les caves humides de Krug et vous avez un champagne d'exception. Peut-être le plus aérien de la maison, avec ses bulles qui portent les saveurs en bouche en une fine bruine. Cela ne devrait cependant pas faire douter de sa profondeur et de son envergure, comparables à celles de bien des grands crus de la Côte d'Or. Un champagne à servir à table, avec une viande rouge délicate.

226563   422$ ★★★★ ½

LALLIER
Brut Rosé

J'ai longtemps émis des réserves quant aux vins de cette maison située à Aÿ, mais j'avoue avoir été charmée depuis quelques années par la délicatesse et par la précision aromatique de ce rosé. Plus fin et distingué que par le passé; le dosage m'a aussi semblé mieux intégré. Un bon achat à ce prix.

12560881   48,75$ ★★★

TAITTINGER
Cuvée Prestige Brut Rosé

Une interprétation fraîche et vive du champagne rosé. La couleur soutenue vient de l'ajout de 15% de pinot noir des terroirs d'Ambonnay et de Bouzy. La pomme blette et la cerise se dessinent avec pureté et le rendent très attrayant au nez. Le dosage est bien intégré à l'ensemble; bonne longueur. Peut-être un peu moins complexe que le Brut Réserve de la maison, mais sans conteste un rosé de grande qualité.

372367   85$ ★★★★

MOUSSEUX ET LES AUTRES

Le mot « Champagne » sur une étiquette désigne exclusivement un vin produit dans la région du même nom, au nord-est de Paris. En dehors de cette zone, interdit de revendiquer l'appellation « Champagne ». Même le procédé de fabrication, autrefois nommé « méthode champenoise », a été rebaptisé « méthode traditionnelle ».

On s'adonne à la production de vins mousseux dans presque toutes les régions viticoles françaises : Alsace, Bourgogne, Jura, etc. Même dans le sud, où le chaud climat méditerranéen laisserait planer des doutes, on obtient maintenant des vins étonnamment rafraîchissants. La région de la Loire est particulièrement douée pour l'élaboration de mousseux. Là-bas, pas de chardonnay ni de pinot noir, mais du chenin blanc, un cépage racé et singulier, qui donne des vins nerveux et vigoureux.

Mais la France n'est pas seule. Les Italiens produisent depuis quelques années des *spumante* d'une finesse étonnante. Si les proseccos sont avant tout fruités et guillerets, les meilleurs franciacorta soutiendraient la comparaison avec certains champagnes. Enfin, selon les Italiens...

En Espagne, au sud de Barcelone, la qualité du cava est en nette progression. Longtemps absents de la SAQ, les cavas élaborés par de petites et moyennes entreprises ont eu vite fait de séduire les consommateurs québécois depuis leur arrivée sur le marché. Certaines cuvées haut de gamme – particulièrement celles de Recaredo – font preuve de beaucoup de race et de profondeur. En juillet 2017, le ministère espagnol de l'agriculture a officialisé le système de classification, le *Paraje Calificado*, et révélé l'identité de 12 premiers crus. Une hiérarchisation attendue depuis longtemps, autant par les producteurs que par les amateurs de cava.

Outre-Atlantique, la Californie s'impose par d'excellents vins mousseux très souvent mis au point par des grandes maisons de Champagne venues s'y installer. Depuis 10 ans, la production d'effervescents a progressé de 25 % !

Enfin, tout près de chez nous, les bulles québécoises continuent de se multiplier et de gagner en qualité, tant pour les méthodes traditionnelles que pour les pétillants naturels. Un prétexte de plus pour aller se promener sur les routes des vins du Québec... et pour faire sauter le bouchon !

Le gaz carbonique que contiennent la majorité des vins effervescents est le sous-produit de la transformation des sucres en alcool, sous l'action des levures. Ceux de méthode traditionnelle effectuent une seconde fermentation en bouteille; les «pet' nat», eux, ne sont soumis qu'à une seule fermentation, qui se termine après la mise en bouteille.

DOMAINE DU NIVAL
Ces Petits Imprévus 2018, IGP Vin du Québec

Sans surprise, je me suis de nouveau régalée avec le dernier millésime du pet' nat de la famille Beauchemin. Léger comme tout (10,1% d'alcool), mais non moins plein de vie, de caractère et d'éclat aromatique, il offre une expression originale du cépage vidal. La bouche est vibrante, les saveurs sont nettes – ce n'est pas le cas de tous les pétillants naturels, malheureusement – et le vin se boit dangereusement vite. Chaque année, les bouteilles s'envolent dès leur mise en vente. Pour ne pas les manquer, inscrivez-vous à la lettre circulaire du domaine.

Disponible à la propriété

28 $ ☆☆☆☆

LE ROCHER DES VIOLETTES
Pétillant Originel 2015, Montlouis-sur-Loire, France

Xavier Weisskopf s'est implanté à Montlouis – juste en face de Vouvray – en 2005, après avoir fait ses classes dans le Rhône. Son histoire d'amour avec le chenin blanc connaît un nouveau chapitre depuis quelques années à travers ce pétillant naturel, nommé «Pétillant Originel» dans l'appellation Montlouis-sur-Loire. Les raisins proviennent de vignes de chenin de plus de 40 ans et donnent un vin plus léger et rafraîchissant que les mousseux traditionnels de l'appellation. Les saveurs fruitées sont nettes et précises et le vin est complètement sec. Surveillez de près les prochains arrivages…

13920009 32,25$ ☆☆☆☆ ①

0 895958 001304

LES TÈTES
Tête Nat 2018, Vin de France

Nicolas Grosbois signe des vins de facture (relativement) classique au domaine familial de Chinon, commentés dans la section de la Loire. Avec la gamme Les Têtes, en partenariat avec trois copains, il s'éclate et commercialise des vins qui sortent du cadre, d'où leur dénomination Vin de France, qui laisse place à plus de créativité. Le pétillant naturel est issu d'un assemblage peu commun de sémillon, de len de l'el et de mauzac, vendu dans une bouteille coiffée d'une capsule couronne (comme une bière). Dans le verre, le vin étonne par sa faible acidité, ses goûts de pomme blette qui se mêlent à l'amande rôtie. Bulle fine et jolis amers en finale.

13863770 22,85$ ☆☆☆ ①

3 760286 320007

1292
Méthode Traditionnelle Ste-Croix, Brut Nature

Très bon effervescent rosé, issu de ste-croix. Non dosé, donc très sec, le vin profite d'un élevage de 12 mois sur lies qui enrichit sa texture. Les goûts de fraise et de cerise acidulée sont soulignés par une amertume très agréable en fin de bouche. Bonne longueur ; très joli vin.

Disponible à la propriété

30 $ ★★★★

COURVILLE, LÉON
Muse 2016

Dans sa version 2016, le brut d'Anne-Marie Lemire et de Léon Courville s'avère tout aussi complet et mise toujours sur l'élégance du cépage st-pépin, élevé ici pendant 24 mois sur lies. Le dosage est quant à lui effectué avec la cuvée Vidal Réserve du domaine. Dans le verre : de légers goûts de noisette, de brioche et de crème anglaise ; une texture ample, du volume et une finale minérale. Excellent !

Disponible à la propriété

36 $ ☆☆☆☆

DOMAINE BERGEVILLE
L'exception, Extra-Brut rouge

Millésime 2016. L'exception de Bergeville se veut une version souple et accessible des bulles rouges du domaine. Les cépages frontenac noir et marquette sont issus de l'agriculture biologique et sont soumis à une très brève macération avec les peaux des raisins. Par conséquent, le vin comporte très peu de tanins et il est moins coloré. Aussi expressif en bouche qu'au nez, il offre une profusion de cerise acidulée, de canneberge et d'épices douces. Tout frais, juteux et affriolant comme pas un. Un vrai régal à apprécier en toute saison !

Disponible à la propriété

34 $ ★★★★

DOMAINE BERGEVILLE
L'intégrale, Extra Brut

Ève Rainville et Marc Théberge se consacrent exclusivement aux effervescents dans leur domaine de North Hatley, dans les Cantons-de-l'Est. L'intégrale 2017 affiche une couleur dorée qui pourrait faire croire à un vin riche et onctueux. Or, c'est tout le contraire. Ce vin a tout pour plaire à l'amateur de mousseux vif et tranchant. Du nerf, de la tension, un superbe équilibre et une amertume fine. Une très belle valorisation des cépages hybrides.

Disponible à la propriété

32 $ ☆☆☆☆

DOMAINE ST-JACQUES
Brut 2016

Les propriétaires du Domaine St-Jacques semblent avoir trouvé la «recette gagnante» avec cet assemblage de chardonnay (85%), de vidal et de seyval, élevé sur lies pendant 18 mois et dosé à peine à 6 g/l. Un vin frais et plein de vitalité, qui porte clairement la signature aromatique du chardonnay, avec des notes de poire et de camomille, qui se mêlent au citron et à la brioche. Très achevé.

 Disponible à la propriété

28,95 $ ☆☆☆☆ ♥

ORPAILLEUR, L'
Brut, Méthode traditionnelle

L'Orpailleur élabore une vaste gamme de vins secs et liquoreux, ainsi que ce très bon effervescent issu de seyval et de vidal. Le nez embaume la pomme verte, les agrumes et les épices douces; la vigueur naturelle du vin est arrondie par un dosage harmonieux qui apporte de la profondeur et lui confère des saveurs de fruits mûrs. Un classique de longue date dans la catégorie des effervescents québécois – le premier millésime du Brut de l'Orpailleur remonte à 1991…

Disponible à la propriété

28 $ ☆☆☆ ½

PIGEON HILL
Mousseux rouge 2015

De toute évidence, Manon Rousseau et Kevin Shufelt ont compris comment mettre en valeur le marquette et ils en tirent un excellent mousseux rouge, qu'on boit même sans soif. Frais, tendu, bourré de fruit et fidèle à ses origines. L'attaque en bouche plutôt vive déconcerte à la première gorgée, mais à table, avec un plateau de charcuteries et autres *antipasti*, la bouteille se vide à grande vitesse. Un signe qui ne ment pas.

Disponible à la propriété

25 $ ★★★★ ① ♥

VIGNOBLE DE STE-PÉTRONILLE
Brut

Le cépage vandal-cliche donne à ce vin effervescent des tonalités fort originales de melon, de fleurs blanches, de menthe et d'aneth. Non dosé – c'est-à-dire qu'aucun sucre n'a été ajouté après le dégorgement –, le vin est ample et de bonne tenue en bouche, tout en demeurant désaltérant. Finale aromatique aux accents de sucre d'orge et d'écorce de citron. Un très bon vin qui vaut pleinement son prix!

Disponible à la propriété

30 $ ☆☆☆ ½

BAILLY LAPIERRE
Crémant de Bourgogne, Brut Pinot noir

Sur la contre-étiquette, on peut lire que cette cuvée de blanc de noirs (pinot noir) est le porte-étendard de la maison Bailly Lapierre. Un très bon crémant de Bourgogne assez structuré, aux parfums de fruits noirs et de pain brioché, de pâtisserie et d'amandes amères.

11565015   24,95$ ★★★ ½

BAILLY LAPIERRE
Crémant de Bourgogne, Brut Réserve

Cette cuvée entrée de gamme chez Bailly-Lapierre est le fruit d'un assemblage des quatre cépages de l'appellation crémant de Bourgogne : pinot noir, chardonnay, gamay et aligoté. Un vin ample, enrobé d'une sucrosité perceptible (9,1 g/l sur SAQ.com), aux accents de fruits secs. Amertume quelque peu rustique en finale.

13858090   21$ ☆☆ ½

BAILLY LAPIERRE
Vive-la-Joie 2010

La grande cuvée de cette maison auxerroise spécialisée dans l'élaboration de crémant mise sur un assemblage de pinot noir et de chardonnay, élevé en cuve inox pendant 10 mois, puis vieilli sur lattes pendant de plus de 3 ans. Il en résulte un vin plein et onctueux, dont les arômes portent, eux aussi, la marque d'un long élevage, entre crème anglaise, brioche et pâte d'amandes. Longue finale riche et intense.

11791688   29,95$ ☆☆☆☆ ②

BOUILLOT, LOUIS
Crémant de Bourgogne 2015, Perle Rare

Au nez comme en bouche, un vin très fin, très élégant. Des arômes de scones frais sortis du four se dessinent avec retenue, se mêlant en bouche à la poire et à la fraise, tirés en finale par des amers de qualité. Bulles fines, excellente tenue. Plus racé que bien d'autres mousseux vendus plus cher.

884379   21,60$ ☆☆☆☆ ② ♥

BOUILLOT, LOUIS
Crémant de Bourgogne rosé, Perle d'Aurore

Pinot noir, chardonnay et gamay s'unissent pour donner un crémant très stylé, plus leste et gracieux que la moyenne des rosés. Attaque nerveuse, saveurs fines de fruits rouges et de pomme blette. Longueur plus que respectable.

11232149 22$ ★★★★ ♥

JCB BY JEAN-CHARLES BOISSET
Crémant de Bourgogne, Brut rosé, N° 69

Une précision avant toute chose : le nom de la cuvée «N° 69» est un clin d'œil à l'année de naissance de Jean-Charles Boisset. Du reste, une bonne base de pinot noir (90%) confère à ce rosé une identité aromatique très bourguignonne, entre la terre et les petits fruits rouges. Le dosage (10 g/l) se fait sentir, mais les acides harmonisent le tout et le vin, au final, ne pèse pas lourd en bouche. Souple, tendre et affriolant, sans pour autant être simple ni facile. Belle bouteille.

13858073 30$ ★★★ ½

VITTEAUT-ALBERTI
Crémant de Bourgogne, Brut Blanc de blancs

Ce crémant issu de chardonnay à 100% et déjà très bien noté dans les dernières éditions du *Guide* me semble encore plus élégant que par le passé. Des bulles fines, un nez intense et expressif, riche d'une foule de détails aromatiques entre la pomme fraîche et le pain brioché. Long et complexe.

12100308 25,10$ ☆☆☆☆ ♥

VITTEAUT-ALBERTI
Crémant de Bourgogne, Brut rosé

Le dosage semble plus marqué sur le rosé que sur le délicieux blanc de blancs commenté précédemment. Aucune lourdeur, mais tout de même moins de définition aromatique. Cela dit, la qualité est impeccable ; nul doute qu'il saura plaire aux *fans* de bulles rosées.

12536101 24,45$ ★★★ ½

BARMÈS-BUECHER
Crémant d'Alsace 2016, Brut Nature

Tout comme le 2015 commenté l'année dernière, ce 2016 ne manque pas d'élégance et de délicatesse. Sa vivacité chatouille l'intérieur des joues tandis que les saveurs de poires, de fruit à chair jaune, de tilleul et d'herbes fraîches se profilent en bouche. Une très belle expression des pinots gris, blanc et auxerrois et du chardonnay, sans dosage, mais avec toute l'ampleur voulue.

10985851   27,50$ ☆☆☆☆ ① ♥ 🗨

BOTT-GEYL
Crémant d'Alsace, Paul-Édouard

Un peu déconcertant au premier nez, avec ses odeurs de réduction qui rappellent les œufs cuits durs. Heureusement, la réduction se dissipe vite et fait place à un bouquet séduisant d'agrumes, de pomme verte et de brioche, auxquels une pointe herbacée apporte une agréable fraîcheur aromatique. Attaque en bouche vive et vibrante, texture vineuse et saveurs persistantes.

13032845   28,95$ ☆☆☆ ½ 🗨

BOURDY, JEAN
Crémant du Jura

Composée de chardonnay à 100%, cette cuvée dévoile des parfums invitants de fruits mûrs, de bonbons au beurre et de pâtisseries. L'attaque en bouche est vive et généreuse. La finale est portée par une amertume qui rappelle l'albédo du pamplemousse et lui donne des traits légèrement austères. Un crémant du Jura «à l'ancienne», dont on appréciera la structure à table, plutôt qu'à l'apéro.

13437439   27,30$ ☆☆☆

BRUNET, SÉBASTIEN
Vouvray Brut 2017

En plus d'un excellent vouvray sec – l'un de mes moments forts de l'été – commenté dans ces pages, Sébastien Brunet signe un très bon effervescent de chenin blanc. Les parfums, entre la réduction et la crème anglaise, le fruit et le minéral, procurent autant de plaisir en bouche que sa tenue et sa texture vineuse. À 25$, on achète sans hésiter.

12846441   25,35$ ☆☆☆☆ ♥ 🗨

CARÊME, VINCENT
Vouvray Brut 2016

Agriculture biologique, vinification soignée, élevage de 18 mois sur lattes et dosage limité à 3,5 g/l. Ce vouvray brut remporte une fois de plus le pari de l'équilibre et de l'élégance. Particulièrement séveux et racé en 2016; très sec, ponctué de pomme verte, d'écorce de citron, de craie humide, qui rappellent la nature calcaire (tuffeau) des sols de la région. Cristallin, franc, distingué.

11633591   26,10$ ☆☆☆☆ ① ♥ 🗨

TISSOT, ANDRÉ ET MIREILLE
Crémant du Jura, Brut

Très bon crémant issu de l'agriculture biologique et élaboré par l'un des vignerons les plus talentueux du Jura: Stéphane Tissot. Très invitant par son nez de pomme et d'épices douces sur un fond légèrement rancio. La bouche est tout aussi complexe; à la fois ample et vive, structurée et élégante. Moins abordable que la moyenne des crémants sur le marché, mais c'est peu cher payé pour un vin qui se compare avantageusement à certains champagnes…

11456492   33,75$ ☆☆☆☆ ② 🗨

La dénomination «cava» désigne une méthode de production, plutôt qu'une zone géographique précise. Cela dit, plus de 85% des cavas proviennent de la région catalane du Penedès. Les cavas suivent la méthode traditionnelle et sont soumis à une seconde fermentation en bouteille.

HERETAT MESTRES
Cava 1312

En 1312, la famille Mestres cultivait déjà la vigne dans les Clos Damiana et Nostre Senyor, à Sant Sadurní d'Anoia, noyau historique de la production de Cava dans le Penedès. Issu de macabeo, de xarel-lo et de parellada, et élevé sur lies pendant 18 mois, ce vin élégant déploie d'abord des saveurs de pâtisserie et d'abricot, puis il laisse en finale une sensation minérale très franche, dont les parfums rappellent le calcaire. La bouteille goûtée en juillet 2019 avait été dégorgée en février de la même année.

13232581   20,05$ ☆☆☆☆

8 437001 132010

HERETAT MESTRES
Cava Brut Nature 2013, Gran Reserva, Coquet

Dès le premier nez, on comprend qu'on a affaire à un cava très complexe et ça se confirme en bouche. L'absence de dosage (brut nature) ne fait pas obstacle à son ampleur ni à sa richesse. Le vin en mène très large en bouche; 40 mois d'élevage sur lies ont permis à la bulle de s'affiner et au vin de développer des arômes de pâtisserie, de pâte d'amandes et de vanille. Excellente qualité et longue finale minérale.

13944529   27,60$ ☆☆☆☆ ② ▼

8 437001 132027

JUVÉ Y CAMPS
Cava Brut Nature 2015, Gran Reserva, Reserva de la Familia

Cette maison familiale signe un très bon cava de facture classique, dont les saveurs riches et légèrement oxydatives, se mêlent aux senteurs de pomme blette, de noisette et de pâte miso. De la tenue, des amers de qualité; longueur et caractère. Servez-le à l'apéro avec des amandes et des olives ou à table, avec des sardines grillées. Un régal à l'espagnole.

10654948   22,25$ ☆☆☆ ½ ②

8 424487 600188

PARÉS BALTÀ
Cava Brut

Les vignes de la famille Cusiné sont conduites en agriculture biologique. Le cava entrée de gamme du domaine est frais, équilibré et joliment fruité. Rapport qualité-prix-plaisir et constance remarquables.

10896365   16,80$ ☆☆☆ ½ ♥

8 410439 034354

PARÉS BALTÀ
Cava, Pink

Bien qu'un peu plus simple que le cava brut vendu depuis plusieurs années à la SAQ, ce rosé ne manque pas d'attrait. L'attaque en bouche est à la fois vive et gourmande; gorgée de saveurs de cerise mûre et de framboise.

12888043 17,70$ ★★★

PERE VENTURA
Cava Brut, Reserva, Clos Amador

Bon mousseux d'apéro, léger et équilibré, avec des parfums de fruits blancs, mais aussi des notes de coquillage et de terre humide, qui lui donnent une certaine originalité. Très correct à ce prix.

12888182 14,95$ ☆☆☆ ♥

PERE VENTURA
Cava Brut, Reserva, Primer

Ce cava classique, passablement dosé, mais sans la moindre lourdeur, est vendu pour la première fois à la SAQ. Pâte d'amandes et salinité; plutôt long et sans aucune rusticité. Très bon rapport qualité-prix.

13905415 17,30$ ☆☆☆ ½ ♥

SUMARROCA
Cava Brut Nature 2014, Gran Reserva

Cette année encore dans sa version 2014, ce brut nature est un parfait exemple du genre: archisec, tranchant, frais et salin, mais aussi gorgé de saveurs de fruits mûrs et porté par une texture juste assez nourrie. Très rassasiant. Un excellent rapport qualité-prix-plaisir!

13408929 17,55$ ☆☆☆☆ ② ♥

U MES U FAN TRES
Cava Brut Nature, Reserva, Cygnus

Ce vin très expressif met en lumière les caractéristiques des cépages locaux parellada, macabeo et xarel-lo. Le vin est sec, croquant et tendu, révélant des saveurs de pomme verte. Une pointe d'amertume en finale ajoute de la complexité à l'ensemble. Tenue tout à fait satisfaisante pour le prix.

13566783 19,25$ ☆☆☆ ½ ♥

Ce vin effervescent souvent offert à prix abordable doit son originalité au cépage glera – aussi nommé prosecco – autant qu'à sa méthode d'élaboration: la méthode charmat. Celle-ci implique une seconde fermentation en cuve close plutôt qu'en bouteille. En règle générale, les meilleurs proseccos proviennent des secteurs de Valdobbiadene et de Conegliano (DOCG).

ADAMI

Valdobbiadene Prosecco Superiore Extra Dry 2016, Rive di Colbertaldo Vigneto Giardino

Le Consorzio local a mis en place un système de classification qui regroupe 43 crus, nommés localement «Rive», qui signifie «pente abrupte» en dialecte vénitien. Celui-ci provient d'une parcelle exposée au sud-est, entre 220 m et 300 m d'altitude. Sa sucrosité (17 g/l) est équilibrée par une juste dose d'acidité qui pince gentiment les joues et qui donne beaucoup d'élan aux parfums de poire en sirop, de menthe et de craie, laissant la bouche nette et fraîche. Vraiment excellent!

13481069   26,80$ ☆☆☆☆ ② ♥ ▼

BISOL

Valdobbiadene Prosecco Superiore 2017, Crede

La famille Bisol touche à la viticulture depuis 1542. Fondée au XIXe siècle, cette vieille maison jouit d'une excellente réputation au sein de cette appellation vénitienne. Le Crede – dont le nom fait

référence aux terrains argileux d'où les vignes de glera, de pinot blanc et de verdiso tirent leur sève – est l'un des meilleurs proseccos, offerts sur le marché. L'étiquette fait peau neuve en 2017, mais la finesse et l'excellent rapport qualité-prix sont toujours au rendez-vous. Le nez délicat s'ouvre sur des arômes de pommes cuites et de fleurs blanches; la bouche est droite, saline et rafraîchissante. Parfait pour apporter une touche de légèreté dans votre verre!

10839168   22$ ☆☆☆☆ ① ♥

BOTTER CARLO
Prosecco, Santi Nello

Un prosecco «tout court» qu'on appréciera pour sa légèreté (11 % d'alcool) et pour son fruit. Notez bien que la mention «Extra Dry» ne signifie pas que le vin est très sec, mais plutôt arrondi d'un reste de sucre oscillant entre 12 et 17 g/l. Bon prosecco d'entrée de gamme.

10540730   15,85$ ☆☆ ½ ①

MASI AGRICOLA
Modello Prosecco Brut

Sauf erreur, c'est la première fois que je goûte ce prosecco de la maison Masi. Attaque en bouche fraîche, peu de sucre ; une bulle fine et des goûts fruités bien nets. Modeste, mais tout à fait recommandable.

13572729   16,95$ ☆☆☆ ① ♥

NINO FRANCO
Valdobbiadene Prosecco Superiore, Brut

Le prosecco de la maison Nino Franco est certifié biologique depuis mai 2019. Les fidèles de ce vin, une référence sur le marché québécois depuis quelques décennies, y trouveront la même élégance distinctive, la trame aromatique délicate et nuancée. Bulle fine, équilibre irréprochable, excellente tenue.

349662   22,30 $ ☆☆☆☆ ① ♥ 🍷

TONON
Valdobbiadene Prosecco Superiore 2017, Brut, Camul

Cette firme vénitienne fondée dans les années 1930 élabore un bon prosecco de style classique dans la zone de Valdobbiadene. Passablement dosé, le vin se déploie en bouche en une texture quasi crémeuse ; des bulles fines lui confèrent toutefois une certaine légèreté. Attaque en bouche délicate, saline ; bel éventail aromatique, entre les fleurs et les coquillages. Original et léger comme une plume.

12797846   22,15$ ☆☆☆ ½ ① ♥

BENJAMIN BRIDGE
Brut, Méthode Classique 2013

S'il s'inscrit dans le même esprit de fraîcheur et de légèreté que les précédents millésimes, ce 2013 porte aussi une vivacité qui pourrait dépayser l'amateur de champagne classique. Jean-Benoît Deslauriers mise sur un très long élevage sur lies (48 mois), qui apporte un léger enrobage autour des acides, sans vraiment en atténuer la sensation. Les saveurs empruntent elles aussi la voie de la fraîcheur, avec des notes d'herbes fraîches, de pomme verte et de citron, sur un fond délicatement fumé. Un peu austère et dur d'approche, pour l'instant, mais quelques années de repos en cave devraient aider les éléments à se fondre en un tout harmonieux. À boire entre 2023 et 2026.

13193690   49,75$ ☆☆☆→? ③

BENJAMIN BRIDGE
Brut NV

«NV» pour non-vintage, puisqu'il s'agit d'un assemblage de vins de plusieurs millésimes sur une période de 13 ans, dont une petite proportion de 2002, tout premier millésime chez Benjamin Bridge. Les cépages acadie, seyval, pinot noir et chardonnay donnent ici un vin très original, à prix abordable. Parfumé et dosé à 11 g/l certes, mais incontestablement élégant, comme tous les vins du domaine. En prime : une mousse fine qui tapisse le palais et laisse en finale une sensation hyper rassasiante. Bravo !

13593239   29,90$ ☆☆☆ ½

BENJAMIN BRIDGE
Brut Rosé, Méthode Classique 2014

À l'ouverture, ce mousseux rosé se montrait un peu décousu, comme si les acides et le sucre (11 g/l) ne faisaient pas corps. Après une brève aération et quelques degrés de température en plus, les éléments semblent se fondre, ce qui permet d'apprécier à sa juste valeur, son large spectre de saveurs. Plutôt que de jouer la carte de l'autolyse, Jean-Benoit Deslauriers joue celle de la réduction avec beaucoup de finesse et de nuances, sans que cela ne masque la pureté du fruit. Un excellent vin à savourer longuement ou à remiser en cave quelques années.

12937280   49,75$ ★★★★

BOSCHENDAL
Methode Cap Classique Brut

Le dénomination «Methode Cap Classique» désigne les vins effervescents sud-africains issus d'une seconde fermentation en bouteille. Celui de Boschendal se caractérise par une certaine douceur (dosage à 10 g/l) ; des parfums de pomme blette contrastent avec la fraîcheur aromatique qu'apportent les notes de citron et de pomme verte. Un peu anonyme, mais techniquement correct.

13631864   24,95$ ☆☆ ½

EXTON PARK
Blanc de noirs, Britagne

Jugeant le terme «English Sparkling Wine» quelque peu générique, les propriétaires de la maison Coates & Seely ont entrepris de trouver un nom plus original aux effervescents britanniques. À ce jour, le néologisme qu'ils ont adopté, Britagne, n'est utilisé que par très peu de maisons au Royaume-Uni, dont Exton Park, un domaine du Hampshire, où Corinne Seely signe un blanc de noirs absolument remarquable. Un peu timide, voire strict, à l'ouverture, ce n'est que le lendemain que j'ai pu apprécier à sa juste valeur ce vin composé à 100% de pinot noir, cultivé sur le massif calcaire des South Downs. Servi autour de 12 °C, le vin embaumait la pomme fraîche, la griotte et les scones frais sortis du four. Les saveurs étaient portées en longueur par une fine réduction, qui ajoutait à sa profondeur et à sa complexité. Certainement le plus achevé des effervescents britanniques goûtés jusqu'à maintenant. Plus complexe même que bien des champagnes servis au même moment...

14134801   49,75$ ☆☆☆☆ ½

5 060484 030028

ROEDERER ESTATE
Anderson Valley, Brut

Depuis plusieurs années, je ne taris pas d'éloges pour ce mousseux californien que commercialise la maison champenoise Roederer et son talentueux chef de caves, Jean-Baptiste Lecaillon. Je renouvelle mes vœux cette année encore. Même dégusté au milieu de cuvées plus prestigieuses – et beaucoup plus chères – de Champagne, cet assemblage de chardonnay et de pinot noir ne souffrait pas du tout de la comparaison. Au contraire! C'était même l'un des favoris des invités qui ont profité de la cinquantaine de bouteilles ouvertes ce jour-là. Je les comprends: avec ses saveurs pleines, sa texture vineuse et son élégance doublée de plénitude, il a tout pour plaire. Vraiment, de la Champagne à la Californie, tout chez Roederer est impeccable.

294181   35,85$ ☆☆☆☆

0 097546 102008

VINHOS BORGES
Fita Azul, Attitude, Bruto Reserva

À prix presque dérisoire, un bon mousseux portugais auquel le cépage malvoisie (30%; le reste étant composé de gouveio, d'arinto et de codega) confère une singularité aromatique plutôt agréable. Simple, mais original et pas trop rustique. À 12$, il en vaut bien d'autres.

13640277   12,25$ ☆☆ ½ ①

5 601129 035154

BENJAMIN BRIDGE
Nova 7 2017, Canada

Cet effervescent produit dans la baie de Fundy est issu de différents clones de muscat, ainsi que d'ortega, d'acadie blanc et de geisenheim. Perlant, léger en alcool (7,5%), riche en goûts fruités et floraux, servi par un très bel équilibre sucre-acide. Un bon mousseux à aborder un peu comme un moscato d'Asti et à boire en toute saison, avec le dessert, un brunch ou comme un dessert léger, en soi.

12133986   25$ ☆☆☆ ½

BERA
Moscato d'Asti 2017

Envie d'une délicieuse friandise liquide et effervescente? Découvrez le moscato de ce domaine familial, qui excelle dans l'élaboration de cette spécialité piémontaise. Malgré son onctuosité et sa richesse exquise, ce *spumante* ne pèse pas lourd en bouche. Son profil harmonieux repose sur un très bel équilibre entre les acides, le sucre et la structure. Sa finale séduisante mêle les arômes de fleur d'oranger, de zeste de mandarine, de jasmin et de pêche blanche... Délicieux!

13913440   24,50$ ☆☆☆☆ ① ♥

CAVES COOPÉRATIVES DE CLAIRETTE DE DIE
Clairette de Die, Cuvée Impériale

Une clairette de Die traditionnelle, légère en alcool (7%) et composée de muscat blanc à petits grains. Le vin est moelleux, parfumé, savoureux et rappelle un peu le moscato spumante d'Asti. À servir très frais, au dessert ou après le repas.

333575   18,80$ ☆☆☆

GOLAN HEIGHTS WINERY
Moscato 2017, Hermon, Galilee

Cette curiosité israélienne, composée de muscat canelli, est cultivée sur les sols volcaniques du plateau du Golan, à une altitude variant entre 400 m et 1200 m. Un vin mousseux qui s'apparente à un moscato d'Asti, tant par sa légèreté (6% d'alcool), que par sa teneur en sucre et ses parfums exubérants d'orange confite et de fleurs blanches. Original et abordable.

12781650   21,20$ ☆☆☆ ½ ▼

RENARDAT-FÂCHE
Bugey Cerdon

Une spécialité alpine, produite dans la commune de Bugey – aux limites de la Savoie et du Jura. Les cépages gamay et poulsard sont vinifiés selon la méthode ancestrale et les fermentations cessent avant que la totalité des sucres aient été transformés en alcool. Résultat: un vin tout léger (8%) auquel un fruité gourmand, juste assez acidulé, confère un charme fou. Les deux bouteilles ouvertes au courant de l'été donnaient l'impression de mordre à pleines dents dans de petits fruits rouges fraîchement cueillis. Miam!

12477543   24,85$ ★★★★ ② ♥

TAITTINGER
Nocturne (City Lights), Sec

La cuvée Nocturne est le fruit d'un assemblage semblable à celui du Brut Réserve (chardonnay à 40%, pinot noir et pinot meunier), mais elle se caractérise par un dosage plus important. Un très bon champagne à servir à la fin du repas. Tout de même complexe et sans lourdeur, malgré ses 20 g/l de sucre. Très bien fait, dans un style d'une autre époque, celui où les marchés traditionnels préféraient le champagne doux, plutôt que brut.

12599874   72$ ☆☆☆ ½

TAITTINGER
Nocturne Rosé, Sec

Un rappel: dans le monde des effervescents, sec ne signifie pas que le vin comporte peu de sucre (comme c'est le cas pour les vins tranquilles), mais bien le contraire. Le site de la SAQ affiche 20 g/l de sucre résiduel pour celui-ci. Un champagne rond et accessible à la couleur saumonée et aux parfums de fraises fraîches et confites; le sucre est équilibré par une acidité vive. Un champagne qui plaira aux becs sucrés, à la fin du repas, avec un shortcake aux fraises.

12599903   79,75$ ★★★

VINS ROSÉS

La consommation mondiale de rosé a connu une augmentation de plus de 20 % au cours des 15 dernières années. En 2018, le rosé représentait 4,4 % des ventes de vin à la SAQ. Et les rosés du Québec ont généré à eux seuls plus de 1,5 million de dollars!

Tous les rosés ne naissent pas égaux. Et pour les apprécier à leur juste valeur, il faut savoir qu'ils se déclinent en deux grandes catégories: les rosés de saignée et les rosés de pressurage direct. Le premier est issu d'une macération de plus ou moins 24 heures en cuve, avant le pressurage. Ce contact prolongé avec la peau des raisins noirs donnera, par conséquent, des vins plus colorés et plus structurés que la moyenne. Le second est, comme son nom l'indique, pressé avant que les raisins n'aient eu le temps de libérer trop de pigments et de tanins. C'est le modèle même du rosé de Provence – pâle, délicat, aérien – qu'on aborde dans le même esprit qu'un vin blanc.

Dans leur forme la plus pure et achevée, les bons rosés sont des leçons de minimalisme. Ce sont des vins qui chuchotent, plutôt que de crier. Qui s'en plaindra?

DES ROSÉS POUR LA CAVE?
La rumeur veut que les rosés ne puissent pas vieillir. C'est plutôt vrai, en règle générale, mais comme toute règle, celle du rosé comporte ses exceptions. Comme de plus en plus de producteurs se refusent à précipiter la mise en bouteille de leurs rosés pour répondre à des impératifs commerciaux, on risque de trouver à la SAQ un nombre croissant de rosés de millésimes antérieurs.

Loin d'être fatigués, les 2017 commentés dans la page suivante sont encore plus complexes. Le caractère fermentaire (goût de banane et de bonbon anglais) s'est estompé au profit des saveurs plus profondes, qui s'apparentent souvent à celles d'un bon vin blanc. Les meilleurs rosés de Bandol, de Marsannay, de Tavel et du Roussillon pourront même reposer en cave encore quelques années. Une autre preuve – s'il vous en fallait une – que le rosé est un vin sérieux!

CHÂTEAU CANADEL
Bandol Rosé 2017

À son meilleur, le rosé de Bandol est l'un des vins les plus distinctifs du terroir provençal. Celui-ci conjugue à merveille la salinité propre à ses vins de bord de mer, avec la structure et la texture du cépage mourvèdre. Un brin austère en attaque, mais d'abord hyper fin, racé, complexe et capable de se bonifier en cave au cours des quatre ou cinq prochaines années.

13514861   32,75$ ★★★★ ②

CLAIR, BRUNO
Marsannay rosé 2017

Un excellent rosé 2017 produit tout au nord de la Côte d'Or, en Bourgogne, par un vigneron dont la réputation n'est plus à faire. Le caractère fruité est net et pur, rehaussé par la vitalité naturelle du pinot noir, avec juste ce qu'il faut de tenue en bouche pour procurer beaucoup de plaisir à table. Pas donné, mais la qualité est impeccable!

10916485   34,75$ ★★★★ ②

DOMAINE DE LA MORDORÉE
Tavel 2017, La Dame Rousse 2017

Ce vin affiche la couleur foncée et la structure caractéristiques de l'appellation Tavel, dans le sud de la vallée du Rhône. Un excellent rosé maintenant ouvert, mais encore plein de fraîcheur, qui fera un compagnon idéal pour les grillades terre et mer.

12376881   31,25$ ★★★★ ①

CHÂTEAU CAMBON
Beaujolais rosé 2018

Le gamay se dessine avec beaucoup de vitalité et de précision dans ce beaujolais rosé signé Marie Lapierre et Jean-Claude Chanudet. Du fruit, mais aussi une agréable amertume qui ajoute à sa profondeur. L'exemple même du bon rosé; soit une expression minimaliste et tout en délicatesse de son terroir.

12798611   25,30$ ★★★★ ② ♥

CHÂTEAU LA MARTINETTE
Côtes de Provence 2018, Rosé, Rollier de la Martinette

Oubliez le fruit. Ce qui l'emporte ici, au nez comme en bouche, dans cet assemblage de cinsault, de grenache, de syrah et de rolle est bien plus près de la terre et du minéral, que de la cime des arbres fruitiers. Des odeurs d'humus, de craie mouillée, et de sous-bois; des notes de fleurs blanches, auxquelles s'ajoutent des parfums de garrigue. La bouche est élégante. Rien n'est en trop, mais tout y est. La définition aromatique, la vinosité, la tenue et l'amertume, essentielle, qui traîne les saveurs en finale et fait saliver, accentuant au passage la sensation de salinité qui rend ce vin si digeste. Que du plaisir!

13448699   21,70$ ★★★★ ② ♥

DOMAINE CLAVEL
Pic-Saint-Loup 2018, Mescladis

Ce rosé biologique de l'appellation Pic-Saint-Loup offert depuis quelques années à la SAQ réunit toutes les qualités de légèreté, de «buvabilité» et de netteté recherchées dans ce type de vin. Les saveurs fruitées, florales et minérales sont fines et précises; la bouche s'avère juste assez structurée pour laisser une sensation très rassasiante. À moins de 20$: une valeur sûre!

12924770   19,75$ ★★★★ ② ♥

DOMAINE LES BÉATES
Coteaux d'Aix-en-Provence rosé 2018, Les Béatines

Le rosé de Pierre-François Terrat vise juste cette année encore. Très typé provençal, tant par sa couleur, que par sa délicieuse salinité qui ouvre la soif et égaye les papilles. Un vin de terroir à servir à table, autant qu'à l'apéro.

11232261   21,55$ ★★★ ½ ②

DISPONIBLES À L'ANNÉE (OU PRESQUE)

CHÂTEAU LA LIEUE

Coteaux Varois en Provence Rosé 2018

Chaque année, ce rosé produit par la famille Vial est l'un de mes favoris. Très joli nez de fraise des bois et de fleurs; bouche fraîche, saveurs nettes et délicates, portées par une saine acidité et par une fine salinité. Beaucoup de plaisir dans le verre. Biologique, en prime.

11687021   18,35$ ★★★ ½ ①

GASSIER, MICHEL

Costières de Nîmes rosé 2018, Buti Nages

Le « petit » rosé de Michel Gassier se distingue du lot cette année encore. Son attaque en bouche est hyper fraîche, gorgée de fines saveurs fruitées et florales, qu'une salinité et une saine amertume mettent en relief. Longueur et tenue remarquables! Biologique, taillé pour la table et vendu à petit prix.

427625   14,80$ ★★★ ½ ①

MIRABEAU

Côtes de Provence 2018, Rosé Classique

Vendu l'an dernier en exclusivité dans les SAQ Dépôt, le rosé de Mirabeau est maintenant disponible en grande quantité dans l'ensemble du réseau. Couleur rose pâle, nez délicat; attaque fraîche, mais vineuse, milieu de bouche plein et finale ponctuée d'amers et d'une touche saline qui fait saliver. Le nom dit vrai : c'est un excellent rosé de provençal classique.

13206121   19,95$ ★★★★ ① ♥

ARTISANS DU TERROIR, LES
Roze 2018, IGP Vin du Québec

Que de bons mots pour ce rosé de chancellor, de frontenac et de seyval noir, produit à Saint-Paul-d'Abbotsford, par la famille Guertin. Tout léger (11,8% d'alcool), frais et croquant; parfums nets de petites fraises sauvages, attaque en bouche nerveuse, affriolante et gorgée de fruit. Savoureux et hyper abordable!
10817111   13,95$ ★★★ ½ ① ♥

CANTINA, LA – VALLÉE D'OKA
Rosé du Calvaire 2018, IGP vin du Québec

Bien que son profil aromatique diffère de celui du rosé habituel, ce vin élaboré par Isabelle Charbonneau et Daniel Lalande a tout pour séduire l'amateur de rosé sérieux. Le nez embaume la poire et les agrumes, avec une pointe discrète de fruits rouges, qu'une délicate amertume rehausse en finale. Hyper frais, pur et désaltérant. On se régale!
13835648   19,95$ ★★★★ ② ♥

COURVILLE, LÉON
Détente 2018, IGP vin du Québec

Le rosé de Léon Courville et Anne-Marie Lemire est plus sec que par le passé (seulement 4,3 g/l de sucre), ce qui le rend, à mon sens, nettement plus digeste et agréable à boire. Nerveux, modérément parfumé et assez structuré pour être apprécié à table.
11686626   14,55$ ★★★ ①

DOMAINE ST-JACQUES
Rosé 2018, IGP Vin du Québec

Ce rosé de la Montérégie est vite devenu une référence pour les amateurs de vins d'ici. En 2018, de subtiles notes fermentaires rappelant la banane, se mêlent au fruit rouge. Un vin de couleur pâle, sec (moins de 4 g/l de sucre) et porté par une texture soyeuse. Une valeur sûre!
11427544   15,45$ ★★★ ½ ① ♥

MAS DES PATRIOTES
Hortensias 2018, IGP Vin du Québec

Le 2018 arbore une couleur moins foncée que le 2017 décoré d'une Grappe d'or l'an dernier. Pour satisfaire la demande des acheteurs de la SAQ – qui jugent qu'un rosé coloré est souvent perçu par les consommateurs comme étant sucré –, les vignerons ont décoloré le moût au moyen de charbon œnologique. Le vin offre la même tenue en bouche que par le passé et s'avère encore très agréable à boire, mais il me semble qu'on ait perdu un peu de nuances aromatiques dans le processus de décoloration. Dommage…
12760584   18$ ★★★ ①

ORPAILLEUR, L'
Rosé 2018, IGP Vin du Québec

Un peu timide à l'ouverture, ce rosé de seyval noir, de seyval blanc et de frontenac s'exprime davantage après quelques minutes dans le verre. Une texture fine, des saveurs fruitées pures, une certaine rondeur en bouche, mais surtout une sensation générale de fraîcheur.

Disponible à la propriété

16 $ ★★★ ①

VENTS D'ANGES, LES
Marie-Rose 2018, IGP Vin du Québec

Ce rosé produit à Saint-Joseph-du-Lac est presque sec (4,7 g/l de sucre) et offre des saveurs exubérantes, mais bien nettes de fraises, portées par une bouche ronde et acidulée. Très bon achat à moins de 15 $.

12123657   13 $ ★★ ½ ①

VIGNOBLE RIVIÈRE DU CHÊNE
Le Rosé Gabrielle 2018, IGP Vin du Québec

Depuis quelques années, ce rosé produit à Saint-Eustache connaît un parcours sans faute. Les raisins (seyval noir, ste-croix, frontenac gris, sabrevois, prairie star, marquette, frontenac blanc, vidal et seyval blanc) sont soumis à un pressurage direct, c'est-à-dire qu'ils sont pressés avant de libérer trop de pigments et de tanins. Le vin est sec et savoureux, avec de jolis parfums d'abricot et de pêche. Digeste, frais, local, original et abordable, en plus. On aime!

10817090   15,25 $ ★★★ ½ ① ♥

BADENHORST, AA
Swartland Rosé 2018, Secateurs

Un peu plus ouvert, puisque produit dans l'hémisphère Sud, et donc vinifié en mars, plutôt qu'en septembre. Sec au goût (1,6 g/l de sucre), délicat en arômes, avec une pointe d'amertume qui lui confère une longueur enviable dans cette gamme de prix.

13509252 16,85$ ★★★ ½ ① ♥

BONNY DOON
Vin Gris de Cigare 2018, California

Pour la seconde année consécutive, le rosé de Randall Grahm m'enchante un peu moins. La qualité et la délicatesse sont toujours au rendez-vous, mais il lui manque la profondeur aromatique et cette sensation saline qui le rendaient si attrayant dans les meilleures années. Malgré tout, le Vin Gris de Cigare demeure l'un des très bons rosés californiens sur le marché.

10262979 22,75$ ★★★ ①

CASTELLO DI AMA
Purple Rose 2017, Toscana

Fan de rosé de Tavel? Vous aimerez le style de cette cuvée de sangiovese, élaborée par l'un des domaines les plus respectés du Chianti Classico. Un rosé solide, presque tannique, bien en chair et en fruit, tout en restant frais. Idéal pour les grillades.

11741613 20,90$ ★★★ ½ ②

PLANETA
Rosé 2018, Sicilia

La couleur de ce rosé s'apparente à celle d'un vin blanc; les saveurs aussi, entre le melon miel et les fleurs blanches, avec des accents de fines herbes et de petits fruits aigrelets qui, conjuguées à une juste acidité, apportent une agréable sensation de fraîcheur à l'ensemble. Très bon achat!

12818361 16,95$ ★★★ ½ ① ♥

TERRE ROUGE
Vin Gris d'Amador 2017, Sierra Foothills

On trouve dans ce rosé la signature distinctive de Bill Easton. Ou serait-ce plutôt l'empreinte du terroir des Sierra Foothills? Qu'importe, je me suis vraiment régalée avec ce 2017. Les saveurs sont mûres, intenses et persistantes, mais le vin fait aussi preuve d'une finesse et d'une complexité certaines. Un excellent rosé de gastronomie, à aborder avec sérieux.

11629710   29,35$ ★★★★ ②

VILLA D'ORTA
Somontano Rosado 2018

Le Montréalais Alain Bellemare est établi dans les hauteurs de Somontano depuis 2011. En 2018, il signe un bon rosé biologique dans lequel on dénote la tenue propre au cépage cabernet sauvignon. Les saveurs sont mûres, dépourvues de toute note végétale. Sec, franc et assez structuré pour accompagner des grillades ou des mets relevés. Très bon achat!

13211851   17,15$ ★★★ ½ ① ♥ 🗨

VINS FORTIFIÉS

Ces pages regroupent des vins auxquels une certaine quantité d'eau-de-vie a été ajoutée avant, pendant ou après leur fermentation. Avant (pineau des Charentes, vermouth, calvados) et pendant (porto, banyuls, maury), elle permet de préserver le sucre naturel du raisin ; après (xérès, marsala, madère), elle contribue à hausser le taux d'alcool final du produit.

À table, les vins moelleux couronnent le repas avec une note de chaleur et de réconfort. Peu de vins offrent une si belle répartie aux saveurs puissantes et à la texture grasse de fromages goûteux, comme le bleu, par exemple.

La cote de popularité du porto a sensiblement faibli depuis 15 ans. Victimes d'un changement des habitudes de consommation dans les marchés traditionnels, les grands vintages figurent pourtant toujours parmi les vins les plus racés du monde. Cela dit, devant l'effritement des ventes, nombre de maisons historiques du Douro s'appliquent plus que jamais à l'élaboration de vins secs.

Le sud de la France est également la source de très bons vins doux naturels à Banyuls et à Maury. Élaborés principalement de grenache noir, ils sont riches et généreux, pleins d'originalité et de caractère. Et si le sucre ne vous fait pas peur, goûtez le muscat de Rivesaltes commenté dans ces pages. Vous aurez l'impression de mordre dans une grappe de raisins!

Après des décennies de déclin, la popularité des xérès connaît un regain auprès d'une jeune clientèle curieuse de saveurs nouvelles. Le goût unique de ces vins d'Andalousie défie tous les principes de l'œnologie : conservé dans des fûts remplis aux trois quarts, tout autre vin s'oxyderait, mais pas le xérès qui se trouve protégé par un voile de levures indigènes nommé *flor*. Cette *flor* lui confère par ailleurs un goût umami et des notes de noisette.

Le mot «déclaration» employé dans ces pages consacrées au porto vient de l'expression anglaise «to declare» que les producteurs de porto emploient lorsque, deux ans après la récolte, ils estiment que la qualité est suffisamment bonne pour commercialiser un porto vintage.

LES DERNIERS MILLÉSIMES À PORTO

2018

Été inhabituellement frais et très humide; la végétation a pris du retard et les vendanges ont été hyper tardives. Certaines maisons s'en sont bien tiré, mais il y a peu de déclarations à prévoir.°

2017

Chaleur et sécheresse dans le Douro et une récolte très précoce, qui a débuté vers la troisième semaine d'août. Rendements inférieurs à la normale, mais des portos colorés et concentrés. On peut anticiper plusieurs déclarations.

2016

Au terme d'une saison végétative difficile, les raisins ont peiné à mûrir dans différents secteurs. Qualité hétérogène. Comme une déclaration semble improbable, 2016 sera sans doute une année de single quinta.

2015

Une saison presque parfaite. Été de canicule et de sécheresse, suivi de quelques jours de pluie en septembre qui ont permis de rafraîchir les raisins, juste à temps pour une récolte sous le soleil. Plusieurs déclarations en perspective.

2014

Une année hétérogène. Les vignobles du Douro qui ont échappé aux pluies de septembre porteront de beaux fruits.

2013

Année très ordinaire pour le porto. Peu ou pas de déclaration en vue.

2012

Plusieurs déclarations de ce que les Anglais appellent un «*Single Quinta Vintage*». C'est-à-dire un vin commercialisé sous le nom du cru, dans les millésimes non déclarés officiellement.

2011

Les températures élevées du mois de juin ont brûlé quelques grappes, mais dans l'ensemble, ce fut une très bonne année pour le porto, avec de faibles rendements, une grande concentration, des tanins fermes et une acidité notable. La plupart des maisons ont déclaré.

2010

Autre année de sécheresse dans le Douro. Qualité jugée satisfaisante, mais peu de déclarations. Une année pour les single quinta.

2009

À la suite d'un mois d'août cuisant et sec, les vendanges ont commencé 15 jours plus tôt qu'en 2008. Il en résulte une qualité variable. Les vignobles en altitude ont donné les meilleurs vins.

Les portos vintages sont issus d'une seule récolte et produits uniquement lors d'années exceptionnelles. Ils sont généralement élevés de deux à trois ans en fûts. Ensuite, la plupart méritent de mûrir en bouteille pendant quelques dizaines d'années. Ce sont des portos chers et convoités.

Les portos LBV (late bottled vintage) sont également issus d'une seule récolte, mais ils sont aussi produits dans les millésimes moins exceptionnels. Ces portos bénéficient d'un élevage en fût d'environ quatre ans et sont prêts à boire plus rapidement.

DOMAINE LA TOUR VIEILLE
Banyuls Rimage 2017

Depuis quelques années, je redécouvre le plaisir des vins mutés à travers les banyuls et les maury. Toujours hyper frais et pimpant de jeunesse lorsque goûté de nouveau en août 2019, le Rimage 2017 de Vincent Candié affichait une fougue rare, tandis qu'une vigueur tannique lui donnait des airs de vins de soif… malgré ses 15,5% d'alcool. Toute la générosité du grenache noir, beaucoup de volume en bouche et des goûts de cerise confite, de chocolat noir et de fleurs, qui vont crescendo et tiennent la note sur plusieurs mesures. Excellent!

884908   26,95$ (500 ml)   ★★★★ ② ♥

FONSECA
Vintage 2000

Fonseca, une entreprise associée à Taylor Fladgate, produit des portos vintages à faire rêver. À plus forte raison, celui-ci est considéré comme l'un des triomphes du millésime. Un vin somptueux et encore jeune, qui témoigne d'une subtilité et d'une race incomparables. Multidimensionnel, profond et pénétrant. Une trame tannique tricotée serrée, une structure impressionnante et un large spectre aromatique. On peut très bien le goûter dès maintenant, mais rien ne sert de se presser puisqu'il restera au sommet jusqu'en 2030, au moins.

708990   120,50$ ★★★★→★

GRAHAM'S
Vintage 2017

Dégusté en primeur dans la vallée du Douro en juin 2019, le Vintage 2017 de Graham's était un monument de puissance, d'intensité et d'élégance, conjuguées au plus-que-parfait. Une matière riche et suave tapisse la langue et en mène aussi large que long en bouche. Les effluves de fruits noirs et de fleurs séchées enivrent déjà par leur pureté et leur précision, mais ce grand vin n'est pas près d'atteindre son apogée. À revoir vers 2035-2040.

13858508   153,75$ ★★★★→★ ④

OFFLEY
Late Bottled Vintage 2012

Il y a eu peu de déclarations officielles en 2012, mais cela n'a pas empêché Offley de produire un excellent LBV «traditionnel», c'est-à-dire non filtré et mis en bouteille après quatre ans, soit le minimum pour cette catégorie. Signe que ce vin est conçu pour non seulement se conserver, mais aussi continuer de se développer en bouteille, il est bouché d'un liège pleine longueur. Le 2012 brille par la concentration de son fruit; sa charpente tannique, sa profondeur et sa qualité d'ensemble en font presque un vintage. Un vin sérieux et très étoffé, vendu à un prix très abordable.

483024   20$ ★★★★ ② ♥

RAMOS PINTO
Late Bottled Vintage 2014

«On est ailleurs...» Ce sont les premières impressions que j'ai notées sur papier en goûtant ce LBV aux côtés d'une série d'autres portos, lors d'un événement qui se tenait en juin 2019, dans la majestueuse vallée du Douro. Il y avait dans ce vin une profondeur, un éclat aromatique et une longueur qui le distinguaient du lot. Les fruits de vieilles vignes complantées de touriga nacional, de sousão et de touriga franca sont vinifiés ensemble et donnent un porto riche, aux arômes intenses d'épices et de fruits noirs à noyau; une amertume noble souligne le tout et tire les saveurs en longueur. Difficile de résister. C'est un pur délice!

743187   31,25$ ★★★★ ½ ③ ♥

TAYLOR FLADGATE
Late Bottled Vintage 2012

Un LBV à l'image des autres vins de la maison Taylor: puissant et capiteux, avec un soutien tannique solide qui encadre la masse fruitée et harmonise le tout. Large spectre de saveurs entre le kirsch et la confiture de framboise, les herbes séchées, le poivre et la réglisse. Aussi disponible en demi-bouteille (12490078; 13,20$).

46946   21,85$ ★★★ ½

Le porto tawny est issu d'un assemblage de différentes récoltes et vieilli en fûts durant plusieurs années, soit 10, 20, 30 ou 40 ans. On le reconnaît par sa robe ambrée et ses arômes de noix grillées ou de caramel. S'il porte la mention «colheita», il est alors issu d'une seule récolte et vieilli au moins sept ans en fûts.

DOMAINE LA TOUR VIEILLE
Banyuls Reserva

Un excellent rapport qualité-prix pour ce banyuls aux arômes de fruits secs et de noix caramélisées. La bouche, à la texture onctueuse, égrène des saveurs riches et complexes, tout en faisant preuve d'une grande fraîcheur. Peu de tanins et presque sec en finale, un équilibre remarquable et tout indiqué pour la table, avec des fromages (particulièrement les bleus) ou des desserts sucrés-salés, aux fruits secs ou aux noix. Se garde très bien pendant plusieurs jours une fois ouvert.

884916   33,25$ ★★★★

GRAHAM'S
Tawny 10 ans

Porte-drapeau de l'empire Symington, cette entreprise tricentenaire est l'un des grands noms du vintage et propose une gamme complète de vins, tous impeccables. Riche et fruité, aux délicieux accents de caramel salé; très nourri et parfaitement épanoui. Savoureux!

12484436   30$ ★★★★

GRAHAM'S
Tawny 20 ans

Ce remarquable tawny illustre avec éclat que 20 ans est sans doute l'âge idéal pour ce type de vin. Plus complexe et plus raffiné que le 10 ans, plus doux et plus charnu, et surtout beaucoup moins cher que le 30 ans et le 40 ans. À la fois puissant et velouté, très onctueux, vaporeux, et offrant cette finale typique teintée de vanille et de crème brûlée. Sensationnel!

12299610   60$ ★★★★★

RAMOS PINTO
Tawny 10 ans, Quinta da Ervamoira

Cette maison appartenant au groupe champenois Roederer est avant tout reconnue pour ses délicieux vins des *quintas* Bom Retiro et Ervamoira, des références en matière de tawny. Le 10 ans est remarquable tant par son équilibre que par sa vigueur et par la plénitude de ses saveurs. Excellent comme toujours.

133751   46,25$ ★★★★

RAMOS PINTO
Tawny 20 ans, Quinta do Bom Retiro

Le Tawny 20 ans de Ramos Pinto est une valeur sûre au sein des tawnys. Couleur soutenue et ambrée, nez évolué et complexe aux accents de fruits secs, avec une finale somptueuse aux notes caramélisées qui rappellent la tire éponge. Cher, mais au sommet de sa catégorie.

133769   90,25$ ★★★★★

TAYLOR FLADGATE
Tawny 20 ans

Taylor Fladgate n'excelle pas seulement dans l'élaboration de portos jeunes et vigoureux. Elle commercialise aussi une gamme de brillants tawnys. Splendide vin onctueux et subtilement parfumé de notes affriolantes de vanille et de cacao. La quintessence du tawny.

149047   69,75$ ★★★★ ½

WARRE'S
Otima Tawny 10 ans

Warre's, la plus ancienne des vieilles firmes britanniques (1670), appartient au groupe de la famille Symington. Le 10 ans de la gamme Otima offre des saveurs de figue, de datte, de caramel brûlé et de noix de Grenoble. Soyeux, velouté et d'une tendreté alléchante, mais aussi doté d'une certaine tenue.

11869457   24$ (500 ml)   ★★★ ½

WARRE'S
Otima Tawny 20 ans

La texture et le relief de ce vin suave et parfumé distillent un charme irrésistible. Sucre brun, champignons séchés, dattes et épices culminent en une longue finale chaleureuse et vaporeuse.

10667360   41,25$ ★★★ ½

Plutôt que de les présenter par ordre alphabétique, les vins suivants ont été classés par style, du plus sec et léger au plus liquoreux.

LA GITANA
Manzanilla, Hidalgo

Très typé : sec, vif, léger et original avec ses accents saumurés, bien qu'un peu moins fin que les meilleures manzanillas sur le marché. Comme la plupart des xérès secs, il offre un rapport qualité-prix hors pair.

12284039   22,75$ ☆☆☆

LA GUITA
Manzanilla

Au rayon des aubaines, il faudra aussi retenir cette manzanilla, arrivée sur les tablettes de la SAQ au courant de la dernière année. Un peu moins délicat et complexe que la cuvée Papirusa de Lustau, mais tout aussi original, avec ses notes de bord de mer ; très sec et de bonne tenue.

13454626   18,35$ ☆☆☆ ① ♥

LA GUITA
Manzanilla En Rama

Les fino et manzanilla dits «en rama» sont préle-vés directement depuis le butt – le tonneau de 600 litres traditionnel – et mis en bouteille avec peu ou pas de filtration ou de stabilisation à froid. Il en résulte des vins plus parfumés et onctueux. Celui de La Guita, quoique modeste, est un exemple accessible et fidèle au genre : très sec, mais plus onctueux que la moyenne, complexe et relevé de goûts umami qui persistent en finale. Dépaysement garanti à peu de frais.

13849038   16,70$ (375 ml)   ☆☆ ½ ① ♥

LUSTAU
Manzanilla, Papirusa

Plus délicat que le Puerto Fino, mais aussi plus salin, et marqué par des notes iodées, typiques des xérès produits à Sanlucar de Barrameda, en bordure de l'Atlantique. Archisec et désaltérant, même avec une teneur en alcool à 15%. Servir frais avec des amandes et des olives vertes, c'est un plaisir estival sans égal.

11767565   13,75$ (375 ml)   ☆☆☆☆ ① ♥

LUSTAU
Fino, Puerto Fino

L'archétype du fino : vivifiant et tonique, à la texture ample et aux arômes caractéristiques d'olive verte. Très sec, rafraîchissant et d'une complexité aromatique incomparable, que met en relief une acidité bien présente. Il sera à son meilleur à l'apéro, par une chaude journée d'été.

11568347   22,75$ ☆☆☆☆ ① ♥

GONZALEZ BYASS
Fino, Tío Pepe

Le fino le plus connu au monde est toujours aussi bon. Un xérès jeune et frais en bouche, étonnamment facile à boire en dépit de son taux d'alcool de 14,5 %. À noter que Gonzalez Byass commercialise aussi un somptueux xérès « en rama », qui brille malheureusement par son absence sur les tablettes de la SAQ. Aussi disponible en demi-bouteille (743997 ; 9,90 $).

242669   19,50$ ☆☆☆

LUSTAU
Oloroso, Don Nuño

L'oloroso n'a jamais été élevé « sous voile ». Riche et vineux, mais pourtant sec, il laisse en bouche une sensation chaleureuse et enveloppante. Persistant, savoureux, relevé de notes complexes de torréfaction et de noix. Un excellent compagnon pour les poissons grillés.

13035851   31$ ☆☆☆☆ ▼

LUSTAU
East India Solera

Un xérès vieilli dans un chai chaud et humide, pour tenter de reproduire les effets d'un transport maritime en climat tropical. Fruit d'un assemblage d'oloroso classique et de pedro ximénez (20 %), le East India fait preuve d'une richesse et d'une race uniques, déroulant en bouche des arômes fumés et torréfiés, entre les noix rôties, le caramel brûlé et les fruits séchés. Une spécialité andalouse exquise à savourer comme un dessert liquide.

12993011   24,95$ (500 ml)   ☆☆☆☆ ½ ②

Le vermouth est un apéritif à base de vin blanc, fortifié avec une eau-de-vie et ensuite aromatisé.

BADENHORST, ADI
Caperitif

En 2014, le mixologue danois Lars Lyndgaard a proposé à Adi Badenhorst, vigneron réputé du secteur de Swartland, de l'aider à redonner vie au Caperitif, une boisson très populaire à la fin du XIXe siècle. Dans sa version moderne, ce vin blanc est muté à l'alcool et aromatisé de quinine, ainsi que d'un assemblage d'herbes et d'épices authentiquement sud-africaines, comme le fynbos – végétation qui s'apparente à la garrigue méditerranéenne – et l'écorce de naartjies, une mandarine locale. Savoureux en lui-même, on peut le servir frais, sur glace ou accompagné d'un trait de soda tonique.

12831872 28,40$ ☆☆☆☆ ♥

6 009800 591569

BLENDED & MATURED
Vermut, Vermell

Un vermouth espagnol, produit dans la région d'Alicante et issu de garnacha et de monastrell, additionnés d'un moût concentré de moscatel. Le vin est ensuite mis à macérer pendant deux mois avec une vingtaine d'aromates. Il en résulte un vin riche et complexe, auquel une juste dose de tanins apporte une agréable fraîcheur. Une amertume noble tire par ailleurs les saveurs de menthe, de fleurs et d'épices en finale.

8 414606 512485

13229963 25,65$ ★★★★

DOMAINE LAFRANCE
Rouge Gorge, Vermouth de cidre

La famille Lafrance signe un délicieux vermouth à base de cidre et d'eau-de-vie de pommes distillée au domaine de Saint-Joseph-du-Lac, dans les Laurentides. Le tout est assaisonné d'une centaine d'herbes et épices. Les puristes lui reprocheront peut-être de ne pas être élaboré à partir de vin, comme le veut la tradition, mais sa rondeur et ses goûts généreux de pomme cuite et d'épices auront vite fait de les rallier.

0 841125 074152

12979092 21,75$ ★★★ ½

GONZALEZ BYASS
Vermouth rouge, La Copa

Délicieux et marqué par les parfums d'un oloroso. Des goûts de noix et de fruits secs s'ajoutent aux notes d'herbes, de quinine et d'épices, créant un ensemble assez complexe. Bon équilibre entre la douceur et l'amertume, bien que je l'aurais aimé davantage avec un peu moins de sucre. À apprécier sur glace ou en negroni.

13137647   24,40$ ★★★ ½

LUSTAU
Vermouth

L'intensité en bouche de ce vermouth et sa richesse ne sont pas sans rappeler celles d'un oloroso. Parfumé d'armoise, de coriandre, d'angélique, de gentiane, de sauge et d'écorce d'orange, il offre plus de structure et de longueur que la plupart des vermouths sur le marché. Bonne extraction tannique, amers de qualité et saveurs complexes, mariant les herbes médicinales à l'orange et aux accents d'épices douces. Excellent vermouth que tout amateur de negroni devrait avoir en réserve à la maison.

12979084   28,55$ ★★★★

MARTINEZ LACUESTA
Vermouth Rojo

Un vermouth de couleur ambrée produit à Haro, dans la région espagnole de la Rioja et dont la recette remonte à 1937. Le nez est relevé d'herbes, d'épices et de vanille, peut-être attribuable à un élevage en fûts de chêne américain. Le sucre est présent, mais une trame amère et des notes de menthe séchée apportent un contrepoids à la richesse et à l'alcool. Très bon rapport qualité-prix.

13264275   16,15$ ★★★ ♥

VAL CAUDALIES
Vermouth sec, Lab

Vermouth blanc québécois, nettement moins sucré que le vermouth rouge du domaine, et aussi nettement plus distinctif et savoureux, à mon sens. Au nez, on sent l'apport aromatique des cépages frontenac gris et frontenac blanc dans le vin de base, qui est muté, puis mis à macérer avec de la gentiane, de l'absinthe, du piment de la Jamaïque, de l'ananas, de l'olive verte et une dizaine d'aromates. Un vermouth très agréable en martini, mais que l'amateur d'amers pourra aussi apprécier sur glace.

13530078   24,65$ (500 ml)   ☆☆☆☆

CHÂTEAU DE BEAULON
Pineau des Charentes, 5 ans

Ce grand domaine des Charentes élabore des blancs distingués – les rouges sont un peu plus anonymes. La cuvée 5 ans d'âge est un très bon vin parfumé, dont la douceur ne fait pas obstacle à la fraîcheur en bouche. Un classique. Tout à fait recommandable.

66043   20,90$ ☆☆☆

DE BARTOLI, MARCO
Marsala Superiore Oro 5 Anni, Vigna La Miccia

Les consommateurs québécois ont appris à connaître cette maison sicilienne à travers d'excellents vins blancs secs, mais Marco de Bartoli a véritablement forgé sa réputation avec les vins fortifiés de Marsala. Son Vigna La Miccia est si finement équilibré qu'on en oublie presque sa richesse. La bouche s'ouvre sur des parfums d'épices et de vanille ; vient ensuite un bouquet d'orange caramélisée et d'huiles essentielles d'agrumes. Ces dernières offrent une superbe répartie à l'onctuosité du vin et culminent en une longue finale relevée et éthérée.

12612531   47,75 (500 ml)   ☆☆☆☆ ½ Ⓢ

DOMAINE CAZES
Muscat de Rivesaltes 2018

Cette année encore, un muscat aux parfums irrésistibles de fleurs d'oranger, de marmelade d'orange amère, de citrons confits et d'herbes séchées. Bien que très sucré (110 g/l), le vin n'accuse aucune lourdeur et trouve son équilibre dans un mariage finement dosé de structure et d'amertume, qui font contrepoids à la richesse en bouche. Un classique qu'on pourra apprécier en jeunesse, pour l'exubérance de ses arômes, ou avec quelques années de repos, pour un supplément de nuances.

961805   26,05$ ☆☆☆☆ ② ♥

FERREIRA
Porto blanc

Propriété du groupe portugais Sogrape, Ferreira produit aussi un excellent porto blanc. Doré et très doux, à la texture tendre et onctueuse. Ne pas confondre avec le type de porto extra dry. On peut le servir très frais, à l'apéritif ou à la fin du repas, en guise de vin de dessert.

571604   15,85$ ☆☆☆☆

FLORIO
Marsala, Vecchioflorio, Duca Di Salapurata

Encore mal connu – sans doute parce qu'il est surtout utilisé en cuisine –, le marsala est pourtant un grand vin fortifié. Il est produit exclusivement en Sicile, à partir de jus de raisin chauffé, donc concentré, auquel une certaine quantité d'alcool est ajoutée. Celui-ci arbore une couleur de rhum brun, un nez riche aux senteurs de pruneau. Un vin chaleureux, tonique et puissant.

67199   15$ ☆☆☆

FONSECA
Porto blanc

Un porto blanc aux doux parfums d'amande et de noisette; expressif, généreux, moelleux et très caressant, mais surtout harmonieux. À boire très frais sans glaçons ou encore coupé de soda tonique, avec citron.

276816   15,65$ ☆☆☆ ½

JOSE MARIA DA FONSECA
Moscatel de Setúbal 2012

Spécialité de la maison José Maria da Fonseca – aucun rapport avec les portos Fonseca, commenté ci-dessus –, cet excellent vin moelleux aromatique est une tradition de la péninsule de Setúbal, au sud de Lisbonne. Le muscat est muté avec de l'eau de vie, puis élevé pendant quelques années dans des fûts neutres. Le 2012 est tendre, doux, velouté et embaume la figue et l'abricot séché, les épices et le sucre brûlé. Même s'il est prêt à boire, il peut se conserver encore de longues années. Le moscatel de Setúbal est apparemment indestructible.

357996   16$ ☆☆☆☆ ♥

OFFLEY
Porto blanc Cachucha

Issu de vignes blanches portugaises (malvasia, codega, rabigato, etc.) plantées dans la *quinta* de Cachucha, et mûri pendant six ans en fûts de chêne. Riche et onctueux, et pourtant frais en bouche et facile à boire, doté d'une dimension aromatique remarquablement intense et persistante. Quatre étoiles bien méritées, car il domine dans la catégorie du porto blanc. Idéal en apéritif, servi sur glace et allongé de soda tonique.

582064   20,70$ ☆☆☆☆ ♥

LES BONNES ADRESSES DE NADIA

MONTRÉAL ET LA RÉGION

AU PIED DE COCHON
536, avenue Duluth Est, Montréal, 514-281-1114

Le chef Martin Picard prépare une cuisine généreuse et goûteuse. Le porc est présent sous toutes ses formes, accompagné d'une carte de vins étoffée qui comporte de nombreuses raretés.

BISTRO ROSIE
1498, rue Bélanger, Montréal, 514-303-2010

Vu de l'extérieur, Rosie a l'air d'un autre petit bistro de quartier décontracté et sympathique dont Montréal a le secret. Mais dans l'assiette on saisit toute l'ampleur du talent et de la maîtrise du chef-copropriétaire, Jérémy Daniel-Six. Le service est aussi mené de main de maître par Sophie Duchastel de Montrouge, copropriétaire, qui propose une très belle sélection de vins digestes, taillés pour la table, dont quelques belles trouvailles du Québec. Aussi ouvert pour les lunchs en semaine.

BOUILLON BILK
1595, boulevard Saint-Laurent, Montréal, 514-845-1595

Depuis son ouverture, le restaurant de Mélanie Blanchette et de François Nadon donne un souffle nouveau à ce segment peu fréquenté du boulevard Saint-Laurent, en marge du Quartier des Spectacles. La taille de la salle à manger a plus que doublé au cours des dernières années, mais la qualité des plats et du service demeure inchangée. Une adresse très sérieuse, sans être guindée. La carte des vins est meublée avec beaucoup de goût.

BRASSERIE T
1425, rue Jeanne-Mance, Montréal, 514-282-0808

Le célèbre restaurant de Normand Laprise a maintenant son antenne sur la place des Festivals. On y sert une cuisine bistro sans prétention, qui mise néanmoins sur des produits de première qualité. La carte des vins est, en quelque sorte, un modèle réduit de celle du Toqué!

BUVETTE CHEZ SIMONE
4869, avenue du Parc, Montréal, 514-750-6577

La Buvette est un lieu chaleureux où il fait bon s'attabler entre amis. Simple et sans prétention, le menu propose quelques entrées et des plats copieux de poulet rôti. Belle sélection de vins au verre.

CADET
1431, boulevard Saint-Laurent, Montréal, 514-903-1631

Le si joliment nommé «petit frère» du Bouillon Bilk est une autre adresse incontournable à deux pas du Quartier des Spectacles. Le menu est moins élaboré que celui du Bouillon Bilk, mais la cuisine est bien exécutée et la carte des vins, comme le service, le lui rendent bien.

CANDIDE
551, rue Saint-Martin, Montréal, 514-447-2717

Une adresse un peu atypique, située dans l'ancien presbytère de l'église Saint-Joseph, dans la Petite-Bourgogne. La cuisine du chef John Winter Russell est locavore, issue d'ingrédients locaux et de saison. La sommelière Émily Campeau, aujourd'hui installée en Autriche, continue de veiller sur la carte des vins et des alcools, où les boissons locales occupent, elles aussi, une place de choix.

GRAZIELLA
116, rue McGill, Montréal, 514-876-0116

Grand restaurant dans tous les sens du terme : salle étendue et beauté des murs. La chef réputée Graziella Battista prépare une cuisine italienne précise et sans ostentation. Grand choix de vins, principalement d'Italie.

GRUMMAN'78
630, rue de Courcelle, Montréal, 514-290-5125

De *food truck* à restaurant, cette adresse du quartier Saint-Henri nous donne l'impression d'un voyage dans le sud des États-Unis, avec son décor industriel, sa cuisine, son ambiance. Tacos, ceviche, quesadillas et autres classiques de la cuisine tex-mex sont revisités avec bon goût et accompagnés d'une belle carte des vins, avec un penchant marqué pour les vins de petits producteurs, souvent biologiques.

H4C
528, Place Saint-Henri, Montréal, 514-316-7234

Dans le décor d'une ancienne banque, ce restaurant apporte un vent de fraîcheur dans ce quartier en pleine revitalisation. La cuisine du chef Dany Bolduc est goûteuse, témoigne d'un grand sens du détail et s'accompagne d'une carte des vins on ne peut plus digne. L'amateur curieux sera comblé !

HAMBAR
355, rue McGill, Montréal, 514-879-1234

Au rez-de-chaussée de l'Hôtel Saint-Paul, le Hambar fait davantage office de bar à vin que de restaurant. L'établissement se spécialise dans les charcuteries et propose, entre autres, du jambon *pata negra* à prix fort. Carte des vins étoffée, avec quelques grandes bouteilles de Bourgogne et de Bordeaux.

HOOGAN & BEAUFORT
4095, rue Molson, Montréal, 514-903-1233

L'un des meilleurs nouveaux restaurants de Montréal a élu domicile au cœur du technopôle Angus, dans les anciennes usines du Canadien Pacifique. Le chef Marc-André Jetté reste fidèle au style très raffiné et hautement digeste qui l'a fait connaître. Les plats sont essentiellement cuisinés sur un immense four à bois qui occupe une bonne partie de la cuisine ouverte et accompagnés de très bons vins.

IL PAGLIACCIO
365, avenue Laurier Ouest, Montréal, 514-276-6999

Manuel Silva a officié pendant une vingtaine d'années au restaurant Le Latini avant d'ouvrir cet établissement à l'angle des avenues Parc et Laurier. Pas étonnant donc que l'on y retrouve la même cuisine italienne classique et sans chichi, mais élaborée avec des produits de première qualité. La carte des vins, quoique concise, propose quelques raretés en importation privée.

JOE BEEF/LIVERPOOL HOUSE
2491 et 2501, rue Notre-Dame Ouest, Montréal, 514-935-6504 / 514-313-6049

Au cœur de la Petite-Bourgogne, ces deux établissements voisins admirablement tenus par les chefs David McMillan et Frédéric Morin ont valeur de référence tant par l'originalité des lieux que par la créativité dans la cuisine. L'une des meilleures adresses montréalaises où manger des huîtres. Les vins sont choisis avec soin et la carte est très diversifiée.

JUNI
156, avenue Laurier Ouest, Montréal, 514-276-5864

Dans un cadre simple et dépouillé, une cuisine asiatique aussi exquise que raffinée. Une belle carte des vins présentée soigneusement et riche de plusieurs vins et de saké d'importation privée.

LA CHRONIQUE
99, avenue Laurier Ouest, Montréal, 514-271-3095

L'une des meilleures tables de Montréal. Une cuisine moderne et précise, une carte très élaborée, avec une belle sélection de vins de Bourgogne, et un très bon choix de vins servis au verre. Service ultra professionnel.

LARRY'S
9, avenue Fairmount Est, Montréal

On arrive dans ce café de l'avenue Fairmount à l'heure du petit-déjeuner et on y reste aisément jusqu'à l'heure de l'apéro. Le local est grand comme une boîte de sardines, le service, très décontracté, le menu et la carte des vins sont plutôt sommaires, mais on a envie de goûter à tout. Simple et bon.

LE CLUB CHASSE ET PÊCHE
423, rue Saint-Claude, Montréal, 514-861-1112

Ce restaurant compte toujours parmi les meilleures tables de la métropole. Cuisine inventive et exquise, aussi impeccable que la sélection des vins de Ray Manus. L'une des bonnes adresses pour savourer de grands crus de Bourgogne.

LE FILET
219, avenue du Mont-Royal Ouest, Montréal, 514-360-6060

Les propriétaires du Club Chasse et Pêche et le sommelier Patrick St-Vincent tiennent le fort à cette adresse bien fréquentée, située en face du parc Jeanne-Mance. Le poisson et les crustacés sont à l'honneur, servis en petites portions – façon tapas – et assortis d'une carte des vins concise, très soignée et renouvelée fréquemment.

LEMÉAC
1045, avenue Laurier Ouest, Montréal, 514-270-0999

Le bistro outremontois à la mode, agrémenté d'une jolie terrasse à l'année. Décor clair et dépouillé, très bonne cuisine moderne, d'une constance exemplaire et service efficace. Très belle carte des vins, avec une sélection considérable de vins au verre.

LE ST-URBAIN
96, rue Fleury Ouest, Montréal, 514-504-7700

Un sympathique bistro nouvelle vague, une grande salle claire et dépouillée. Très bonne cuisine présentée par le chef Marc-André Royal et une liste de vins bien constituée.

LE SERPENT
257, rue Prince, Montréal, 514-316-4666

Nouveau-né des propriétaires du Club Chasse et Pêche. Cuisine italienne impeccable et service avenant ; le lieu est chic, stylé, tenu de main de maître par Denis Lessard, et on peut y tenir une conversation sans y perdre la voix. La carte des vins de Philippe Boisvert est variée, minutieusement choisie et la politique de prix est «terrestre».

LES FILLETTES
1226, avenue Van Horne, Montréal, 514-271-7502

Une jeune équipe de restaurateurs a donné une seconde vie à ce célèbre local de l'avenue Van Horne qui a hébergé le Paris-Beurre pendant une trentaine d'années. Look revampé et mis au goût du jour – on a enlevé les nappes et éclairci le décor – et cuisine toujours aussi savoureuse. Carte des vins concise, mais variée ; service courtois et professionnel. En prime : une terrasse verdoyante.

LE VIN PAPILLON
2519, rue Notre-Dame Ouest, Montréal.

Le bar à vin de la famille Joe Beef est lui aussi situé au cœur de la Petite-Bourgogne. Le sommelier Alex Landry tient le fort et propose une sélection aussi inspirée qu'inspirante des meilleurs crus de la planète, le plus souvent «nature», sinon biologiques. Plaisir garanti ! Aucune réservation.

L'EXPRESS
3927, rue Saint-Denis, Montréal, 514-845-5333

Avec raison, L'Express demeure l'une des véritables institutions montréalaises. Depuis une trentaine d'années déjà, une bonne adresse toujours animée, où savourer de bons plats typiques de la cuisine bistro française, avec un vaste choix de vins européens, dont quelques raretés vendues à prix tout à fait correct.

LILI CO.
4675, boulevard Saint-Laurent, Montréal, 514-507-7278

Ce restaurant a élu domicile sur la *Main*, juste au sud de la rue Villeneuve. Du mardi au dimanche, le chef David Pellizzari y décline un éventail de plats aussi créatifs que raffinés, que Catherine Draws honore d'un service ultra-professionnel et très élégant. Belle carte des vins, la plupart vendus à un prix attrayant.

MAISON BOULUD
1228, rue Sherbrooke Ouest, 514-842-4224

Tout nouvellement rénové, le restaurant du chic Ritz-Carlton porte l'enseigne prestigieuse du chef étoilé Daniel Boulud. Fine cuisine du marché et carte des vins tout à fait à la hauteur de l'établissement, ponctuée de quelques curiosités. Superbe terrasse en été et verrière pour les saisons fraîches.

MARCONI
45, avenue Mozart Ouest, Montréal, 514-490-0777

La nouvelle adresse du chef Mehdi Brunet-Benkritly est une belle addition dans le paysage de la Petite-Italie. La carte des vins met en valeur la cuisine avec un choix varié, misant sur les classiques comme sur les tendances de l'heure. Service à la fois décontracté et professionnel.

MOLESKINE
3412 Avenue du Parc, Montréal, 514-903-6939

Frédéric St-Aubin et les propriétaires du Pullman ont ouvert cette nouvelle adresse à quelques numéros civiques du populaire bar à vin de l'avenue du Parc. Au rez-de-chaussée, un espace décontracté s'articule autour d'une cuisine ouverte ; on y sert essentiellement de la pizza cuite au four à bois et des vins en fûts d'excellente qualité. L'étage supérieur propose une cuisine gastronomique, assortie d'une belle carte des vins, choisie par la sommelière Véronique Dalle.

MON LAPIN
150, rue Saint-Zotique Est, Montréal

La sommelière Vanya Filipovic et le chef Marc-Olivier Frappier sont à la barre de la nouvelle adresse de la Petite-Italie. Une belle place est accordée aux légumes, poissons et fruits de mer. La cuisine et le service sont impeccables, tout comme la sélection de vins, hétéroclite et judicieusement choisie.

MONTRÉAL PLAZA
6230, rue Saint-Hubert, Montréal, 514-903-6230

La nouvelle maison de Charles-Antoine Crête – le petit génie qui a tenu la barre des cuisines du Toqué! pendant près de 10 ans – et de Cheryl Johnson. Samuel Chevalier (jadis sommelier chez Toqué! et Le Filet) veille sur la carte des vins et spiritueux. Ouvert sept soirs sur sept.

MILOS
5357, avenue du Parc, Montréal, 514-272-3522

La célèbre table hellénique est réputée depuis longtemps pour ses spécialités de poissons. Excellente cuisine et service impeccable. Une carte des vins assez diversifiée et un vaste choix de crus grecs rappelant l'origine des propriétaires.

NORA GRAY
1391, rue Saint-Jacques, 514-419-6672

Deux anciens de chez Joe Beef ont ouvert récemment cette excellente table dans un segment peu fréquenté de la rue Saint-Jacques. On y sert une cuisine italienne aussi savoureuse que réconfortante, assortie d'une sélection pointue de vins de tous horizons. Ambiance animée et service courtois.

PASTAGA
6389, boulevard Saint-Laurent, 438-381-6389

Sur ce segment moins achalandé du boulevard Saint-Laurent, entre le Mile End et la Petite Italie, le chef Martin Juneau poursuit avec l'esprit de créativité qui a jadis fait le succès de la Montée de Lait. On y sert des plats de taille moyenne que l'on partage volontiers afin de pouvoir goûter à tout. Penchant affiché pour les vins «nature», sans ajout soufre.

PETIT ALEP
199, rue Jean-Talon Est, Montréal, 514-270-9361

Voisin du restaurant Alep, cette petite table animée et fort sympathique, ouverte les midis et les soirs, propose dans un cadre décontracté une cuisine syrienne savoureuse, mise en valeur par une très vaste sélection de vins «nature».

PULLMAN
3424, avenue du Parc, Montréal, 514-288-7779

Cet établissement moderne du Centre-ville est un incontournable pour tout amateur de vin de Montréal. La carte propose de nombreuses petites bouchées inventives et savoureuses. Le service très courtois et professionnel fait honneur à un choix de vins de très grande qualité.

ROUGE-GORGE
1234, avenue Mont-Royal Est, Montréal, 514-303-3822

Le bar à vin d'Alain Rochard et Laurent Farre – anciens propriétaires du restaurant Le Continental – s'est vite imposé comme un incontournable pour les amateurs de vins du Plateau. L'établissement possède un permis de bar, il n'est donc pas nécessaire d'y manger. Cela dit, le Rouge Gorge propose aussi une belle brochette de petits plats pour apaiser la faim, tout en explorant la carte des vins.

SATAY BROTHERS
3721, Rue Notre-Dame Ouest, Montréal, 514-933-3507

Après avoir longtemps oscillé entre une adresse estivale (au marché Atwater) et une adresse hivernale dans la rue Saint-Jacques, les frères Winnicki ont finalement élu domicile rue Notre-Dame, dans le quartier Saint-Henri. La carte des vins est concise, mais recherchée et se marie à ravir à une cuisine singapourienne, aussi exotique que délicieuse.

TAPÉO/MESÓN
511 rue Villeray, 514-495-1999 / 345, rue Villeray, Montréal, 514-439-8089

Deux adresses, un même groupe de propriétaires et une même chef: Marie-Fleur Saint-Pierre. Le premier s'est vite imposé comme une référence en matière de restaurant à tapas à Montréal, bien avant la mode des petits plats à partager. Le petit «nouveau» est situé quelques pas à l'ouest, et propose aussi une cuisine espagnole moderne, en formule bistro de quartier. La carte des vins des deux établissements propose une belle sélection de vins ibériques, dont d'excellents cava et xérès.

TOQUÉ!
900, place Jean-Paul-Riopelle, Montréal, 514-499-2084

Servie dans le cadre moderne du Quartier international de Montréal, la cuisine de Normand Laprise et de sa brigade mérite largement sa place au sein de l'élite gastronomique nord-américaine. Inspirée, savoureuse et mettant toujours en valeur les produits d'artisans locaux. Carte des vins aussi éclectique que recherchée, dont plusieurs raretés. En semaine, menu du midi à prix attrayant.

VINVINVIN
1290, rue Beaubien Est, Montréal.

Ouverte au printemps 2019, cette nouvelle adresse de la Petite-Patrie est née de l'initiative des équipes des brasseries Isle de Garde et Harricana et de l'agence de représentation en vin Ward & Associés. La chef Marina de Figueiredo concocte une cuisine nordique hyper fraîche et le sommelier Nikolas da Fonseca propose une carte des vins essentiellement «nature».

LAVAL ET LES LAURENTIDES

LA BELLE HISTOIRE
75, chemin Masson, Sainte-Marguerite-du-Lac-Masson, 450-228-1595

La sommelière Sophie Allaire renoue avec un lieu qui l'a vue grandir et redonne vie au Bistro à Champlain – lieu mythique des Laurentides renommé pour sa cave à vin exceptionnelle – avec son conjoint, le chef Étienne Demers (Les 400 coups, Hoogan & Beaufort). La cuisine, raffinée et précise, fait la part belle aux produits locaux de saison et la carte des boissons, bien que plus modeste que celle du bistro, reste très alléchante et témoigne d'un amour profond et sincère du vin.

LE MITOYEN
652, rue de la Place publique, Laval, 450-689-2977

Dans sa belle maison ancestrale du quartier Sainte-Dorothée, Richard Bastien prépare une cuisine classique raffinée, mise en valeur par une carte des vins diversifiée dont plusieurs belles bouteilles. Bon choix de vins au verre.

L'ÉPICURIEUX
2270, rue de l'Église, Val-David, 819-320-0080

Fanny Ducharme signe un menu inspiré d'ingrédients locaux (souvent sauvages), dans une maison ancestrale située aux bords de la rivière du Nord. La carte de vins, sélectionnée par le sommelier Nicolas Quinto, comporte quelques curiosités, dont quelques belles bouteilles de vins nature néo-zélandais et chiliens. Le service en salle est décontracté, mais professionnel.

LE SAINT-CHRISTOPHE
94, boulevard Sainte-Rose, Laval, 450-622-7963

Dans une ancienne demeure agrémentée d'une terrasse, une excellente cuisine inspirée des traditions du sud de la France. Carte de vins exclusivement français,

MONTÉRÉGIE, CANTONS-DE-L'EST ET CENTRE-DU-QUÉBEC

AUBERGE WEST-BROME
128, route 139 Sud, West-Brome, 450-266-7552

À mi-chemin entre Cowansville et Sutton, cette auberge bicentenaire abrite aussi l'une des bonnes tables de la région de Missisquoi. Menu bistro le midi et cuisine plus élaborée en soirée, tous deux essentiellement composés de produits locaux. Le carte des vins compte plusieurs belles surprises.

AUGUSTE
82, rue Wellington Nord, Sherbrooke, 819-565-9559

Sympathique bistro situé au centre-ville de Sherbrooke. Le décor est épuré et la cuisine s'accompagne d'une belle carte des vins, dont plusieurs belles options au verre.

CAFÉ MASSAWIPPI
3050, chemin Capelton, North Hatley, 819-842-4528

La cuisine de Dominic Tremblay est servie entre les murs d'une coquette maison de campagne. Service courtois et attentif; carte des vins bien garnie, mais classique.

CAPICHE
192, rue Brock, Drummondville, 819-477-1515

Situé au cœur du centre-ville, ce restaurant d'inspiration italienne mérite un arrêt à Drummondville. La cuisine y est dirigée par le chef Samuel Boivin, qui a peaufiné son art au Toqué!, aux côtés de Charles-Antoine Crête. Les produits locaux rencontrent les saveurs italiennes et toutes les pâtes, depuis les gnocchis aux pappardelles, sont fraîches et faites maison. Marie-Michèle Grenier, précieuse collaboratrice du *Guide du vin*, signe une carte des vins 100% italienne.

L'IMPÉRIAL
320, boulevard Leclerc Ouest, Granby, 450-994-1922

Le chef François Côté a quitté les cuisines du restaurant montréalais Joe Beef il y a un peu plus de cinq ans pour ouvrir son propre restaurant à Granby. La cuisine est copieuse et savoureuse – les pâtes au homard valent le détour à elles seules – et la carte des vins compte nombre de belles bouteilles, dont plusieurs importations privées. Tellement bon qu'on a envie de faire un détour par Granby pour s'y poser.

MANOIR HOVEY
575, chemin Hovey, North Hatley, 819-842-2421

Au bord du lac Massawippi, cette belle demeure d'influence sudiste est un haut lieu de l'hôtellerie dans les Cantons-de-l'Est. Cuisine sophistiquée, concoctée par le chef Francis Wolf. Peu d'aubaines, mais des crus choisis avec soin.

TABLE FERMIÈRE
3809, rue Principale, Dunham, 450-814-1500

Dans l'ancien relais de diligences de Dunham, voisin de la Brasserie Dunham, le chef Luc Pinard propose déjà une cuisine fine, qui met en valeur les produits de maraîchers et éleveurs locaux. Vaste sélection de bières d'envergure gastronomique, carte des vins bien choisie et service décontracté et professionnel.

QUÉBEC ET LA RÉGION

LE PIED BLEU
179, rue Saint-Vallier Ouest, Québec, 418-914-3554

Dans un décor tout droit sorti d'une autre époque, cet établissement de la vieille capitale se définit comme un «bouchon lyonnais». C'est-à-dire inspiré de la cuisine de la ville de Lyon, en France, célèbre pour ses charcuteries et ses plats copieux à base de viande de porc et d'abats. Service sympathique, professionnel et carte des vins axée sur les régions voisines de Lyon : Rhône, Beaujolais, Bourgogne et Jura.

LE MOINE ÉCHANSON
585, rue Saint-Jean, Québec, 418-524-7832

Le concept : restaurant et boîte à vin. Un lieu minuscule, mais chaleureux et convivial. Le menu, comme la carte des vins, évolue au rythme des saisons. Plus léger l'été, plus rassasiant l'hiver.

LE CLOCHER PENCHÉ
203, rue Saint-Joseph Est, Québec, 418-640-0597

Au menu, des classiques de la cuisine bistro française : boudin, tartares, etc. Expérience tout aussi agréable en soirée que pour le brunch. Belle carte des vins, essentiellement européenne. Service sympathique, sans compromis sur le professionnalisme.

INITIALE
54, rue Saint-Pierre, Québec, 418-694-1818

Membre de la chaîne Relais & Châteaux, récemment décoré de la mention cinq Diamants, ce restaurant gastronomique situé au cœur du Vieux-Québec est un incontournable de la capitale. Une cuisine fine et sophistiquée, servie dans un cadre tout aussi distingué, accompagnée d'une belle sélection de vins, dont plusieurs grands crus bordelais. Le menu du midi est une véritable aubaine.

CHEZ BOULAY - BISTRO BORÉAL
1110, rue Saint-Jean, Québec, 418-380-8166

Le chef-propriétaire du restaurant Le Saint-Amour a développé un nouveau restaurant voué à la mise en valeur des produits du terroir boréal, comme le désormais très médiatisé NOMA, de Copenhague. Omble de l'arctique et caribou parfumé au thé du Labrador sont assortis d'une carte de vins truffée d'importations privées.

LÉGENDE
255, rue Saint-Paul, Québec, 418-614-2555

L'antenne du restaurant La Tanière dans le Vieux-Québec. Une cuisine boréale très bien exécutée, à la hauteur des standards de la maison-mère. Le sommelier Jean-Sébastien Delisle dresse une carte étoffée, résolument axée sur les vins de terroir.

PANACHE
10, rue Saint-Antoine, Québec, 418-692-1022

Dans les murs de l'hôtel Saint-Antoine, ce restaurant séduit par la beauté historique des lieux, l'excellente cuisine sans confusion, le service pondéré et la belle carte des vins. Membre de la chaîne Relais & Châteaux.

LE SAINT-AMOUR
48, rue Sainte-Ursule, Vieux-Québec, 418-694-0667

Campé sur une rue en pente près de la porte Saint-Louis. La carte des vins a l'allure d'un annuaire téléphonique. Toutes les régions de France y sont, particulièrement les vins de Bourgogne et de Bordeaux. Une gamme impressionnante de vins liquoreux et un très bon choix de demi-bouteilles.

LAURIE RAPHAËL
117, rue Dalhousie, Québec, 418-692-4555

Une table réputée du Vieux-Québec, où Daniel Vézina signe une cuisine moderne, mise en valeur par une belle carte des vins.

L'ÉCHAUDÉ
73, rue Sault-au-Matelot, Québec, 418-692-1299

Restaurant niché au cœur de la vieille ville. Cuisine de bistro accompagnée d'un très bon choix de vins français à des prix raisonnables.

CHARLEVOIX, SAGUENAY, CÔTE-NORD

CHEZ SAINT-PIERRE
129, Mont-Saint-Louis, Le Bic, 418-736-5972

Selon l'avis de plusieurs, la meilleure table du Bas-Saint-Laurent. Colombe Saint-Pierre met en valeur des produits du terroir local et concocte des plats aussi fins que savoureux. Côté vin, quelques belles trouvailles. Un arrêt obligé dans la région.

AUBERGE DU MANGE GRENOUILLE
148, rue Sainte-Cécile, Le Bic, 418-736-5656

Une adresse réputée sur la route du Bas-du-Fleuve. Dans un décor chaleureux, cette auberge de qualité propose une cuisine soignée et une longue carte de vins diversifiée.

MAURICIE, BOIS-FRANCS, SOREL

AUBERGE DU LAC SAINT-PIERRE
1911, rue Notre-Dame, Pointe-du-Lac, 819-377-5971

Sur les rives du Saint-Laurent, une sympathique halte où l'on sert une cuisine réconfortante. Sur la carte, environ 150 vins bien choisis. Pour les grands soirs, quelques grands crus de Bordeaux.

LE CARLITO
361, rue des Forges, Trois-Rivières, 819-378-9111

On ne s'arrête pas dans ce restaurant trifluvien pour sa cuisine. En revanche, la carte des vins vaut vraiment le détour! Une foule de bonnes bouteilles de garde des régions de Bordeaux, de Bourgogne et du Rhône.

OUTAOUAIS

PLAY
1, York Street, Ottawa, 613-667-9207

Fort du succès de leur premier restaurant (Beckta, sur Nepean Street), le tandem formé de Stephen Beckta et du chef Michael Moffat a ouvert un second établissement, plus décontracté et aussi plus abordable. L'ambiance est animée, la formule est originale, le service est avenant et la carte compte quelques bons vins canadiens proposés au verre.

L'ORÉE DU BOIS
15, chemin Kingsmere, Chelsea, 819-827-0332

Dans le parc de la Gatineau en Outaouais, un sympathique relais de campagne, sous la gouverne du chef-propriétaire Jean-Claude Chartrand. La carte des vins est très bien garnie et inclut une sélection de vins québécois et canadiens. Un bon choix de vins au verre.

SOIF, BAR À VIN DE VÉRONIQUE RIVEST
88, rue Montcalm, Gatineau, 819-600-7643

Véronique Rivest a enfin pu concrétiser son projet d'ouvrir son bar à vin dans sa ville natale. Au cœur du Vieux-Hull, la vice-championne du monde en sommellerie a opté pour un décor chaleureux où le liège est à l'honneur sous toutes ses formes. La carte des vins est invitante, très éclectique, mais sans ostentation. Tout à l'image de sa créatrice.

APPORTEZ VOTRE VIN

Les restaurants où l'on peut apporter son vin sont nombreux dans la région de Montréal. Voici quelques bonnes adresses :

Montréal

À L'OS
5207, boulevard Saint-Laurent, 514-270-7055

Dans un décor dépouillé, ce bistro de quartier propose un menu élaboré et bien présenté. Service professionnel, carafes et verres de qualité impeccable.

BOMBAY MAHAL
1001, rue Jean-Talon Ouest, Montréal, 514-273-3331

Adresse très fréquentée de Parc-Extension, où s'entassent les amateurs de cuisine indienne dans une ambiance un peu bruyante et chaotique, mais néanmoins sympathique. Cuisine savoureuse, plus ou moins relevée, à la demande du client.

ÉTAT-MAJOR
4005, rue Ontario Est, Montréal, 514-905-8288

Une très bonne adresse, située sur la promenade Ontario, tout près du boulevard Pie IX. La cuisine est bien exécutée, les portions assez copieuses, le service est professionnel, efficace et très sympathique et des verres de qualité permettent d'apprécier les bonnes bouteilles.

KHYBER PASS
506, avenue Duluth Est, Montréal, 514-844-7131

Envie d'exotisme ? Davantage parfumée que piquante, la cuisine afghane se prête assez bien aux accords mets et vins. Dans un décor feutré, on savoure de bons plats d'agneau braisé, des grillades et autres spécialités. Par contre, ne cherchez pas les verres en cristal…

LA COLOMBE
554, avenue Duluth Est, 514-849-8844

Une adresse que l'on visite et revisite avec un plaisir toujours renouvelé. Vos meilleures bouteilles seront admirablement bien servies, tant par le personnel en salle que par la cuisine aussi soignée que gourmande et réconfortante du chef-propriétaire Mostafa Rougaïbi. Un classique et un incontournable pour l'amateur de vin. Pas étonnant qu'on y croise tant de gens de la profession…

LE MARGAUX
5058, avenue du Parc, Montréal, 514-448-1598

Ce restaurant de l'avenue du Parc, à deux pas de l'avenue Laurier, s'est reconverti en «Apportez votre vin» depuis le début de l'année 2013. La formule fonctionne assez bien si on en juge par l'achalandage. Cuisine sobre et raffinée.

LES CANAILLES
3854, rue Ontario Est, Montréal, 514-526-8186

Dans le quartier Hochelaga-Maisonneuve, pas très loin de la place Valois. Bonne cuisine bistro, servie dans une ambiance animée et un cadre décontracté.

O'THYM
1112, boul. de Maisonneuve Est, Montréal, 514-525-3443

Bistro très fréquenté. Le menu, inscrit à l'ardoise, varie au rythme des arrivages. Service avenant et courtois.

QUARTIER GÉNÉRAL
1251, rue Gilford Est, Montréal, 514-658-1839

Parmi les bons «apportez votre vin» du Plateau-Mont-Royal. On y propose une belle sélection d'entrées et de plats servis à la carte ou en menu composé. Le service est à la fois professionnel, avenant et sympathique. Le mieux est de réserver une semaine à l'avance.

Québec

LA GIROLLE
1384, chemin Sainte-Foy, Québec, 418-527-4141

L'un des rares bistros de Québec où l'on peut apporter son vin. On y sert des plats français classiques à des prix très abordables. Les bonnes bouteilles sont de mise. Ouvert midi et soir.

CHEZ SOI LA CHINE
27, rue Sainte Angèle, Québec, 418-523-8858

Au cœur du Vieux-Québec, à deux pas de la place d'Youville, ce restaurant situé dans les anciens locaux du Café d'Europe propose une cuisine chinoise authentique. Les dumplings vapeur et le canard laqué aux champignons feront certainement honneur à vos bonnes bouteilles. Chaleureux et abordable.

OÙ SE PROCURER DES VINS DU QUÉBEC

MONTRÉAL

Boire Grand, Ahuntsic
1314, rue Fleury Est, Montréal.
514-383-2999

Comptoir Sainte-Cécile
232, rue de Castelnau Est, Montréal.
514-271-9888

Pascal le boucher
8113, rue Saint-Denis, Montréal.
438-387-6030

Peluso Beaubien
251, rue Beaubien Est, Montréal.
514-379-1343

Veux-tu une bière?
(3 adresses)
372, rue de Liège Est, Montréal.
514-871-2771

5105, boul. Saint-Laurent,
Montréal. 514-871-2663
1451, rue Saint-Zotique Est,
Montréal. 514-871-2661

Vinologue, Le
4301, rue Ontario Est, Montréal.
514-251-8484

MONTÉRÉGIE

Ferme Guyon
1001, rue Patrick Farrar, Chambly.
450-658-1010

La Grange à Houblon
222, Boulevard Poliquin, Sorel-Tracy.
579-363-3363

Marché du Village
98, QC-235,
Ange-Gardien. 450-293-6115

LAVAL ET RIVE-NORD

La Saucisserie BDF
69, Montée Gagnon,
Bois-des-Filion. 450-621-0611

La Saucisserie Sainte-Rose
146, boul. Sainte-Rose,
Laval. 450-937-9333

Yannick Fromagerie
357, rue Parent, Saint-Jérôme.
450-436-8469

CANTONS-DE-L'EST

Bières Dépôt – Au Vent Du Nord
4692, boul Bourque, Sherbrooke.
819-933-3883

RÉGION DE QUÉBEC

William J. Walter – Nouvo St-Roch
165, rue Saint-Joseph Est, Québec.
581-981-2020

Yannick Fromagerie
901, 3ᵉ avenue,
Québec. 418-614-2002

JA Moisan
699, Rue Saint-Jean,
Québec. 418-522-0685

La Place
699, rue Saint-Joseph Est, Québec.
418-529-7524

Marché public de Lévis
5751, rue J.-B. Michaud, Lévis.
581-985-8881

L'IMPORTATION PRIVÉE

COMMENT ÇA MARCHE ?

La plupart des agences mettent à jour le catalogue de leurs vins d'importation privée sur une base régulière. Si un produit vous intéresse :

1- Communiquez avec l'agence par courriel ou par téléphone pour passer votre commande ;

2- Choisissez la succursale de la SAQ où vous souhaitez prendre possession de vos bouteilles* ; un employé de la succursale vous avisera par téléphone sur réception de votre commande ;

3- Un employé de la succursale vous avisera par Téléphone sur réception de votre commande ;

4- Le paiement s'effectue lors de la prise de possession des bouteilles, au comptoir-caisse de la SAQ.

*Les vins sont vendus en caisse de 6 ou 12 bouteilles.

OÙ S'ADRESSER ?

Pour obtenir de plus amples renseignements quant aux coordonnées des différentes agences, vous pouvez aussi communiquer avec :

- le service à la clientèle de la SAQ au 514-254-2020 ;
- la RASPIPAV (Regroupement des agences spécialisées dans la promotion de l'importation privée des alcools et des vins) à l'adresse info@raspipav.com ;
- l'AQAVBS (Association québécoise des agences de vins, bières et spiritueux) au 514-722-4510.

DES ADRESSES OÙ S'APPROVISIONNER

AB2vin
Tél. : 450-525-0171
ab2vin.ca

Agence Boires
Tél. : 514-969-2485
agenceboires.com

A.O.C. et Cie
Tél. : 514-931-9645
vinsaoc.ca

Anthocyane
Tél. : 514-237-3902
anthocyane.ca

Authentic Vins et Spiritueux
Tél. : 514-356-5222
awsm.ca

Aux Bons Crus
Tél. : 438-380-2690
auxbonscrus.ca

Avant-Garde Vins et Spiritueux
Tél. : 514-464-0054
agvs.ca

Bacchus 76
bacchus76.com

Balthazard
Tél. : 514-288-9009
vinsbalthazard.com

Bambara Sélection
Tél. : 450-482-3777
bambaraselection.com

Bella Vita
Tél.: 450-562-2099
bellavitagrandscrus.com

Benedictus
Tél.: 450-671-5572
benlecavalier@sympatico.ca

Blanc ou Rouge
Tél.: 450-747-3070
blancourouge.com

Cava Spiliadis Canada
Tél.: 514-272-7459
cavaspiliadis.com

Charton-Hobbs
Tél.: 514-355-8955
chartonhobbs.com

Connexion Œnophilia
Tél.: 514-244-2248
oenophilia.ca

Dandurand
Tél.: 1-888-820-2089
vinsdandurand.com

Divin Paradis
Tél.: 450-463-1020
divinparadis.com

Elixirs Vins et Spiritueux
Tél.: 514-489-9880
elixirs.ca

Enoteca di Moreno de Marchi
lenoteca.ca

Enotria Internationale
Tél.: 514-955-8466
enotria.ca

Francs-Vins (La Société)
Tél.: 514-270-6123
francs-vins.ca

GLOU
Tél.: 514-978-7216
glou-mtl.com

Importations BMT
Tél.: 514-652-5003
importationsbmt.com

Les Vins Dame-Jeanne
vindamejeanne.com

Importation Épicurienne R.A. Fortin
Tél.: 450-671-0631
importation-epicurienne.com

Importation Le Pot de Vin
Tél.: 418-997-9264
importationlepotdevin.com

Importations Syl-Vins
Tél.: 855-795-8467
lesisv.com

Isravin
Tél.: 514-991-9463
isravin.com

La Céleste Levure
Tél.: 514-948-5050
lacelestelevure.ca

La QV
Tél.: 514-504-5082
laqv.ca

LBV International
Tél.: 514-907-9680
lbvinternational.com

LCC / Clos des Vignes
Tél.: 514-985-0647
lccvins.com

La Fontaine Vins et Liqueurs
Tél.: 514-253-1848
la-fontaine.ca

Le Maître de Chai
Tél.: 514-849-7555
lemaitredechai.qc.ca

Les Sélections Vin-Coeur
Tél.: 450-754-3769
selectionsvincoeur.com

Les Vieux Garçons
Tél.: 418-571-3396
lesvieuxgarcons.ca

Les Vins de Julie
lesvinsdejulie.com

Le Vin dans les Voiles
Tél.: 514-374-7070
levindanslesvoiles.com

LVAB
Tél. : 450-538-3782
lvab.ca

Mark Anthony Brands
Tél. : 1-800-905-6660
markanthony.com

Mon Caviste
Tél. : 514-867-5327
moncaviste.ca

Mondia Alliance
Tél. : 450-645-9777
mondiaalliance.com

Noble Sélection
Tél. : 514-989-9657
nobleselection.ca

Œnopole
Tél. : 514-276-1818
oenopole.ca

Origines
Tél. : 514-609-0867
origines.ca

Plan Vin
Tél. : 514-678-8777
planvin.com

Primavin
Tél. : 514-868-2228
primavin.com

Raisonnance
Tél. : 450-226-5064
raisonnance.net

RéZin
Tél. : 514-937-5770
rezin.com

Sélection Caviste
Tél. : 450-963-7401
selectioncaviste.com

Sélections Fréchette
Tél. : 514-868-2020
selectionsfrechette.com

Sélections Oeno
Tél. : 450-769-1990
oeno.ca

Société Commerciale Clément
Tél. : 450-641-6403
jlfreeman.ca

Société de Vins Fins
Tél. : 450-432-2626
sdvf.ca

Société Roucet
Tél. : 450-582-2882
roucet.com

Symbiose
Tél. : 514-212-6336
symbiose-vins.com

Tannins
T. 514-706-9877
agencetannins.com

Tocade
Tél. : 514-680-1543
tocade.com

Univins
Tél. : 514-522-9339
univins.ca

Vin Conseil
Tél. : 450-628-5639
vinconseil.com

Vinealis
Tél. : 514-895-8835
vinealis.com

Vinicolor
Tél. : 514-938-8467
vinicolor.ca

Vini-Vins
Tél. : 514-993-3727
vini-vins.com

Vins etcetera
Tél. : 450-621-5836
vinsetcetera.com

Vitis
Tél. : 418-683-5618
vitiscanada.com

Ward & Associés
Tél. : 514-290-2079
wardetassocies.com

INDEX
DES CODES

Numéro de code de chaque vin, suivi de la page où il apparaît dans le livre.

10253440	169		
10255939	112		
10259737	131		
10259745	131		
10259753	115		
10262979	354		
10264018	193		
10264860	37		
10267809	80		
10268596	170		
10269151	33		
10270178	170		
10270881	198		

103

10324623	196
10328587	139
10335226	172
10371665	214
10382639	321
10388601	36
10394664	302
10395309	303

104

10403410	216
10405010	123
10431091	168
10456440	155
10483317	176

105

10507104	121
10507307	122
10517759	174
10520819	58
10520835	58
10522401	86
10522540	254
10523366	83
10523892	83
10528239	123
10539915	184
10540730	343
10560351	168

106

10654948	340
10667360	361
10669787	178
10675001	138
10675466	181
10677550	40
10678229	101
10678325	98
10679361	311
10680118	260
10682615	123
10689622	86
10694253	294
10694376	300

107

10700764	241
10705021	159
10744695	286
10745989	287
10758325	203
10771407	37
10778967	138
10778975	135
10780311	159
10783088	108
10783310	99
10783491	138
10789800	74
10796524	56

108

10816775	150
10817090	353
10817111	352
10826543	321
10838579	211
10839168	342
10839694	153
10841188	210
10843466	177
10854085	172
10856161	192
10856241	194
10856849	37
10856873	196

10856937	267
10857569	198
10858086	203
10858262	167
10858351	191
10863766	178
10863774	178
10865227	210
10865294	52
10865307	34
10870211	58
10884655	131
10894431	303
10894811	118
10896365	340

109

10902841	196
10916485	349
10919133	111
10919723	256
10944380	216
10954078	320
10955741	330
10967434	294
10968752	325
10969747	166
10969763	174
10971273	300
10985851	338

110

11010301	331
11013317	122
11015793	33
11016016	124
11019831	173
11027807	164
11034361	182
11034741	229
11035479	50
11039736	269
11062531	212
11073512	278
11073758	212
11094621	57
11094727	50

11095877	105
11095949	108
11096159	127
11096271	126
11097101	182
11097418	224
11097451	221
11097477	220
11097485	223
11098322	181

111

11106661	250
11127234	326
11133239	211
11140498	270
11152958	324
11153264	60
11154021	88
11154128	86
11154427	64
11154558	143
11154890	100
11154988	89
11156238	206
11156895	302
11157185	202
11161299	176
11166559	282
11169670	199
11177240	124
11180334	49

112

11213343	170
11219606	94
11231963	98
11232149	337
11232261	350
11259940	66
11293953	57

113

11305344	63
11305580	177
11306136	285
11309054	174

12531394 291
12532514 308
12533541 192
12536101 337
12558909 151
12560881 331
12564233 84
12575223 195
12582773 53
12582984 270
12583047 268
12587136 69
12599874 347
12599903 347

126

12604063 74
12604080 67
12611036 296
12612531 366
12613728 53
12640232 213
12640603 182
12640611 185
12663282 195
12669641 326
12670378 281
12676307 232
12685609 257
12687364 143

127

12704101 124
12718482 268
12723142 142
12731177 127
12741084 79
12748278 88
12757692 206
12759840 211
12760584 352
12760816 255
12764921 104
12778987 241
12781650 346
12782441 87
12784703 224
12797686 298
12797846 343
12798611 350

128

12818361 354
12819435 310
12829051 128
12831872 364
12846441 339
12854097 114
12854169 104
12854644 301
12862564 309
12866291 55
12882338 283
12882856 298
12882961 300
12884481 241
12888043 341
12888182 341
12889126 308
12889409 307

129

12924770 350
12937280 344
12950572 32
12951356 69
12979084 365
12979092 364
12981301 245
12986612 199
12986911 285
12990152 203
12991104 181
12993011 363

130

13023172 259
13023201 253
13032845 338
13034496 195
13035851 363
13047641 49
13058113 235
13061494 55
13072302 84
13072601 122
13074375 206
13085630 107
13089868 190
13090631 324

131

13105910 125
13107211 257
13107317 246
13108862 271
13108918 268
13112167 155
13114322 209
13128169 86
13137647 365
13169577 208
13178490 48
13183432 269
13184224 66
13188778 137
13188858 173
13190190 222
13190982 222
13193690 344

132

13206121 351
13211851 355
13211878 109
13219520 62
13224329 272
13225840 306
13229963 364
13232581 340
13234771 283
13239862 52
13253285 214
13260821 96
13260856 94
13264275 365
13286861 217
13288218 225
13296664 282
13299953 189

133

13314421 182
13317015 285
13319491 96
13337083 152
13341197 63
13349800 143
13360056 141
13385325 210
13385931 64
13386176 51
13387136 167
13387312 94
13394766 294

134

13402316 137
13408929 341
13425930 162
13432515 173
13432671 153
13437391 185
13437439 338
13448699 350
13453762 228
13454626 362
13460647 166
13466176 168
13470001 102
13471063 272
13476201 222
13477828 184
13477959 32
13479639 237
13481069 342
13485959 169
13486370 329
13487161 158
13487188 180
13491081 316
13491161 209
13497298 176
13497458 238

135

13501710 281
13503205 292

14037251	183	14057024	39	14110500	176	14182458	197
14037761	34	14057219	237	14112708	217	14184453	65
14038350	34	14060952	120	14112783	59	14191434	316
14039301	156	14070392	106	14112901	160	14198370	314
14041188	296	14071934	139	14128611	52	14199938	163
14042973	50	14074879	171	14133891	278		
14043634	239	14077228	102	14134801	345	**142**	
14043707	264	14082887	279	14141568	110		
14043811	252	14083409	192	14159910	81	14205921	39
14043853	263	14092727	129	14160742	193	14213947	324
14044653	175	14094722	280	14171724	157	14214579	111
14044670	179			14171732	157	14216208	110
14045111	54	**141**		14172612	89	14228516	143
14047352	295	14102403	154	14172719	88	14228786	35
14047424	310	14106800	114	14178694	59		

INDEX DES PRODUCTEURS

NOTES DE RÉFÉRENCES

Pour faciliter vos recherches, vous pouvez également télécharger l'index complet du *Guide du vin 2020* sur le site Internet des Éditions de l'Homme à l'adresse suivante :

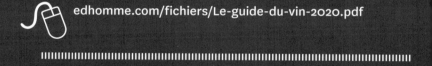 edhomme.com/fichiers/Le-guide-du-vin-2020.pdf

INDEX DES NOMS DE VINS

NOTES DE RÉFÉRENCES

Pour faciliter vos recherches, vous pouvez également télécharger l'index complet du *Guide du vin 2020* sur le site Internet des Éditions de l'Homme à l'adresse suivante :

 edhomme.com/fichiers/Le-guide-du-vin-2020.pdf

R

REMERCIEMENTS

Merci d'abord à toi, Marie-Michèle Grenier. Le marathon qu'est *Le guide du vin* m'est tellement moins usant depuis que j'ai la chance de t'avoir à mes côtés pour ses interminables séances de dégustations. Merci pour les tapes sur l'épaule, les questions, les précieuses observations, les conseils. Merci aussi de me rappeler à l'ordre quand la procrastination me guette. Travailler avec toi est un pur plaisir!

Merci à mon cher mentor, Michel Phaneuf, de m'avoir fait confiance alors que j'avais tout à apprendre. Merci de m'avoir si généreusement et gentiment transmis ton savoir. Merci surtout de m'avoir ouvert les portes d'un monde qui me fascine et me captive, encore et encore.

À Judith Landry, la capitaine à bord du grand navire que sont les Éditions de l'Homme, merci pour ta confiance renouvelée et merci surtout de continuer à faire briller l'institution québécoise qu'est devenu *Le guide du vin Phaneuf*.

Merci aussi à toute la formidable équipe des Éditions de l'Homme, sans laquelle *Le guide* ne serait pas si beau, si complet. Sylvie Tremblay, merci de veiller avec autant de vigilance à ce que ces pages fassent honneur à la langue française. Sans le savoir, tu m'aides à mieux dormir.

Merci à Caroline, Johanne, Josée, Julien, Mario et toute l'équipe de Diane Denoncourt à la production graphique. La tâche est colossale (mise en page, retouches d'étiquettes, cartes géographiques, courbes de vieillissement, tableau des millésimes, etc.) et le temps toujours plus limité, mais chaque année, vous y arrivez. Et chaque année, vous m'épatez.

Merci à Nancy Desrosiers, la fée qui signe depuis plusieurs années déjà la couverture du *Guide*. Et merci à Julia Marois, la photographe-magicienne, qui arrive toujours à me mettre à l'aise quand l'objectif m'intimide.

Merci à toutes les agences en représentations qui, dès avril, contactent leurs fournisseurs de partout sur la planète et qui voient à la lourde logistique que représente l'envoi d'échantillons outre-mer. C'est en partie grâce à vos efforts que ce guide peut être si utile à ses lecteurs.

Merci enfin à vous, chers lecteurs fidèles. Merci pour la confiance que vous m'accordez. En espérant que ces pages vous accompagnent encore long-temps dans la découverte des vins et vers l'exploration de nouveaux horizons. À la vôtre!

TABLEAU DES MILLÉSIMES

	18	17	16	15	14	13	12	11	10	09	08	07	06	05	04	03	02	01	00	99	98	97	96	95	94	93	92	91	90	89	88	87	86	85	84	83
Médoc - Graves	8	6	8	8	7	4	6	7	10	9	8	6	7	9	9	8	8	9	7	8	8	9	9	9	7	6	4	5	10	10	8	5	9	8	5	8
Pomerol - Saint-Émilion	8	6	8	9	6	5	7	8	10	9	8	6	7	9	8	8	7	9	7	9	9	9	8	9	7	6	4	4	10	9	8	6	8	9	3	8
Sauternes	8	7	8	9	8	9	7	8	10	7	9	10	8	9	7	10	9	10	8	7	8	8	10	8	5	5	4	4	10	9	9	6	5	10	8	8
Côte d'Or rouge	10	9	9	9	8	9	9	8	9	9	7	7	8	9	7	9	9	8	7	9	8	7	8	8	6	5	6	7	9	8	10	7	5	9	5	7
Côte d'Or blanc	8	9	7	7	8	7	8	7	8	8	8	8	8	9	8	7	10	7	8	7	8	8	9	9	7	5	8	5	8	7	7	6	9	8	6	8
Chablis Grands crus	10	8	6	7	9	7	8	9	9	9	9	8	8	9	8	6	10	7	10	8	8	9	9	8	6	7	8	7								
Alsace	8	10	8	7	9	9	7	7	8	10	8	8	7	9	7	7	8	9	7	7	8	8	9	8	9	6	6	6	9							
Loire blanc (Anjou, Vouvray)	10	7	7	8	8	7	7	7	7	8	8	8	7	9	7	7	10	8	6	6	7	8	9	8	8	8	6	5	9							
Loire rouge	10	7	7	8	8	6	6	6	8	8	8	6	8	9	9	7	8	8	7	7	8	9	8	8	7	8	5	7	9							
Rhône rouge (nord)	8	8	8	9	7	8	9	8	9	9	7	7	7	8	9	8	6	8	9	8	8	7	9	9	5	4	5	6	9	10	9	4	7	5	5	9
Rhône rouge (sud)	7	7	7	8	7	9	8	7	8	8	6	8	9	9	9	8	5	9	8	9	10	7	6	9	7	7	5	5	9	10	8	7	8	8	6	8
Piémont: Barolo, Barbaresco	7	9	10	9	8	5	7	7	7	8	8	9	9	8	9	8	6	10	9	9	9	10	7	9	5	7	5	5	10	10	8	4	7	6	5	7
Toscane: Chianti, Brunello	9	6	8	7	7	7	7	7	8	8	8	9	10	7	9	7	6	10	7	8	8	10	7	9	8	7	4	6	10	5	9	8	5	10	4	8
Allemagne (Rheingau et Moselle)	9	8	7	9	7	7	9	8	7	8	7	9	9	10	8	9	8	10	7	8	7	9	10	8	9	7										
Californie-Cabernet sauvignon	8	8	9	8	9	8	9	8	7	8	7	7	7	8	8	9	9	9	9	8	7	8	8	8	9	7	8	8	10	7	6	9	8	9	8	6
Porto Vintage	7	10	7	9	8	9	9	9	7	7	8	10	6	8	7	9	6	n/a	5	9	5	10	7	8	10	-	9	9	7	-	-	7	7	9	-	8
Champagne	10	6	7	8	7	8	8	9	8	6	9	8	7	8	9	8	10	8	9	9	9	9	10	10	-	-	-	-	-	-	-	-	-	-	-	-

Les millésimes sont cotés de 0 (les moins bons) à 10 (les meilleurs). Les notes attribuées au millésime 2018 ne sont qu'*indicatives et provisoires*.

À laisser vieillir.

On peut commencer à les boire, mais les meilleurs continueront de s'améliorer.

Prêts à boire.

À boire sans attendre, il n'y a pas d'intérêt à les conserver plus longtemps.

Peut-être trop vieux.

TABLEAU DES MILLÉSIMES

	18	17	16	15	14	13	12	11	10	09	08	07	06	05	04	03	02	01	00	99	98	97	96	95	94	93	92	91	90	89	88	87	86	85	84	83
Médoc - Graves	8	6	9	8	7	4	6	7	10	9	8	6	7	9	8	8	7	9	9	7	8	7	9	9	7	6	4	5	10	10	8	5	9	8	5	8
Pomerol - Saint-Émilion	8	6	8	9	6	5	7	8	10	9	8	6	7	9	8	8	7	8	9	7	9	7	8	9	7	6	4	4	10	9	8	6	8	9	3	8
Sauternes	8	7	8	10	8	9	7	8	10	9	7	10	8	9	7	10	9	10	8	7	8	10	8	8	5	5	5	4	9	9	10	5	10	8	5	8
Côte d'Or rouge	10	9	7	9	8	8	9	8	9	9	7	7	8	9	7	9	9	8	7	9	8	8	8	8	6	6	6	7	9	8	8	7	5	9	5	7
Côte d'Or blanc	8	9	7	7	8	8	8	7	8	8	8	8	8	9	8	7	10	7	8	7	8	8	9	9	7	7	8	5	8	9	7	6	9	8	6	8
Chablis Grands crus	10	8	6	7	9	8	8	8	9	8	9	8	8	9	8	6	10	10	8	7	8	8	9	8	6	7	8	7								
Alsace	8	10	8	8	7	9	7	9	10	8	10	9	7	9	7	7	8	9	9	7	8	9	8	8	9	8	9	6	9							
Loire blanc (Anjou, Vouvray)	10	7	7	8	8	7	7	7	7	8	8	8	7	9	8	10	8	9	6	6	9	9	8	9	6	6	6	6	9							
Loire rouge	10	7	7	8	8	6	6	6	8	9	8	6	8	9	8	7	8	9	7	7	7	9	9	8	7	7	5	7	9							
Rhône rouge (nord)	8	8	8	9	7	9	9	8	9	9	7	7	8	9	8	8	6	9	8	9	8	7	7	9	7	4	5	9	9	7	9	5	8	9	5	9
Rhône rouge (sud)	7	9	9	8	7	7	7	7	8	8	6	8	9	9	9	8	5	9	9	8	8	6	6	9	7	7	5	5	9	10	8	4	7	8	5	8
Piémont: Barolo, Barbaresco	7	8	9	10	8	7	7	7	7	8	8	9	9	9	8	8	6	10	9	9	9	10	9	9	6	5	5	5	10	9	8	8	6	10	5	7
Toscane: Chianti, Brunello	9	6	7	8	7	7	7	7	8	8	8	9	10	7	9	7	6	10	7	9	8	10	7	9	8	4	6	6	10	5	9	5	7	10	4	8
Allemagne (Rheingau et Moselle)	9	8	7	9	8	9	9	8	7	7	7	9	7	10	9	8	9	10	7	8	7	9	10													
Californie-Cabernet sauvignon	8	8	7	8	9	9	8	9	7	7	6	7	7	9	8	7	9	9	7	7	8	8	8	8	9											
Porto Vintage	7	10	7	9	8	8	7	9	7	7	8	10	6	8	7	9	6	n/a	10	5	5	10	7	8	10	-	-	-	7	-	-	7	7	9	-	8
Champagne	10	6	7	8	7	8	8	6	6	9	8	8	8	9	9	8	10	8	9	9	9	9	10	10	-	-	-	-	-	-	-	8	-	-	-	-

Les millésimes sont cotés de 0 (les moins bons) à 10 (les meilleurs). Les notes attribuées au millésime 2018 ne sont qu'indicatives et provisoires.

- À laisser vieillir.
- On peut commencer à les boire, mais les meilleurs continueront de s'améliorer.
- Prêts à boire.
- À boire sans attendre, il n'y a pas d'intérêt à les conserver plus longtemps.
- Peut-être trop vieux.